KB144650

강궁, 이옥

强弓

고려사절요 권지 29. 공민왕4
임자21년 대명공무5년

倭寇江陵府 及 盈德原二縣 時,
李春富子沃, 沒爲東界官奴, 及倭寇至, 我軍望風奔潰, 府使按廉, 聞沃勇銳, 授兵使擊之, 沃, 力戰却之,
王賜鞍馬 免其役

왜적이 강릉부와 영덕, 덕원의 두 고을에 쳐들어왔다. 우리 군사는 풍문만 듣고도 패하여 달아났다. 이 때 이춘부의 아들 옥이 몰수되어 동계의 관노가 되었는데 부사와 안렴사가 옥이 용맹스럽다는 말을 듣고 군사를 주어 이를 치게 하니 옥이 힘을 다하여 싸워 적을 물리쳤다. 왕이 안장 갖춘 말을 내려주고 그 역을 면하여 주었다.

강궁, 이옥

强弓

중심은 내 안에 세워야 한다

신광철 저

저자의 말

고려 최고의 명궁, 이옥을 발굴하다

숨겨진 인물을 발굴하는 계기로 소설을 썼다. 역사적인 인물임에도 알려진 바가 거의 없었다. 활을 잘 쏴서 강궁強弓이란 칭호를 받은 인물이었다. 한민족의 역사에서 강궁이란 칭호를 받은 장수는 이옥이 처음이다. 조선을 개국한 이성계와 고려의 공민왕 시대에 있었던 소설 같은 이야기였다. 하지만 소설이 아니고 실화다. 너무나 극적인 인생의 중심에 있는 인물이었다.

신돈과 무너져 가는 고려를 다시 일으켜 세우기 위해 개혁의 중심에 섰던 이춘부라는 인물이 신돈과 함께 역적으로 몰렸다. 이춘부는 문하시중으로 지금의 국무총리 격이었다. 고려 말의 혼란 속에서 신돈과 이춘부가 개혁을 반대하는 무리들에 의하여 처단되고 집안은 폐족이 되었다. 이춘부는 사형당하고, 이춘부의 형제들은 물론 이춘부의 가족, 부인과 아들, 딸 모두 관노로 뿔뿔이 흩어져 멸족의 상태가 된다. 관노官奴란 관에 속한 곳에서 일하는 노비였다.

이춘부의 맏아들인 이옥도 강릉부로 관노가 되어 생활하던 이듬해 왜구가 쳐들어왔다. 무려 300여 척의 대군단이었다. 공민왕에게 강궁이란 칭호를 받을 만큼 기개가 있었고, 활을 잘 쐈던 이옥이 노비의 신분으로 강릉부의 군사 지휘를 위임받아서 왜구들을 격퇴시켰다. 관노가 부활하는 순간이었다. 관노의 신분으로 한 나라가 위기에 처한 것을 구해냈다. 한 사람의 힘이 전쟁의 승패를 가름하는 위대한 현장이었다. 멸문된 집안의 자식으로 관노가 되어 인생의 막을 장식하려던 차에 왜구의 침입으로 지휘권한을 위임받아 왜구의 공격을 퇴치한 전설 같은 이야기다. 준비된 자의 재기였다.

이 이야기는 허구가 아니라 〈고려사〉와 〈고려사절요〉에 적힌 역사다. 한 인간이 나라와 개인의 기로에 서서 충忠을 바라보는 철학적인 사유가 들어 있어 재미있으면서 품격이 있고, 무거운 듯 경쾌하게 적었다. 봄날에 서로 다른 향기가 만나 행복하게 하듯 역사와 인물 그리고 철학이 잘 어우러지도록 노력한 소설이다.

조선조의 〈용재총화〉에도 기록되어 있다. 그만큼 당대에 알려진 이야기었다. 이성계와 동시대 사람이다. 이옥이 사망했을 때는 조선을 건국한 이성계가 정무를 쉬게 할 만큼 이옥에 대한 존경과 인품을 인정받은 사람이었다. 이옥은 이성계가 군을 일으켜 고려를 엎고, 조선을 개국한 것에 대해 적대관계를 가지지는 않았지만 반기를 든 사람이었다. 그리고 이성계가 조선을 개국하고 내리는 조선의 벼슬을 받지 않은 인물이었음에도 이성계는 이옥을 완벽하게 예우했다.

소설에서는 소설답게 가공의 인물을 넣었다. 이야기의 전개를 위해서였다. 이옥이 부상을 당해 정신을 잃었을 때 구해준 사람에 대한 이야기다. 이옥에 대한 사료가 빈약해서 이야기 구성을 위해 필요했다. 가능한 역사적인 사실을 살리려 했고, 등장하는 인물들도 역사서의 기록에 있는 인물들로 구성했다.

-일산에서, 신광철 작가

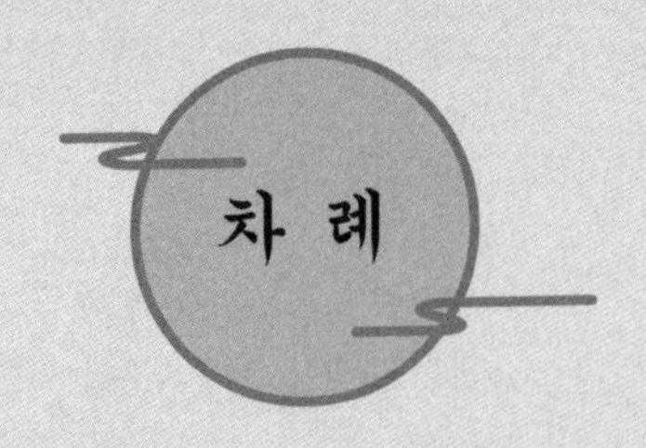

강궁이 되다

생명의 은인을 만나다

이성계를 만나다

최영과 만나다

무예 도장을 열다

관노로의 전락과 강궁으로 명예회복을 하다

강궁이 되다

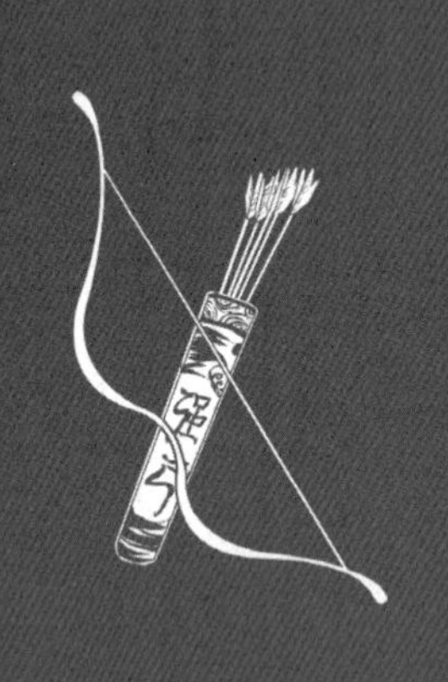

1
생명의 은인을 만나다

길을 잃을 수가 없다. 새로운 길이 있을 뿐이다.

이옥은 눈을 떴다. 흐릿하게 뭔지 모를 형체가 보였다. 조금 있으니 흐릿하게 사람의 형체가 보였다. 아직도 몽롱함이 남아있었다. 이옥은 정신을 차리고 바라보았다. 눈을 크게 뜨고 이옥을 바라보고 있는 사람이 있었다. 아직은 흐릿했지만, 모르는 사람이었다. 주위를 둘러보았다. 처음 보는 낯선 곳이었다.

바라보고 있던 소녀가 소리쳤다.

"아버지. 눈을 떴어요."

밖에 있던 노인이 들어왔다.

"기력을 찾았나 보군. 다행이다."

노인이 소녀를 바라보며 말했다.

"여기가 어디지요?"

이옥은 자신을 바라보고 있는 사람을 바라보고 말했다. 비로소 자신을 바라보고 있는 사람의 윤곽이 확연하게 들어왔다.

"여기는 개경에서 그리 멀지 않은 곳이라네."

"개경이라고요."

"그렇네."

이옥은 어렴풋이 자신이 마지막으로 정신이 있었을 때가 떠올랐다. 안우 장군의 휘하에서 임진강 근처에서 싸우고 있었다. 강화도에서 그리 멀지 않은 곳이었다. 전라도에서부터 시작한 왜구의 노략질에 관군이 투입되었지만, 매번 헛것이었다. 왜구들은 한곳에 머물지 않았다. 한 곳을 치고는 바로 그 자리에서 빠졌다. 관군의 공격을 피하기 위해서였다. 그 틈에 죄 없는 사람들이 노략질을 당하고 민간인들은 이유 없이 죽었다. 왜구들은 한 해 농사를 지어 가을걷이로 거두어 놓은 식량을 싣고는 사라졌다. 관군이 도착했을 때는 이미 왜구들이 마을에 불을 지르고 힘없는 사람들을 죽이고 여인들은 납치해 간 후였다. 일 년 먹을 양식을 약탈당하고 동네에는 불까지 지르고 사라지면서 부녀자들을 납치해 갔다. 평화롭게 농사를 짓고 살던 사람들에게 갑자기 들이닥친 재앙이었다. 먹을 양식을 노략질당하는 것보다도 어느 날 갑자기 아내를 잃어버리는 참혹한 일이 벌어졌다. 고려의 아이들은 어머니를 잃는 참극의 연속이었다.

정부군에게 배는 그리 많지 않았다. 대부분 전함으로서의 요건을 갖추지 못한 배였다. 왜구가 육상에 상륙하지 않으면 도저히 어찌해 볼 수 없었다. 고려에는 전함이 거의 없다고 해도 지나친 말이 아니었다. 고려는 해군이 강한 나라였지만 배와 선원과 물자들을 원의 일본침략에 동원하여 모두 잃었다. 일본을 공격하는 일이 태풍으로 인해 모조리 침몰하는 참담한 실패로 수군이 몰락한 후 다시 재건하지 못했기 때문이었다. 또한 원의 지배를 받으면서 군사력을 늘린다는 것은 모험이었다. 이래저래 어려움에 처해 있었다.

결국 고려군은 육상군 위주로 편성되어 있어 일단 왜구들이 노략질한 후에 바다로 빠져나가면 속수무책이었다. 전라도에서 충청도를 거쳐 양광도까지 왜구들이 올라오고 있었다. 막기에 역부족이었다. 왕궁이 있는 개경까지도 위협할 수 있는 상황이었다. 나라에서는 급하게 개경에 전시동원령을 선포했다. 이옥은 강화를 분탕질한 왜구들이 들어오리라 예상되는 상륙지점에서 진을 치고 있었다. 예성강으로 들어가는 길목이었다. 예성강이 뚫리면 개경과 평양이 위험할 수도 있어 예성강 방어에 참여하고 있었다.

이옥은 안우 장군 휘하에 있었다. 본진과 떨어져 병사들을 지휘하고 있었던 이옥은 잠복하고 있다가 왜구들이 배를 대고 육지로 상륙하는 것을 공격하여 30여 명의 적을 죽이고 10여 명은 생포했다. 배를 십여 척이나 노획했다. 큰 전과였다. 이 사실을 본진에 알리기 위하여 말을 타고 달리다가 미리 상륙해 잠복하고 있던 적에게 공격을 받았다. 수를 알 수 없는 적들의 화살 공격을 받아 그중 한 발의 화살이 넓적다리를 관통했다. 그러다가 길을 잃고 빨리 본진을 찾아가겠다는 일념으로 달렸다. 그렇게 헤매다가 쓰러졌다. 그 이후는 어떻게 되었는지 알 수 없었다.

이옥은 정신이 들자 자신을 바라보고 있는 노인을 바라보며 말했다.

"저는 급히 가야할 데가 있습니다."

이옥은 자신이 이렇게 누워있을 처지가 아님을 잘 알았다. 큰 전과를 올렸지만, 적들이 어디를 또 공격할지 모르는 상황이었기 때문에 본진에 알려 다음 예상 공격지점을 알려주어야 했다.

"아무리 급한 일이 있어도 순서가 있네."

노인은 안쓰러운 얼굴로 이옥을 바라보았다.

"한 달은 쉬어야 걸을 수 있을 것이지만 그리 급한 일이라면 며칠이라도 묵다가 가게."

"한 달이나 있어야 한다고요? 지금 당장이라도 일어설 수만 있다면 떠나야 합니다."

"한 달도 자유롭게 걷기에는 부족할 수 있네."

"저는 지금 임무수행 중입니다."

이옥은 마음이 급했다.

"젊은이가 아무리 급하다고 해도 몸이 말을 들어야 갈 수 있는 것 아니겠는가?"

"…"

이옥은 더 이상 고집을 부릴 수가 없었다.

"젊은이가 피를 제법 흘렸고, 기진한 상태라 며칠로도 부족하네. 움직일 수만 있으면 떠나게. 하지만 쉬는 동안은 마음을 편하게 먹고 다 잊어버리는 것이 좋네."

"고맙습니다."

"고맙기는, … 사람이 죽어가는 것을 보고 자리를 내어주고 밥을 주었을 뿐이네. 사람이라면 누구나 할 수 있는 일이지. 고마움은 젊은이를 처음 발견한 성아라는 사람에게 해야 할 것이네."

"성아요? 성아라는 분은 어느 분이십니까?"

"성아는 여기에 살지 않네. 고향 집에 들렀다가 가는 길에 쓰러진 자네를 발견하고는 가장 가까운 이곳으로 안내했다네."

"고마움을 어떻게든 표해야 할 텐데 어찌하면 만날 수 있습니까?"

"조급할 필요 없네. 마음이 있으면 길은 있다네. 이르고 못 이름은 하늘의 뜻이지만 노력하는 일은 사람의 몫이지. 그리고 지금은 당장 몸을 추스르는 일이 먼저지."

"저를 구해준 분은 무얼 하는 분이시지요?"

"젊은이가 마음이 급하군. 그것은 그리 급한 일이 아니네. 먼저 건강을 찾는 일이 급하네. 이제야 겨우 깨어나 움직이기 시작했건만 고마움을 전하는 일이 뭐 그리 급할 것이 있겠는가?"

"저는 서둘러 가봐야 하는 사정이 있습니다."

이옥은 다시 한 번 급한 사정이 있음을 말했다.

"가는 거야 어찌 막겠나. 하지만 몸이 말을 듣지 않는데 가다가 또 쓰러지기라도 한다면 어찌하겠나? 기력을 찾을 동안은 더 머물게나."

급한 마음으로 사정을 이야기하는 이옥 자신도 그렇지만 같은 대답을 하는 노인도 마찬가지로 다른 방도가 없음을 잘 알고 있었다.

"예. 고맙습니다."

"시간을 잃어버리는 것에 너무 초조해 하지 말게. 인생의 어느 한 부분을 빼버린다고 해도 세상은 별로 달라지지 않네. 그리고 사람들은 길을 잃을까 걱정하지만, 인생길에 길을 잃는다는 것은 없다네.

새로운 길을 갈 뿐이지."

"길을 잃어버릴 수가 없다고요, 새로운 길이라고요?"

이옥은 몸이 성치 않은 중에서도 노인의 말에 귀가 번뜩 뜨여 되물었다. 인생길에 길을 잃는 것은 없다는 말이 그랬고 길을 잃었다고 해도 길을 잃은 것이 아니라 새로운 길을 가는 것이란 말이 또한 그랬다.

"그렇지. 세상에 어느 길이 정해진 길이라고 생각하는가. 그것이 더 우스운 생각이고 길들여진 것이지. 인생길은 어느 길을 가도 내 길이라네."

"…?"

이옥은 갈피를 잡지 못했다.

진정 노인의 말이 옳았다. 길을 잃는 것이 아니라 예측하지 못한 길로 들어섰다는 것이 맞는 표현이었다. 그러기에 길을 잃는 것이 아니라 새로운 길을 만난 것이니 두려워 말라는 말이었다. 물론 자신에게 위안을 주기 위한 말이라는 것을 알고 있으면서도 노인의 말이 신선했다.

이옥은 노인을 다시 훑어보았다. 머리가 하얀 노인이었다. 어디 하나 특별한 것이라고는 보이지 않는 촌로였다. 목소리가 강직해 보이고 눈이 맑다는 것이 특징이라면 특징이었다. 이옥은 노인의 말대로 마음 편하게 쉬기로 했다. 걷지도 못하는 몸으로 지금 여기가 어디인지 확실히 알지도 못하면서 떠날 수는 없었다. 연락할 사람도 없었고 노인과 달랑 둘이 전부였다. 어찌할 방도가 없었다.

마음은 조급했다. 왜구들이 개경을 쳐들어갔는지, 물러갔는지도 궁금했다. 이옥은 지금 자신이 다쳐서 이 한적한 곳에 머무르면서 세상은 참 다르구나 싶었다. 사람을 죽이고 식량을 빼앗아 달아나면서 마을에 불을 지르고 사라지는 처참한 상황에 있었는데 이곳은 전혀 달랐다. 같은 나라임에도 평화롭고 세상이 돌아가는 일에는 무심한 사람을 만나고 있었다.

"이곳은 전쟁의 피해를 보지 않았나 봅니다."

"그렇다네. 이곳은 한 번도 전쟁으로 어려움을 당하지 않았네. 우선 높은 산과 강이 가로막아주는 오지라서 누구도 중하게 여기지 않아 그렇지."

"…"

"중요한 것이 있어야 서로 빼앗으려는 자와 지키려는 자가 싸우는 것인데 이곳은 별다른 것이 없네. 이곳을 거쳐서 어디를 가기에도 불편하고."

"좋은 곳이네요?"

"그렇지는 않지. 조용히 살기에는 좋은 곳이라고 할 수 있네."

노인과 이야기 했지만 무슨 일을 하다가 다쳤는가, 어디에 사는 사람인가를 물어보지 않았다. 누구 자제인가는 사람이 만날 때마다 묻는 것이 당연한 대화법임에도 그런 것에는 관심이 없는 노인이었다. 나이와 이름도 묻지 않았다. 아주 평범한 모습임에도 말하는 것이 무언가 달랐다. 무어라고 이야기하기 쉽지 않지만 특별한 노인이었다. 자신을 드러내지 않는 것도 그랬다. 이옥의 신분에 대한 관심이 없는 것과 마찬가지로 자신에 관해 이야기하지 않았다.

이옥은 자신도 모르게 노인에게 관심이 쏠렸다. 이 노인의 정체는 무엇일까. 산골에서 농사나 짓고 사는 사람일까. 아니면 무슨 깊은 사연을 안고 들어와 조용히 숨어 사는 사람일까. 행동에서는 특별한 면이 보이지 않았지만, 이야기를 할 때면 숨어있는 비범함이 보였다.

한 마리 말이 개성에서 거친 먼지를 날리며 그리 멀지 않은 임진강가에 설치된 군영지에 도착하고 있었다. 말에 탄 사람은 다급했다. 급히 군영으로 들어가며 이춘부 장군을 찾았다. 병졸들이 신원을 확인하고는 길을 열어주었다. 말에서 내린 사람은 급하게 이춘부 장군이 있는 곳으로 안내되었다. 무언가 급한 것이 그의 행동에서 느껴졌다.

그 사내가 안내받은 곳으로 달려가 막사 안으로 들어가려 하자 밖에 있던 병사가 길을 막았다.

"지금은 회의 중입니다."

말에서 내린 사내는 밖에서 기다릴 수밖에 없었다. 개경은 이미 전시동원령이 선포되었고 궁의 안과 밖은 어수선했다. 어느 마을이 점령당했다는 이야기도 나오고 사람이 몇 백 명이나 잡혀갔는데 아녀자는 잡히면 왜구들의 첩이 되거나 종으로 팔려가 살아야 한다는 말도 돌았다. 이춘부는 동강 도병마사都兵馬使(고려 때 국가의 중대사를 회의로 결정짓던 임시 기관)로 개경을 중심으로 예성강과 임진강을 방어하도록 명을 받아 출진하고 있었다. 나라에서도 예상보다 많은 왜구에 당황하여 빠르게 대처했다. 믿음을 줄 만한 장수를 고민하다 이춘부 장군을 선임했다. 고려 최고의 장수에 덕망과 지략을 가진 장수였다. 이춘부는 임진강이 멀지 않은 곳에 진을 치고 있었다. 임진강과 왜구들이 침입해 올 예상지를 담당하고 있었다. 이춘부 장군을 중심으로 유탁은 경기병마 도통사로, 이자춘은 서강병마사西江兵馬使로 임명해 왜구의 침입에 대비했다.

말을 타고 온 사내가 안절부절못하는 사이에도 진영에서는 적을 맞을 준비를 하느라 정신이 없었다. 부대는 천막을 걷고 이동을 준비하고 있었다. 한참을 기다리자 막사 안에서 이춘부 장군이 나왔다.

"아버지!"

"예가 아니냐? 네가 이 와중에 어쩐 일이냐?"

예는 이춘부 장군의 셋째 아들이었다.

"형이 실종되었다고 합니다."

"그게 무슨 말이냐? 안우 장군 밑에 있지 않느냐?"

"예. 그렇습니다. 저도 그곳으로 달포 전 배치를 받아 작전 중이었습니다. 그곳에서 형이 소속된 진영이 왜구의 주력부대가 상륙하는 것을 발견하고는 섬멸했다고 합니다."

"한데 어찌 되었다는 말이더냐?"

"그 사실을 본진에 알리러 가다가 실종되었다고 합니다."

이춘부는 침묵했다. 잠시 생각에 잠겼다.

"돌아가거라!"

"그냥 돌아가라고요?"

"개인의 안위를 따질 상황이 아니다. 비록 내 자식의 일이라고 해도 어쩔 수 없다. 너는 어찌하여 본연의 임무를 벗어나 이곳에 온 것이냐?"

이춘부는 셋째 아들 예가 근무지를 벗어난 것을 도리어 나무라고 있었다.

"아버지!"

이예의 목소리에는 힘이 빠졌다.

"말해 보거라."

"소자는 상관에게 보고하고 그곳 동정도 이곳에 계신 아버지께 말씀드리고 형의 실종에 대해서도 정보를 알 수 있을까 해서 찾아온 것입니다."

이번 왜구의 침입에 이춘부 부자가 함께 참전했다. 이춘부 자신과 맏아들 이옥 그리고 셋째 이예까지 삼부자가 출전했다. 전쟁 상황은 아니었지만, 왜구들은 빠르고 강했다. 치고 빠지는 작전을 계속 구사했다. 드디어 개경이 멀지 않은 곳까지 다가왔다. 이런 상황에서 이옥의 승리는 값진 것이었다. 왜구의 상승세를 꺾는 아주 중요한 역할을 했다.

"그렇다면 들어 오거라. 잠시 머물다가 바로 떠나거라. 지금은 자리를 사사로운 일로 비울 수 없는 상황이니라."

이춘부의 목소리는 단호했다.

이춘부는 맏아들의 실종 소식에 가슴이 철렁했다. 셋째 이예의 말에 놀랐다. 어떤 상황인지 궁금했지만, 개인적인 일에 신경을 쓸 수 없는 상황이었다. 더구나 개경까지도 위급한 상황에 시간을 소비할 수가 없었다. 이춘부의 뒤를 이예가 따라 들어갔다.

이춘부는 이나해李那海의 장남이었다. 사나이라는 말이 이춘부의 아버지 이나해로부터 유래했다. 이나해의 네 아들 중 셋이 시중에 올랐고, 막내도 상서벼슬을 해 사람들의 부러움을 샀다. 사람들이

나해같이 됐으면 하는 마음에서 사나해似那海라고 했는데 이 말이 고려에서는 사나이라는 대명사로 쓰일 정도였다. 고려의 대표적인 명문가의 집안이었다. 사나해하면 대장부라는 말의 기원이 될 만큼 당당한 집안이었다. 온화한 성격이었으나 원칙에 강했다. 큰 흐름을 벗어나지 않는 융통성은 있었으니 대의에 어긋난 것은 용서하지 않았다.

이예는 대의와 명분을 들어서 자식의 일에 공정한 아버지가 오늘은 섭섭했다. 큰 형의 소식이 끊겨서 알고 싶던 차에 공무가 생겨 달려왔건만 나무람만 들었다. 따뜻이 맞아 주리라 생각한 것이 잘못이었다. 당연하다고 생각되면서도 섭섭한 것은 어쩔 수 없었다.

"나는 바로 출발해야 한다. 너는 어떻게 하겠느냐?"

"저도 바로 돌아가겠습니다."

이예를 돌려보내고 나서 이춘부의 머릿속에는 맏아들 이옥의 생각으로 가득했다. 겉으로는 나무랐지만, 마음속으로는 걱정이 되었다. 하지만 지금은 공무가 먼저였다.

2

건강을 회복하다

부드러움을 들여라, 그리해야만 진정한 강함이 나온다

이옥으로서는 달리 방법도 없었다. 며칠 전부터 거동하기 시작했지만, 몸이 예전 같지 않았다. 이옥이 방에서 밖으로 나가는 데에도 이틀이나 누워 있은 후에야 가능했다. 그만큼 몸이 상하고 지쳐있었다.

"어제는 자네 덕분에 고기 맛을 보았는데, 활 솜씨가 보통이 아니더군."

"죄송합니다. 말씀도 드리지 않고 걸려있는 활을 가지고 나갔습니다."

노인의 허락 없이 벽에 걸려있는 활을 가지고 가서는 꿩을 잡아온 것을 두고 미안한 마음으로 말했다. 걷기에는 어려움이 있었지만 활을 쏘는 데에는 별 어려움이 없었다. 벽에 걸려 있는 활이 하나가 아니고 몇 개가 나란히 걸려있는 것을 보면 모양으로 걸어둔 것이 아님을 알 수 있었다. 활들은 잘 다듬어져 있었다. 활이나 칼은 외부인이 함부로 만지는 것을 허락하지 않았다. 위험도 하고 남의 것을 허락 없이 만지는 것은 예의가 아니었다. 노인이 일을 보러 나갔는지 보이지 않을 때 벽에 걸린 활을 들고 나갔었다. 이옥은 활을 사용하고는 잘 다듬어서 그대로 걸어두었다. 노인이 모르는 줄 알았는데 노인의 말에 얼굴이 붉어졌다. 아니면 활로 잡은 기러기와 꿩을 보고 하는 말이었을 것이다.

"그것을 책망하려는 것이 아니라, 솜씨가 제법이기에 칭찬하는 것일세."

노인의 말에는 힘이 있었다. 마른 몸에 허리가 꼿꼿했다. 단정한 몸매무새에 강단이 있었다.

"아닙니다. 활 쏘는 것을 조금 했습니다. 잘 쏘지는 못합니다."

"그만큼 쏘려면 많은 노력이 필요하지. 그리고 타고난 솜씨가 아니면 이르기 어려운 경지인 것을 두고 하는 말이네."

"제가 활 쏘는 것을 보셨습니까?"

"보려고 해서 본 것이 아니라 밭에 있다가 우연히 보았네."

"어르신도 활을 쏘십니까?"

"젊었을 적에는 제법 쏘았지. 지금은 힘이 달려 잘 쏘지도 않고 살생은 하지도 않네."

"한 수 가르쳐 주시지요."

"가르쳐 줄 것까지는 없고 훈수는 조금 할 수 있네."

이옥은 내로라하는 궁수였다. 이미 이옥의 활 솜씨는 개경에 알려져 있었다. 이춘부의 맏아들 이옥이 활 솜씨가 대단하다는 이야기는 고려 조정뿐 아니라 웬만한 사람들은 알고 있었다.

노인이 이옥과 이야기 도중 성큼성큼 내려갔다. 골짜기에서 물을 길어오는 소녀의 물지게를 빼앗아지고는 다시 걸어왔다. 소녀가 순순히 물지게를 노인에게 건네주었다.

이옥이 달려갔다.

"제가 지겠습니다."

"괜찮네. 아직은 힘이 있네."

"그냥 두세요. 저희 아버지는 남이 말린다고 듣지 않으세요."

"그래도 나이가 있으셔서..."

"아니에요. 아직은 젊은 사람 몫의 일을 하시는걸요."

노인이 집 부엌 항아리에 물을 붓고는 나왔다. 부엌이라야 한데나 마찬가지였다. 바람이 드나드는데 자연스러울 만큼 구멍이 숭숭 뚫리고 부엌문도 틈이 많았다.

"오늘은 안색이 좋으시네요."

"예."

소녀가 두 사람 곁으로 다가서며 이옥에게 말을 건네자 이옥이 대답했다.

"꽃지야! 활 좀 가져 오거라."

꽃지. 이옥은 노인의 딸 이름이 꽃지라는 말에 참 이쁘구나 생각했다. 며칠을 함께 있었음에도 노인이 소녀의 이름을 부른 것은 처음이라 비로소 이름을 알았다. 꽃지가 활을 가지고 왔다. 키가 제법 크고 가슴도 볼록한 것이 처녀티가 제법 났다.

이옥이 웃음을 참지 못하고 소리 내어 웃었다. 꽃지의 모습이 귀여운 아이 같아 보여서였다. 보통 키였지만 예쁘장한 얼굴의 어린아이가 병정놀이를 하느라 어른들이 쓰는 활을 맨 것 같이 보여서였다.

"왜 웃으세요?"

"귀여워서."

이옥이 말하자 꽃지도 따라서 웃었다. 꽃지는 자신이 활을 멘 모습을 보고는 다시 한번 웃었다.

꽃지는 말없이 활에 화살을 걸고는 허공을 향하여 들더니 화살을 놓았다. 그 동작이 유연했다. 어색하지 않게 이어지는 동작 뒤에 화살이 날아가더니 산비둘기 한 마리를 정확히 맞혔다.

"우와!"

이옥은 자신도 모르게 소리를 질렀다.

눈 깜빡할 사이에 일어난 일이었다. 이옥은 놀라운 표정으로 입을 열지 못했다. 좀 전에 얼굴 가득했던 웃음이 걷혀있었다. 어린 소녀티가 남아있는 여인에게 그런 활솜씨가 있다니.

놀라움이 아직 가시지 않은 이옥에게 노인이 말했다.

"활쏘기는 지좌굴우支左屈右해야 하는 것이네."

"지좌굴우라고 하셨습니까?"

"그렇지. 왼손은 태산같이 버티고 오른손은 어린아이를 감싸듯 부드러워야 하는 활쏘기를 두고 하는 말이네."

이옥은 당당한 궁사였다. 적어도 스스로 이 나라의 내로라하는 궁사라고 자부하고 있었다. 어리게만 보았던 꽃지의 활 솜씨를 보고는 함부로 노인의 말에 토를 달거나 대꾸할 수 없었다. 꽃지가 저

정도로 활을 쏜다면 궁벽한 이 시골에서 가르칠 사람이 누구였겠는가 생각했다. 가르칠 사람은 이 노인밖에 없었다. 그렇지 않고서야 이 깊은 산골에 활이 몇 대씩이나 있을 수가 없을 것이다. 이옥은 아무 말도 하지 못하고 서 있었다. 꽂지의 얼굴에 웃음이 퍼지더니 화살에 맞아떨어진 비둘기를 찾으러 숲으로 달려 들어갔다.

"활쏘기의 기본은 고요함을 받아든 움직임이어야 하는 것이네."

"'고요함을 받아든 움직임'이라 하셨습니까?"

노인은 이옥의 말에 상관없이 말을 계속했다.

"고요함은 마음의 일이고, 움직임은 기氣지."

"기라면… ?"

"마음이 있으면 실천적인 힘이 있어야 하지 않은가?"

"…!"

"이 둘이 만나 합일이 되는 순간이, 활의 발사 순간이 되어야 하네."

"…"

이옥은 꼬장꼬장한 노인 정도로 생각했던 자신이 어리석었음을 확인하는 순간이었다. 사람을 보는 눈이 부족한 자신에 대해 생각했다.

"한 수 가르쳐 주시기 바랍니다."

이옥은 아주 정중하게 머리를 숙여 말했다.

"한번 활쏘기를 같이해봄세. 서로 배우는 것이 세상이라네."

노인이 방안 벽에 걸려있는 활을 한 대 더 가지고 나왔다. 활과 화살을 이옥에게 건네주었다. 그리고는 눈으로 앞에 밭 건너편에 놓여있는 둥글게 나무판으로 만들어 놓은 과녁을 가리켰다. 산비둘기를 들고 숲에서 나온 꽃지가 노인 옆으로 다가가 섰다.

"자네가 먼저 쏘게."

이옥이 먼저 활시위를 당겼다. 정중앙에 그려진 원을 조금 벗어난 곳에 맞았다. 잠시 후에 노인이 호흡을 다듬더니 활을 들었다. 드는 순간 그의 눈은 빛났다. 노인은 호흡을 가다듬는 시간이 아주 짧았다. 활을 드는 것과 활시위를 놓는 순간이 자연스럽게 연결되었다. 크게 원을 세 개 그려놓은 과녁의 중앙에 맞았다. 노인의 화살이 정중앙에 맞자 꽃지의 눈빛이 빛났다. 두 사람의 활솜씨가 만만치 않은 것을 한눈에 알 수 있었다. 이옥의 솜씨가 예사가 아님을 활을 드는 모습이나 화살을 놓는 위치가 호흡이 멈춘 상태에서 이루어지는 것을 한눈에 알아볼 수 있었다. 노인은 이옥의 활쏘기를 관심 있게 바라보았다. 깊은 침묵이 세 사람을 감쌌다.

산골에서 세 명이 아주 조용히 치르는 성스러운 의식 같았다. 한 발 한 발 화살이 날 때마다 화살 나는 소리가 팽팽한 긴장감으로 들렸다. 열아홉 개의 화살을 각자 쏜 중에 이옥은 열여덟 개를 맞췄고, 노인의 화살은 모두 과녁판에 맞혔다. 이옥은 스무 번째 화살을 활에 걸었다. 맞추면 스무 개중 열아홉 개를 맞추는 것이었다. 이옥은 이미 지쳐 있었다. 온몸이 땀으로 젖었다. 몸이 다 낫지 않은 상태에서 힘을 썼기 때문이었다. 이옥은 힘들다는 것을 보이고 싶지 않았다. 긴장한 마음으로 활시위를 당겼다. 호흡을 가다듬었다. 호흡을 멈추고 나서 화살을 놓았다. 화살이 나는 소리가 유난히 크게 들렸다. 날아간 화살이 정중앙에 정확히 꽂혔다. 꽃지가 박수를 치며 찬사를 보냈다. 노인도 빙긋이 웃음으로 받아주었다.

이번에는 노인의 차례였다. 노인은 눈을 감았다. 지금까지와는 다른 느낌의 정적이 흘렀다. 호흡을 가다듬고는 화살을 활에 걸었다. 호흡을 조절하더니 활을 들어 올렸다. 안정된 자세에 얼굴에는 고요가 가득했다. 노인에게서는 이상하리만치 정적이 느껴졌다. 노인의 화살이 날았다. 화살은 멀리 푸른 하늘로 날았다. 과녁에서 훨씬 높이 날아 숲으로 날아갔다.

이옥은 어이없는 표정이었다. 노인은 웃으며 그동안 쏜 화살을 뽑으러 과녁판이 있는 밭 샛길로 걸어 들어갔다. 꽃지는 환하게 웃으며 폴짝폴짝 뛰는 자세로 노인을 따라 들어갔다.

"어인 일이십니까?"

"뭘 말인가?"

"마지막 화살을 허공으로 쏘지 않으셨습니까?"

"허공으로 쏜 것이 아니라 하나는 마음의 중심을 향해 쏜 것이라네."

"마음의 중심을 향해 쏘았다고요?"

노인은 아무 말도 없이 과녁을 향해 걸어갔다.

이옥은 속이 탔다. 마음의 중심을 향해 쏘았다니, 이는 또 무슨 의미란 말인가. 궁금했다. 재차 묻고 싶었지만, 노인의 표정이 맑고 깊어서 다시 묻기에는 주저되었다. 먼저 달려간 꽃지가 화살을 뽑기 시작했다. 이옥도 화살을 뽑았다. 화살을 자세히 보니 꽂힌 모습이 달랐다. 자신이 쏜 것보다 노인이 쏜 화살은 깊고 수평으로 꽂혀있었다. 이옥은 자신이 쏜 화살을 일상적으로 봐왔기 때문에 자신이 쏜 화살과는 판이한 노인의 화살을 구별할 수 있었다. 이옥은 다시 한번 감탄했다. 이렇게 뛰어난 노인이 왜 이 깊은 산 속에 딸을 데리고 혼자 산단 말인가. 궁금함이 커졌다.

꽃지가 밥을 짓는 동안 노인이 이옥에게 활을 가져오라고 했다.

두 사람은 과녁을 향했다.

"활은 두 가지를 명심해야 하네. 하나는 호흡이고 다음은 강해야 하는 것이네."

"…"

"화살을 놓을 때의 호흡이 정지되는 것은 당연하지. 한데 화살을 자연스럽게 놓고 나서도 한 호흡 더 머물러야 한다는 것이네."

"…"

"그렇지. 그래야만 화살을 놓을 때의 자세와 호흡이 더 안정되지."

"그럼. 강해야 한다는 것은 무엇을 두고 말씀하시는 겁니까?"

"마음이 급하구먼. 강함에는 부드러움이 들어있어야 강한 것이지."

"…?"

"젊은이가 쏜 화살은 과녁에 깊이 들어가지 않은 걸 보았지?"

"예. 그렇습니다."

"부드러움이 들어가 있어야 깊이 파고 들어가지."

"그럼. 어떻게 해야 합니까?"

"그걸 말로 설명하기에는 한계가 있네. 젊은이가 스스로 터득해야 하는 것이네."

"…?"

"어렵지 않네. 젊은이 능력이면 충분히 할 수 있네. 늘 마음에 두고 어디에 부드러움을 드리울까를 생각하게. 부드러움을 받아들이는 순간 활은 몸에 익숙해지면서 힘을 갖게 되지."

"…!"

이옥은 나름의 감이 왔다. 부드러움을 들여라, 그리해야만 진정한 강함이 나온다. 이옥은 혼자서 중얼거렸다.

밥을 짓느라 부엌에 불을 지피고 있는 꽃지 옆에 이옥이 앉았다. 불을 붙이자 아궁이로 붙은 불을 밀어 넣었다. 불이 안으로 빨려 들어갔다. 가을날의 냉기가 가시며 따뜻해졌다. 나무의 잔가지를 타오르는 불 위에 얹으며 이옥이 말했다.

"몇 살이지?"

"열일곱이요."

이옥은 자신의 여동생을 떠올렸다. 열여덟이니 한 살 차이였다. 자신의 동생 같았다.

이옥은 개경에서 떨어진 임지에서 근무한 지가 벌써 네 해가 넘고 있었다. 이번 왜구들의 노략질이 없었다면 이곳을 알지 못했을 것이다. 길을 잃는 것은 이 세상에 없다는 노인의 말이 떠올랐다. 길을 잃은 것이 아니라 새로운 길을 가는 것이라는 말이 인상적이었다. 노인의 말이 맞았다. 정해진 길이 애초에 있는 것이 아니라면 인생길 모두가 초행이기도 하고, 길을 잃는다는 것은 잘못된 표현이었다. 모든 발자국 하나하나가 다 내 인생길이었다.

이옥은 생각을 접고 낮에 활쏘기를 했던 기억을 떠올리며 꽃지에게 물었다.

"마지막 화살은 허공으로 쏜 것이 아니라 마음의 중심을 향해 쏘았다는 말씀은 무엇을 의미하지?"

꽃지는 환하게 웃었다.

"직접 물어보세요. 제가 말하면 재미가 없잖아요."

말을 하고 나서 다시 꽃지는 환하게 웃었다. 이옥은 꽃지의 웃음이 노인을 닮았다는 것을 느꼈다. 아직도 발랄한 소녀 끼가 얼굴에 남아 있었다.

"언제 활쏘기를 배웠어?"

"아주 어렸을 적부터요. 말타기와 활쏘기는 거의 제 소일거리였어요."

"말은 아주 부자나 벼슬한 사람이나 가지는 건데…"

"아, 궁이와 술이를 말씀하시는 거지요?"

이옥은 고개를 끄덕였다.

"원래는 한 마리였는데 한 마리를 낳았어요. 그래서 두 마리가 되었지요."

"이 시골에서 두 마리를 기르기 어렵지 않나?"

"특별한 것 없어요. 저희들이 알아서 먹고 자라는걸요."

"응, 그래…"

이옥이 말끝을 흐렸다. 아버지의 말과 자신의 말을 두 마리나 이 시골에서 기르고 있는 것을 두고 하는 말이었다. 꽃지가 궁이 있는 방향으로 얼굴을 가리켰다. 이옥이 그렇다는 표정으로 고개를 끄덕였다.

"저는 말이 당연히 우리 집에 있는 거로 알았어요. 아버지는 암말만 길러요."

"왜?"

"그래야 계속 말을 가질 수 있다고 하던데요."

이옥은 그제야 이해가 되었다. 암말을 가져야 새끼를 낳아 사지 않고도 말을 계속 가질 수 있는 것이었다.

"그럼 활쏘기도 아버지한테 배운 거야?"

"그럼요. 저는 아버지 말고는 아는 사람이 거의 없어요. 가끔 사냥을 오는 사람이 있거나 여기서 삼십여 리 되는 장이 있는 마장리라는 곳에 가기 전에는 사람 구경하기가 힘들지요. 엄마 얼굴은 보지도 못했고요."

꽃지는 아궁이에 삭정이를 집어넣으며 말했다. 아궁이의 불은 두 사람의 얼굴을 환하게 밝혀주었다. 바깥 날씨는 차가웠지만, 부엌 안은 불로 안온한 기운을 가지게 했다. 오누이가 다정하게 앉아서 밥솥에 불을 지피고 있는 듯했다.

"내가 여기에 어떻게 오게 되었는지 말해 줄 수 있어?"

"그럼요. 해 줄 수 있지요."

너무나 당연한 것을 어렵게 이야기하고 있다는 표정으로 꽃지는 말을 이었다.

"성아라고 했어요. 맞아요, 성아라고 했어요."

"나를 데리고 온 사람이… 그래서?"

이옥의 목소리에는 궁금함이 가득했다.

"그 성아라는 분이 고향집에 왔다가는 길에 말에서 떨어져 쓰러져 있는 모습을 발견했대요. 그분이 응급조치를 하고 나서 인가를 찾다가 우리 집을 발견한 거지요. 그게 다예요. 그때는 죽은 사람 같았어요."

"그분이 응급조치를 해 주었다고?"

"예. 그랬어요. 아주 능숙한 솜씨던데요."

"능숙하게 응급조치를 했다고?"

"예. 그래요. 약도 주고 갔어요."

아주 시원한 목소리로 거리낌 없이 이야기를 했다.

"성아라는 사람을 아나?"

"예. 여자예요. 아주 예뻤어요."

이옥은 여자라는 말에 궁금증이 더욱 커졌다. 꽃지의 볼이 불빛에 발그레해졌다. 아궁이에서 나오는 열이 몸을 따뜻하게 했다.

부엌에서 두 사람이 아궁이 불을 넣으며 나누는 이야기가 따뜻했다.

"무엇들 하고 있는가?"

밖에서 노인의 목소리가 들려왔다.

"밥 불 넣고 있어요."

"잠시 나와 보거라."

꽃지는 나뭇가지를 정리하여 아궁이에 밀어 넣고 밖으로 나갔다. 이옥도 따라서 나왔다.

말에 안장이 올려 있었다.

"이제는 떠나도 될 만하네."

이옥은 당황했다. 어제까지만 해도 여유 있게 떠나라고 만류하더니 이제 겨우 걸을 수 있는데 갑작스레 떠나보내려는 마음이 아쉬웠다.

"젊은이는 예사 사람이 아님을 알았지. 지금 나라에서 필요한 사람임이 틀림없네."

"그래도 아버지, 저녁이 되어가고 있는데 떠나라고 하시면 어쩝니까?"

꽃지의 말에 귀를 기울이지 않고 노인은 이옥을 바라보며 말했다.

"섭섭하다고 생각하지 말게. 더 잡고 싶지만, 큰일을 하는 사람은 사사로움이 잡히면 아니 되지. 밥을 먹고 바로 떠나도록 하게."

"네. 알았습니다."

이옥은 당황스러웠지만 순순히 노인의 말에 따랐다.

이옥은 밥을 먹고 나서 꽃지가 싸주는 밥과 찬거리를 받아들고는 말에 올랐다. 해가 기울어가는 숲을 향해 달려갔다. 노인과 꽃지는 이옥이 보이지 않을 때까지 바라보고 있었다.

3

군영에 도착하다

구름은 자신의 몸을 부수어 비로 내려 세상의 생명을 키운다

안우 장군은 무엇보다도 장수들 간의 유기적인 관계를 중요하게 여겼다. 군대 간의 소통이 제대로 이루어지지 않으면 적을 효과적으로 막기에 어려움이 있다는 것을 알았다. 그래서 평화 시에도 이곳의 전황을 옆 군영에 알리고 그곳의 근황을 확인하는 일을 철저하게 실행했다. 안우 장군은 남자 중의 남자였다. 두둑한 배짱과 여유는 정평이 나 있었다. 안우 장군은 대범했다. 그리고 남자다운 기개를 가진 장수였다.

“아직도 소식이 없더냐?”

“예. 없습니다.”

안우 장군의 물음에 참모가 대답했다.

“답답하구나. 며칠을 탐색해도 알 길이 없으니… 이옥을 잃으면

큰 손실이다. 그만한 인물이 드물다. 젊은 사람답지 않게 침착하고 지략을 가진 사람인데… 이번에 왜구를 격퇴한 것도 이옥의 공이련만…"

이옥이 왜구의 선봉대를 확인하고 주력부대를 섬멸하는 바람에 적선을 10여 척이나 불태우고 수십 명을 사살하는 전과를 올렸다. 이번 왜구의 침략에 대비해 문무관을 가리지 않고 모두 출정했다. 그만큼 다급한 상황이었기 때문이었다. 이옥의 공격으로 왜구는 큰 타격을 받고 물러갔다.

"최영 장수에게 보낸 사람은 돌아왔느냐?"

"아직 돌아오지 않았습니다."

안우 장군은 바로 인근 진영인 이춘부 장군과 최영 장수의 진영에 동시에 파발을 보냈다. 혹시 이옥의 행방을 알고 있나 파견했으나 아직도 소식이 없었다.

최영 장수는 떠오르는 별이었다. 용장이었다. 죽음을 두려워 않는 공격을 최고의 자랑으로 하는 무장으로 고려의 상징으로 떠오르고 있었다. 안우 장군이 수없이 전장을 오간 노련한 장수라면 최영 장수는 중진급으로서 정예였다. 안우 장군의 휘하에서 전장을 같이 누비기도 했던 최영 장수는 의리의 사나이였다. 안우는 최영을 아꼈다. 그리고 아직은 젊은 이옥을 아꼈다. 최영은 이제 커서 스스로 장수로서의 길을 당당하게 걸어가고 있었다. 주위에서는 최영을 두고 전쟁의 신이라고까지 했다. 최영은 평양에 서북면 순문사로서 주둔하고 있었다. 이번 사태로 조금은 남쪽으로 임시 군영을 설치해 평양까지 가기 전에 격퇴하려는 의지를 갖추고 개성 인근까지 내려와 있었다.

"지금 막 최영 장수에게 보냈던 파발병이 돌아왔습니다."

"들어오라고 해라."

파발병이 막사로 들어와 팔을 굽혀 예를 표했다.

"그래 무슨 소식이 있더냐?"

"적은 이곳에서 격퇴된 뒤 그곳에도 보이지 않는다고 합니다."

"그리고 이옥의 소식은 없더냐?"

"예. 그곳에서도 이 중랑장은 발견하지 못했다고 합니다."

이옥의 직위는 중랑장이었다. 중랑장中郞將은 중앙군에 있어서 장군 다음가는 계급이다. 중랑장의 총수는 이군육위의 90인을 포함하여 도부외都府外에 1인, 충용위忠勇衛에 12인 등 모두 103인이 편제되어 있었다. 이군육위二軍六衛(고려 시대 경군의 군제)에는 장군 밑에 각기 두 사람의 중랑장이 있는데 이들은 장군의 보좌관이었다. 이옥의 소식이 없다는 말에 안우 장군은 얼굴에 아쉬움이 가득한 얼굴로 자리에서 일어났다.

"정찰병을 풀어 실종된 주위를 더 살펴보거라. 죽었다면 적어도 시신이라도 찾아야 하지 않겠느냐? 바다로 잠입할 왜구들에 대한 경계는 계속하도록 조치하고."

안우 장군은 지시를 내리고 막사를 나왔다.

멀리서 달려오는 말 한 마리가 보였다. 힘차고 기백이 있어보였다. 안우 장군은 한눈에 알아보았다. 지금 달려오고 있는 말 위에 탄 사람이 이옥임을. 함께 생활해 말이나 행동까지도 눈에 익었다.

"이옥이다!"

안우 장군의 말에 막사 안에서 따라 나온 장수들이 달려오는 말을 바라보았다.

"말을 달리는 것이 역시 그대로군."

"큰일은 없었나 봅니다. 힘차고 당당해 보이는데요."

옆에 있던 장수들이 한마디씩 했다.

"그러게 말이네. 참으로 다행스러운 일이다. 말을 달리며 활을 쏴 과녁에 정확히 맞힐 수 있는 사람은 고려에서는 이성계와 이옥뿐일 거야."

"그렇습니다. 이옥과 이성계가 다 같이 활을 잘 쏘지만, 정확도에서는 이옥이 앞설 것입니다."

"겨뤄볼 수 있다면 한번 겨뤄보는 것도 멋진 일일 걸세."

안우 장군과 장수들이 이야기를 나누는 동안 달려오는 말의 주인공이 안우 장군이 서 있는 앞에서 말을 세우고 내렸다. 예상대로 이옥이었다. 이옥은 발을 땅에 내려놓는 순간 주저앉았다. 아직도 화살에 맞은 자리가 낫지 않았다.

안우 장군의 옆에 있던 장수들이 달려가 부축을 해 주었다. 이옥이 안우 장군에게 예를 갖추어 인사를 했다.

"소장, 이제야 돌아왔습니다. 제게 변고가 생겨 늦었습니다."

"그래 무슨 일이 생겼나?"

넘어졌다가 부축을 받아 일어섰다. 화살을 맞은 곳이 다 낫지 않아 아팠지만 이옥은 내색을 하지 않으려 노력했다.

"왜구들을 사살하고 배를 빼앗은 후에 즉시 보고하러 오던 도중이었습니다. 숨어있던 왜구들의 공격을 받아 그만 활을 발에 맞아 쓰러졌습니다. 어느 노인의 도움으로 몸을 추스르고 이제야 돌아왔습니다. 그만 본의 아니게 군법을 어겼습니다."

"군법을 어기기는. 개선하는 승장일세. 하하하하. 천만다행이네. 고생 많이 했네."

안우 장군이 이옥을 끌어안았다.

"이 중랑장이 살아 돌아온 것만 해도 기쁜 일인데, 군법이라니."

이옥은 자신의 막사로 돌아와 누웠다. 마음이 한결 가벼웠다. 발의 상처도 견딜만했다. 이옥은 돌아와서 마음이 한결 가벼웠지만, 노인의 얼굴이 떠올랐다. 활을 쏘는 솜씨만이 아니라 마지막 화살 하나를 하늘로 쏘아 날리면서 마음의 중심을 향해 쏘았다는 말이 맴돌았다. 그리고 갑자기 자신에게 돌아가라고 말을 내놓은 것도 그랬다. 누워서 이런저런 생각에 잠겨 있는데 동생 예가 찾아왔다. 다른 때와 다르게 반가웠다. 오랜만에 만난 사람처럼 서로를 끌어안았다. 동생 예는 안우 장군 휘하에 있었다. 형 이옥이 무사히 돌아왔다는 소식을 전해 듣고 달려왔다.

"괜찮으세요?"

"그래, 괜찮다. 걱정했지?"

"저보다도 아버지가 더 걱정하셨어요."

"아버지가 어떻게 내 일을 안단 말이냐?"

"제가 파발 역할을 할 겸 해서 다녀왔습니다. 안우 장군님의 뜻이기도 했고요. 겉으로는 사사로운 일로 시간을 내지 말라고 하셨지만 많이 걱정하셨을 겁니다."

"아버지는 건강하시더냐?"

"예. 정정하셨습니다. 형님이 다치기 전에 왜구들을 잡았잖아요?"

"그렇지."

"그들에게서 놀라운 정보를 확인했어요."

"뭔데?"

이예는 형에게 그간 있었던 일들을 이야기했다.

"생포한 왜구들에게서 얻은 정보를 종합하면 지금 250여 척의 배가 건조되어 있고, 앞으로 건조할 예정인 배가 200여 척이라는 겁니다."

"그렇다면 저번에 내가 잡았던 승려를 가장한 왜구 첩자의 내용과 같지 않으냐?"

"그렇습니다."

이옥이 생포한 왜구들에게서 얻은 정보의 내용이 심상찮은 일이었다. 이옥이 작년 여름 수상한 스님을 잡아 문초를 했었다. 그때도 같은 내용을 들었다. 이번에 생포한 왜구에게서 얻은 정보 내용과 일치했다. 이는 큰일이었다. 왜구들이 지금 해안을 돌며 노략질을 하는 것은 탐색전에 불과하다는 이야기였다.

이번에 생포한 적들에게서 얻은 정보가 사실이라면 그들이 지금 전쟁을 준비하고 있다는 것이 확인되는 것이었다. 다르다면 작년에 잡았던 스님을 가장한 첩자는 선단의 규모가 현재 200여 척이고, 목표 건조 선박의 수가 500여 척이 넘는다고 했다. 이번에 생포한 왜구에게서 얻은 정보는 현재 250척이 이미 넘었고 선박 건조 중인 것만 해도 200여 척이라고 했다. 두 정보 모두 고려를 정복하기 위한 준비라고 했다. 지금까지 왜구가 나타나서 약탈해간 것도 소규모가 아니었다. 지금 고려가 가진 배가 다 합해야 100여 척도 되지 않았다.

고려는 해상에도 강했지만, 육상에 중점을 둔 군대 편제였다. 더구나 군대를 증강하는 것은 어려웠다. 원의 감시 눈길을 피해서 배를 건조하고, 군사력을 키우기는 쉽지 않았다. 그래서 왜구들의 침입에 효과적으로 대처하지 못했다. 군선에 지원하는 것은 육상부대에 지원하는 것보다 상대적으로 적었다. 그것들도 전쟁에 직접 쓸 수 있는 군선들은 적었다.

고려는 원으로부터 독립하려는 실천 의지를 여러 번 직접 실행함으로써 원과는 적대관계에 있었다. 궁중은 친원파와 탈원파로 나뉘어 있었다. 원과의 관계를 지속하려는 사람들과 원을 떠나 독립하려는 사람들로 나뉘어 보이지 않는 암투가 진행되고 있었다. 그런 와중에 잦은 왜구의 출몰에 힘들어하고 있었다. 한데 전부 합치면 500여 척이 넘는 대선단을 이끌고 쳐들어올 준비를 왜구들이 하고 있다는 것은 지금의 고려로서는 감당하기 힘든 일이었다. 어디에 손을 내밀어 도움을 받을 곳이라고는 없었다. 고려는 안팎으로 고립되어 있었다. 거기에 원의 간섭으로부터 독립하기 위해 이미 벌어진 원과의 갈등 관계는 다시 회복하기 어려운 국면에 들어섰다. 원은 고려의 동북부 지방을 비롯하여 옛 영토를 회복하려는 고려에 대해 선전포고를 내린 상황이었다. 무려 80만이라는 대군을 이끌고 고려를 치겠다고 엄포를 놓고 있었다. 원나라가 지금 고려를 치지 못하고 있는 것은 고려까지 쳐들어왔던 홍건적이 원을 위협하고 명이 건국하여 다시 원을 공략하고 있기 때문이었다.

고려는 와중에 안으로는 왕권을 강화하여 개혁의 고삐를 늦추지 않고 강력하게 추진하고 있었다. 고려는 여러모로 어려운 상황에 처해 있었다. 어디 하나 만만한 것이 없었다. 고려는 원과의 관계를 청산하고 독립된 의지를 갖는 것이 최우선 목표였지만 상황은 그리 간단치 않았다. 홍건적이 쳐들어올 기세고 왜구는 선단을 500여 척이나 마련해 전쟁을 하겠다는 것을 확인한 셈이었다.

"진퇴양난이군요?"

"그렇지. 우리가 할 수 있는 일이란 것은 아무것도 없는 셈이지."

이옥은 동생 이예와 현 정국 상황에 대해 이야기했지만 어느 것 하나 뾰족한 답이 없었다. 이옥은 이예가 돌아가고 나서도 잠이 오지 않았다. 정국 상황이나 고려가 처한 상황에 대해서 자신이 할 수 있는 역할이란 것이 없었다. 자신의 낮은 지위도 그렇고 대안이 있을 수도 없었다.

이옥은 피곤해서 자리에 누웠다. 이옥은 자꾸 자신을 치료해 주었던 노인과 노인의 딸 꽃지가 생각났다. 특히 노인이 어떤 사람인가에 마음이 갔다. 그러한 뛰어난 능력이 있는 노인이 깊은 산 속에서 사냥과 밭에서 얻어지는 작은 소출과 채소로 최소한의 생계를 이어가며 살까, 마음이 자꾸 갔다. 그리고 하늘로 쏘아 날려버린 화살로 나에게 무엇을 보여주려 한 것일까. 생각할수록 답이 떠오르지 않고 미궁 속으로 빠져드는 느낌이었다.

4

강궁이 되다

무술대회에서 우승하다

왕의 얼굴은 상기되어 있었다. 이번에 개경까지 위협했던 왜구들이 강화도에서 물러가 한숨을 놓았고 고려가 원으로부터의 완전한 독립을 위하여 추진하고 있는 일들이 부분적으로는 문제가 있었지만 큰 흐름은 잘 타고 있었다. 왕은 만족하고 있었다. 모처럼 한가하고 평화로운 때를 맞았다.

"경이 이런 자리를 마련한 것은 전장에서 죽음을 무릅쓰고 싸워준 것에 고마워하는 마음의 표현입니다. 고난과 역경을 이겨가고 있는 장수들과 또한 나라의 새로운 기틀을 마련하기 위해 노력하고 있는 공신들의 노고도 치하하고, 서로 만날 수 있는 자리가 필요하다고 생각해 오늘 이렇게 모임의 자리를 마련했습니다."

왕의 목소리는 힘이 있었다. 옆에 같이 앉아 있는 노국공주의 얼굴도 밝았다.

이번 자리는 왕의 말처럼 현장의 장수들과 개혁을 이끌고 있는 공신들이 만나는 자리를 마련하여 상호 협력이 필요할 때를 대비하기 위한 것으로 왕이 손수 마음을 써 마련한 자리였다.

왕은 말을 이었다.

"오늘은 공신들이 만나 화합도 화합이지만 말타기, 활쏘기를 비롯해 사냥으로 축제를 즐기려 합니다. 마음껏 즐기는 자리가 되기를 바랍니다."

왕은 인사말에 이어 여러 사람을 소개했다. 그중에서도 이자춘을 특별히 소개했다.

"이 자리에 특별히 초대한 분이 있습니다. 아직은 낯이 익지 않겠지만 쌍성등처천호雙城等處千戶 이자춘 장군을 소개합니다."

이자춘이 일어나 인사를 했다. 얼마 전 왜구가 서해안에 출몰했을 때 처음 출정을 했지만, 공식적인 자리에서는 처음으로 얼굴을 내미는 기회였다.

쌍성은 고려의 동북면 함경도 영흥의 다른 이름이었다. 쌍성등처천호라는 이자춘의 신분은 쌍성을 비롯해 쌍성총관부雙城摠管府(원나라가 화주에 설치한 통치기구)가 관할하는 여러 지역을 지배하는 고위급 군사 지휘자였다. 이자춘은 이곳의 실질적인 힘의 행사자였다. 이자춘은 야심이 있는 인물이었다. 고려의 동북면 영흥은 본래 고령의 영역이었다. 원나라가 빼앗아 직할령으로 만든 뒤 영흥에 쌍성총관부를 두어 지배했다. 동북면은 원의 지배하에 있었다. 고려가 이 지역을 빼앗긴 것은 큰 손실이었다. 경제적으로나 군사적으로 중요한 자리였다. 그리고 이곳을 연계로 하여 기황후의 일족들과 원나라는 끄나풀을 만들어 고려의 왕권을 위협하고는 했다. 이자춘은 전주에서 동북면으로 이주한 사람이었고 집안은 대대로 친원적인 경향이 강했다. 이자춘은 원이 쇠망해 가는 것을 보고 있었다. 그리고 자신이 고려 사람이라는 것을 자각하고 고려에 뿌리를 내리고 싶어 했다.

이자춘은 자발적으로 왕을 방문해 고려를 위하여 일하겠다고 했다. 동북면은 눈엣가시 같은 지역이었는데 고려에 편입하겠다고 찾아온 이자춘은 왕에게 조건을 내밀었다. 동북면을 다스리는 자치권을 달라고 했다. 고려로서는 손해가 될 일이 없는 일이었다. 왕에게 이자춘은 고마운 존재였고 큰 힘이 되었다. 고려에 칼을 겨누었던 세력이 손을 내밀어 힘이 되어주겠다는 입장이었다. 왕은 흥분해 있었다. 힘 있는 응원군을 만난 듯이 이자춘을 반겼다.

공민왕恭愍王은 이자춘에게 의미심장한 말을 남겼다.

"경은 돌아가서 마땅히 우리 백성들을 잘 진무하고, 만약에 변란이 발생하면 나의 명령에 따르라."

독립권을 인정해 주면서 고려가 필요로 할 때 참여해 달라는 당부였다.

간단히 행사가 마무리되고 본격적인 잔치가 열렸다. 이옥도 아버지 이춘부와 함께 자리에 참석하고 있었다. 이옥은 얼마 전 있었던 왜구 침입 때 공을 세운 것으로 부름을 받았고, 아버지 이춘부는 장군들 모두가 모이는 자리였기에 참석했다. 이춘부와 절친한 이색도 자리를 함께했다. 이색은 충청도 한산 사람이었다. 고려에서 주관한 과거에 14살 때 급제했을 뿐만 아니라 원나라에서 과거인 제과에도 급제해 이름을 날렸다. 고려의 문사文士 내지 유자儒者들에게 원에서의 급제는 대단한 영광이었다. 원에서 벼슬을 하다가 아버지가 세상을 뜨자 장례를 치르기 위해 귀국해 있었다. 귀국한 즉시 이색은 개혁 상소를 올려 사람들을 놀라게 한 인물이었다. 그 상소가 받아들여지고 중요업무를 담당하게 되었다. 왕의 개혁정치의 중요 실세였다. 이옥의 아버지 이춘부와는 생각을 같이하는 개혁의 동지였다. 나라의 일을 걱정하고 입안할 일이 있으면 상의하곤 하는 가까운 사이였다.

행사는 점점 절정으로 치닫고 있었다. 말타기와 활쏘기 그리고 사냥이 차례대로 열렸다. 말타기에서는 이성계라는 신예가 1등을 차지했다. 전혀 뜻밖의 인물이었다. 이성계는 오늘 왕이 직접 소개한 동북면 이자춘의 아들이었다. 눈에는 혈기가 왕성했고 패기가 있었다. 이춘부가 다가가 이자춘에게 인사를 건넸다.

"축하합니다. 장한 아들을 두셨습니다."

"고맙습니다. 이 아이가 오늘은 몸이 좋은가 봅니다."

이자춘은 얼굴에 흐뭇함이 가득한 얼굴로 이성계를 바라보았다.

이성계가 있다가 아버지 이자춘의 소개로 이춘부와 이옥에게 인사를 건넸다. 이옥은 말타기 시합에는 나가지 못했다. 화살에 맞은 자리가 완전하지 못해 조심스러웠다.

"고맙습니다. 이 아이가 장군의 아들입니까?"

"예. 그렇습니다. 인사드려라."

이춘부가 이옥을 바라보며 말했다. 이춘부가 인사드리라는 말에 이옥이 이자춘을 바라보며 묵례를 했다.

"늠름합니다. 나이가 우리 아이와 비슷할 듯한데?"

"그렇네요. 앞으로 서로 만날 일이 있을 텐데 인사를 나누거라."

이자춘이 이성계와 이옥을 바라보며 말했다.

이옥과 이성계의 첫 만남이었다. 이옥과 이성계는 집안을 대표해서 나온 격이었다. 패기가 넘치는 젊은 사람들이었다. 손을 마주 잡은 아귀의 힘이 강하게 느껴졌다. 이옥과 이성계의 첫 만남은 말타기와 활쏘기가 열리는 경쟁 자리에서였다.

다른 곳에서 재상들과 이야기를 나누고 있던 이색이 젊은 친구 한 사람을 데리고 왔다.

이색이 이자춘에게 먼저 이성계가 말타기에서 우승한 것을 축하하는 인사를 했다.

"축하드립니다. 아드님 솜씨가 보통 솜씨가 아니던데요."

"뭘요. 이 아이가 씩씩하기는 합니다."

이색이 이성계를 칭찬하자 이자춘이 겸손하게 받았다.

"이곳은 모두 장군들의 모임인데 문관이 끼었습니다."

장군들이 이야기를 나누고 있는 사이로 들어오면서 이색이 농담 삼아 말을 건넸다.

"문무가 어디 있습니까? 다 같이 고려 사람인 게지요. 저도 본향은 전주입니다."

"그러시군요."

이자춘의 말을 이춘부가 받았다.

"이 아이는 제가 데리고 일을 가르치고 있는데 아주 능력이 있습니다. 인사드리거라."

"김구용이라고 합니다."

이색이 젊은이를 이춘부와 이자춘에게 소개했다.

키가 커다란 것이 성격이 시원시원하게 생겼다. 문관의 분위기보다는 시원한 성격의 호남 형 얼굴을 가졌다. 목소리도 굵직한 것이 호감 가는 인상이었다.

"아하, 저번에 말씀하셨던 그 사람이군요. 몇 해 전에 두 형제가 한꺼번에 과거에 급제했는데 그 중 한 아이를 데리고 있다고 했지요. 일을 아주 잘한다고 하던…"

이춘부가 이색이 얼마 전 한 말을 떠올렸다. 형제가 동시에 급제하는 것은 드문 일이니 당연히 화제의 인물이었다. 먼저 자신과 함께 일하는 젊은이가 있는데 한 역할을 하는 젊은이가 있다는 이야기를 기억해 냈다.

"예. 그렇습니다. 나이 서른에 이만한 폭넓은 시야를 가지기도 어렵습니다. 덕분에 제가 다 한시름을 덜고 있습니다."

이색의 칭찬에 김구용은 머리를 숙였다.

술을 한 잔 걸친 최영 장군이 다가왔다.

"나라의 일꾼들은 여기 다 모이셨습니다. 최영입니다."

최영은 이춘부에게 깍듯하게 예를 갖췄다. 이춘부가 나이도 연배일 뿐만 아니라 직위에서도 당연 위였다. 이춘부와 최영은 전장에서 함께 고락을 같이 한 적이 있었다. 길지는 않았지만 이춘부의 예하에서 전장을 누빈 적이 있었다. 이춘부는 문무관 모두를 거친 사람이고 최영은 전형적인 무관이었다. 전장에서 대부분을 보내고 있는 최영은 어느새 백성들에게도 영웅 취급을 받고 있었다. 죽음을 두려워하지 않으면 승리는 따라 온다는 생각을 가진 장수였다. 승리의 장소에는 빠지지 않고 최영이 있었다. 무서운 줄 모르는 기개로 적이 최영을 만나면 후퇴를 준비하고 싸운다는 이야기가 있을 만큼 용맹했다.

"최 장수 왔는가. 술을 한잔하니 더욱 남자다워 보이네. 우리 아들일세. 인사드리거라."

이춘부가 최영을 반겨 맞으며 이옥을 소개했다. 이옥이 최영 장수를 향하여 인사를 했다. 최영이 손을 넙죽 내밀며 악수를 청했다. 이옥은 고개를 숙여 인사했다.

"모두 참여하시는 거지요?"

최영이 활쏘기와 사냥대회를 두고 하는 말이었다.

"최 장군도 참여하는가?"

"저야 참가는 하지만 이렇게 젊은 혈기들이 버티고 있는데 망설여집니다."

호기어린 목소리로 겸손을 떨자 모두 웃었다.

"천하의 최영이 그런 말을 하면 되는가?"

이춘부가 최영 장군을 두둔했다.

"진정 아닙니다. 두 분보다야 어린 제가 이런 말씀을 드리는 것은 예가 아니지만 여기 세 젊은이를 따라갈 수는 없지요. 저도 이제는 불혹입니다."

"허긴 그렇군요. 사십이란 나이는 결코 적은 나이가 아니지요."

최영의 말에 초면인 이자춘이 말을 받았다. 이자춘은 고려 사람들과는 아직은 거리감이 있었다. 원나라에 등을 돌리고 고려의 신하가 되기를 자청했지만 그 기간이 그리 길지도 않았고 서먹함이 있었다.

"이해해 주시니 고맙습니다. 하지만 참가는 합니다. 얼마나 녹이 슬었나 확인도 할 겸 최영 보다 내가 낫다는 생각을 젊은이들에게 심어도 줄 겸 해서지요. 젊은 친구들이 저를 이긴다는 것이 힘이 되지 않겠습니까?"

최영은 호쾌했다. 막힘이 없었다. 기꺼이 후배에게 져줄 줄 아는 장수였다.

이번 대회의 정점인 활쏘기가 시작되었다. 활에는 이옥도 욕심을 가지고 있었다. 예선전은 참여한 모두가 10대씩을 쏘아서 가장 뛰어난 궁수 4명을 뽑았다. 뽑힌 사람은 다시 두 명씩 맞시합을 했다. 이십 발씩을 쏘아야 했다. 높게 단을 만든 곳에 왕과 왕비인 노국공주도 앉아 직접 참관했다. 그만큼 관심이 높은 경기였다.

대회가 진행될수록 이옥은 노인을 생각했다. 그리고 노인의 딸, 꽃지도 떠올랐다. 나이도 어린 것이 그리도 활을 잘 쏘다니. 지좌굴우支左屈右. 왼손은 태산같이 버티고 오른손은 어린아이를 감싸듯 부드럽고 하라는 노인의 말이 떠올랐다. 유연한 활쏘기를 두고 하는 말이었다. 활쏘기 할 때 노인이 한 말이 머릿속에 가득했다. 활은 정지의 순간이 자연스러워야 정확도가 높았다.

이성계는 아직은 고려 조정에서는 낯선 얼굴이었다. 나이도 어렸고, 고려 조정에서 드러난 적이 없었다. 활을 잘 쏜다는 이야기는 있었지만 확인할 기회가 없었다. 아버지 이자춘이 원의 지배에 있던 동북면 영흥 땅을 고려에 귀속시키기는 했지만, 신의를 다질 시간이 그리 길지 않았다. 그리고 이자춘은 여진족과 원나라의 입장에서 오랜 기간 터전을 닦아온 사람이었다. 고려인과 여진족으로 구성된

다민족 군대를 사병으로 가지고 있었다. 이자춘의 군사조직 편제는 고려의 소속으로 되어있지 않았다. 고려의 입장에서는 이자춘의 귀화가 여러 가지로 득이 되는 일이었지만 이자춘의 충성도를 확인할 수 없었다. 그런 이자춘에게 걸출한 아들이 있다는 것은 뜻밖이었다. 이성계는 이자춘의 둘째 아들이었다.

이옥과 이성계는 예선전을 쉽게 통과했다. 이옥은 결승까지 무난히 통과했다. 이성계는 고려의 명궁이라는 황상과 만나 결전을 치렀다. 황상은 고려의 상징적인 인물이었다. 고려보다도 원나라에서 활 솜씨가 알려진 인물이었다.

"이성계도 활 솜씨가 보통이 아니지만, 황상은 따라갈 수가 없을 걸."

"그렇지. 천하의 황상이 아닌가. 원의 황제께서도 인정한 명궁 아닌가?"

너도나도 두 사람에 대해 한마디씩 했다.

이성계는 신예였고, 황상은 모두가 활쏘기하면 황상을 들 만큼 알려져 있었다. 황상은 원에 머물 때 황제인 순제가 강하고 정확한 활 솜씨에 놀라 황상의 팔뚝을 끌어 친히 구경했을 정도였다. 원나라와 고려 모두에 활로 알려진 사람이었다.

이성계가 먼저 활을 들어 과녁을 향하여 활을 쏘기 시작했다. 이성계는 침착하면서도 듬직한 면이 있었다. 눈꼬리가 위로 올라간 것이 강한 인상을 주었다. 한 발 한 발 쏠 때마다 관람하는 시선들이 움직였다. 이성계의 화살이 날아가 과녁에 꽂힐 때마다 탄성이 나왔다.

과녁의 원 세 개 중에서 가운데 과녁으로 열여덟 개가 꽂혔고,

두 번째와 세 번째에 1개씩 꽂혔다. 대단한 솜씨였다. 이성계도 흐뭇한 표정이었다. 이성계와 황상의 경기가 마치 결승전 같았다.

"대단한걸. 천하의 황상에 대적하는 인재가 났으니 이 나라가 제대로 서려나 보다."

왕은 흐뭇해했다.

"그렇습니다. 대단합니다. 이 병마사 자식 중에 저런 뛰어난 아들이 있으니 이 나라를 위하여 한몫할 것입니다."

이 병마사는 이자춘을 두고 하는 말이었다.

"그럼. 좋은 일이지. 이 병마사가 고려를 위하여 살겠다고 했는데 이래저래 힘이 되겠군."

황상의 차례였다.

황상은 열일곱 개를 정확하게 과녁의 중앙에 맞췄고 한 개는 세 번째 원에 맞았다. 마지막 한 발이 남았다. 이 한 발이 승리를 결정짓게 되었다. 이 한 발이 과녁의 중앙에 맞으면 승자가 되고 두 번째가 되면 비겨서 연장전에 들어가게 되어있었다. 그리고 3번째 원에 맞히면 패자가 되었다. 긴장은 높아지고 있었다.

황상이 화살을 걸었다. 호흡을 가다듬었다. 큰 덩치에 긴장하는 빛이 역력했다. 황상은 이겨야 본전인 시합이었다. 천하의 황상이 이기는 것이 당연했었는데 이 한 발에 승자와 패자로 갈리게 되었으니 그랬다. 황상은 화살을 당겼다. 그리고 호흡을 가다듬은 후 시위를 놓았다. 화살은 팽팽한 긴장을 뚫고 날아갔다. 세 번째 원에 꽂혔다. 모두 일어났다가 앉았다. 그만큼 보이지 않는 긴장이 있었다. 결과는 이성계의 승리였다. 간발의 차였다. 황상의 얼굴은 일그러졌다.

이성계는 한 손을 쳐들어 힘을 주어 내리쳤다. 승리의 기쁨이었다. 이성계는 더 이상의 과장된 몸짓은 하지 않았다. 이성계는 신중했다.

이제는 이옥과의 한 판이 남았다. 둘 다 신예였다.

"이 병마사는 대단한 아들을 두었소. 활 솜씨가 보통이 아닙니다."

"아직은 부족한 점이 많습니다."

왕의 칭찬에 이자춘은 몸을 낮추었다.

왕이 이자춘에게 병마사라고 지칭한 것은 특별한 의미가 있었다. 동북면 쌍성총관부雙城摠管府의 우두머리를 총관摠管이라 하고, 그다음이 만호萬戶 내지 천호千戶라고 했다. 그리고 다루가치達魯花赤라는 직책은 원의 감찰관으로서 몽골인이 아니면 좀처럼 내려주지 않는 직책인데 이자춘은 천호장과 다루가치를 겸하고 있었다. 정확하게 말하면 총관은 고려의 직책이 아니라 원의 직책이었다. 그런 이자춘에게 고려의 직책인 병마사를 준 것이었다. 이자춘이 동북면의 자치를 원하는 조건으로 고려에 들어와 고려의 군사조직에 정식으로 편입되지는 않았지만, 고려의 신하로 인정한 것이었다. 동북면 지역의 총사령관 역할을 인정하고 있는 것이었다.

긴장은 한 단계 높아지고 있었다. 이옥과 이성계의 한판 승부가 남았다. 이성계가 먼저 활을 쏘았다.

아주 신중하고 변함없는 자세로 활을 쏘았다. 젊은 사람 같지 않은 진중함이 보였다. 시선은 고정되었다. 이자춘도 이춘부도 긴장되기는 마찬가지였다. 가문의 대결 같았다.

이성계는 스무 발의 화살 중 한 개를 두 번째 원에 넣었고 나머지는 모두 가운데 적중시켰다. 대단한 솜씨였다. 모두가 이성계의 활 솜씨에 웅성거렸다.

다음은 이옥의 차례였다. 다리 부상으로 활동이 자유롭지는 않았지만, 활을 쏘는 데에는 그리 불편하지 않았다. 이옥은 호흡을 가다듬었다. 눈을 감았다가 마음을 가라앉히고는 눈을 떴다. 화살을 걸었다. 그리고는 다시 호흡을 가다듬고는 활을 들었다 서서히 내리다가 멈췄다. 노인의 말을 머릿속에서 되뇌고 있었다.

그리고 활시위를 놓았다. 쨍하는 소리와 함께 날아갔다. 정확하게 가운데에 맞았다. 이성계가 쏠 때는 숨죽이고 바라보다가 이옥이 첫발을 맞추자 박수와 함성이 나왔다. 이옥을 알고 있는 사람이 그만큼 많았다. 이성계는 이자춘의 둘째 아들로 첫 얼굴을 보이는 자리였다. 이옥은 재상인 이춘부를 아는 사람이 그만큼 많아 그의 아들임을 익히 알고 있었다. 그리고 이번에도 왜구 격퇴에 중요한 역할을 했기 때문에 더욱 이름이 높아가고 있었다. 모두 중앙의 원 안에 들어갔다. 박수를 치던 사람들도 숨을 죽이기 시작했다.

한 발 또 한 발 과녁을 뚫었다. 열아홉 번째 화살을 걸었다. 긴장은 높아가고 있었다. 왕의 시선도 이옥에게 꽂혀 있었다. 이춘부는 더욱 긴장했다. 다 맞출 것이냐도 관심사였지만 이자춘은 아직도 경계를 거두기 어려운 면이 있는 존재였다. 그의 아들도 마찬가지였다. 더구나 말타기 시합에서 이성계가 우승했다는 것은 고려의 입장에서는 껄끄러운 일이었다. 게다가 활쏘기까지 빼앗긴다면 체면이 말이 아니었다. 기대는 자연스레 이옥에게로 기울었다. 이옥은 그 분위기를 은연중에 느끼고 있었다. 어찌 보면 고려의 궁사들이 막 고려로 편입을 신고하는 이성계라는 신예에게 밀려있다는 것이 반가운 일이 아니었다. 이옥은 숨을 고르고 활시위를 당겼다. 올렸던 활이 정지하는 순간 화살이 날아갔다. 가운데 과녁에 맞았다. 이옥은 숨을 크게 내쉬었다. 그를 바라보는 사람들도 숨을 같이 내쉬었다.

이제 한 발이 오늘 시합을 결정하게 되어있었다. 가운데 맞히면 우승이고 벗어나면 동점이 되거나 지는 것이었다. 이옥은 다시 다쳐 쓰러졌을 때 도와주었던 노인과 노인의 딸 꽃지를 떠올렸다. 혼자 속으로 중얼거렸다. 지좌굴우支左屈右. 왼손은 태산같이 버티고 오른 손은 어린아이를 감싸듯 부드럽고 유연하게. 이옥은 활에 화살을 걸었다. 그리고 눈을 감았다 다시 떴다. 화살을 높이 들어 올려 잠시 정지했다가 표적을 향하여 내려왔다. 다시 아주 느린 속도로 올렸다 내리면서 표적에 멈췄다. 부드러움을 받아들여야 강해질 수 있다는 노인의 말이 머릿속에서 울렸다. 그리고 당겼던 시위를 놓았다. 화살이 날아갔다. 느낌이 좋았다. 꽂히는 소리와 함께 이옥은 안도의 숨을 내쉬었다. 함성이 이어 들려왔다. 정확하게 가운데 꽂혔다.

순간 옆에 있던 이성계가 다가와 손을 내밀어 축하를 해 주었다.

"진심으로 축하합니다."

이성계의 얼굴에는 진지함이 묻어있었다. 진정 축하해주는 마음이 보였다. 승자를 인정해주는 마음의 도량이 보였다.

"고맙습니다. 제가 운이 좋았습니다."

이옥도 환호를 지르거나 몸으로 승자의 표시를 하지 않았다. 얼굴에 웃음만 가득 물었다.

"아닙니다. 산처럼 버틴 자세가 저보다 한 수 위였습니다."

이성계는 진 것을 깨끗이 인정하고 축하해주었다. 나이가 어렸음에도 듬직한 면이 있었다. 넓은 어깨에 날카로운 눈매가 배짱과 강인함이 있었다. 왕은 단에서 내려와 손을 잡으며 축하해주었다. 그리고 강궁이란 칭호를 하사했다. 친필로 쓴 강궁이란 글을 하사했다. 상으로는 말을 한 마리 내려주었다. 개인의 영광이자 가문의 영광이었다. 처음 인사를 나누었던 김구용도 찾아와 축하를 해주었다.

다음은 사냥대회였다. 이름은 사냥대회였지만 시합이 아닌 축제 분위기로 즐기는 것이었다. 이옥은 아버지 이춘부와 김구용 그리고 이색과 한 조가 되었다. 마음껏 달리고 친목을 도모하기 위한 자리였다. 단연 두각을 나타낸 것은 이옥이었다. 김구용과 이색은 말을 타고 달리기만 할 뿐 쫓거나 몰지를 못했다. 화살을 들고 달리면서 쏠 수 있는 사람은 당연히 이옥뿐이었다. 불편한 다리였지만 이옥은 날랬다. 김구용이 먼저 멧돼지를 발견했다. 발견한 즉시 사냥을 많이 해 본 이춘부가 몰았다. 김구용과 이색은 한쪽 편을 막고 소리를 지르며 모는 역할을 담당했다. 멧돼지는 열린 길로 달아났다. 그 자리를 차지하고 기다리고 있던 이옥이 도망가는 멧돼지를 향하여 쐈다. 정확하게 멧돼지의 목을 관통했다. 이옥이 화살을 맞은 멧돼지를 향하여 달렸다. 달리다 그만 나뭇가지에 걸려 말에서 떨어졌다. 왼쪽 팔에서 피가 흐르고 있었다. 상의를 벗어 보니 살이 찢어져 있었다. 다리가 완전히 낫지 않아 통증으로 균형을 잃어 나뭇가지에 걸려 넘어졌는데, 다행히 큰 상처는 나지 않아 활동하는 데에는 무리가 없었다.

사냥터에서 이옥의 활약은 눈부셨다. 말타기에서 우승한 이성계와 한 번 견주어 볼 만한 실력이었다. 김구용과 이색은 이옥을 다시 보았다. 김구용과 이옥은 연배가 비슷해 금세 가까워졌다.

한 조가 된 네 사람은 그동안 잡은 사냥물을 가지고 왕이 있는 곳으로 갔다. 모두 사냥물을 앞에 놓고 있었다. 이옥은 다친 팔에 약을 바르려 구급처를 찾았다. 내의원에서 나온 의사와 의녀들이 대기하고 있었다.

의사가 약을 바르고 천으로 팔의 상처를 감아주었다. 의녀는 옆에서 약과 준비물을 가져와 준비를 해주었다. 의녀의 얼굴이 하얬다. 곱고 아름다웠다. 이옥은 의녀를 자신도 모르게 바라보았다. 의녀가 이옥의 눈빛을 확인하고는 얼굴을 돌리자 이옥도 쑥스러워서 얼굴을 돌렸다.

이옥은 순간 성아라는 여인을 떠올렸다.

'성아라는 여인도 나를 죽을 고비에서 구해주었는데… 능숙한 솜씨로 상처 부위를 치료했다고 했는데…'

혼자 생각하고 있는데,

"다 됐습니다."

의원이 말했다. 이옥은 머쓱해져서는 일어났다. 이옥은 일어나면서 안 보는 척하며 옆에 서 있는 의녀의 얼굴을 다시 바라보았다. 아름다웠다. 마음이 가는 여인이었다. 이옥은 일어나자마자 바로 아버지 이춘부에게로 다가갔다.

이옥은 한 달 휴가까지 얻어 모처럼 자유를 가질 수 있었다. 휴가가 주어지자 무엇보다 노인을 만나고 싶었다. 그리고 자신을 구해준 성아라는 여인을 만나고 싶었다. 무엇을 하는 여인인지 궁금하기도 했다. 그리고 은혜에 대해 감사도 해야 했다. 이옥은 말을 달렸다.

5

신돈의 등장

역사 앞에서 떳떳하려면 백성이 원하는 일을 해야 한다

왕은 가끔 꿈자리 때문에 깨곤 했다. 노국공주와 인간적으로는 서로 의지했지만 소심하고 감상적인 왕은 몽고족의 피를 받아 시원하고 개방적인 노국공주와 이성으로서는 그리 가깝지 않아 혼자 침상에 드는 날이 많았다. 오히려 왕이 더 소심하고 여성스러운 면이 있었다.

왕은 꿈을 꾸었다. 꿈에 한 사람이 나타나 왕의 침소를 침입하더니 검을 뽑아 왕을 찔렀다. 찌르는 순간 홀연히 나타난 스님이 자객을 간단히 제압했다. 스님이 위험으로부터 자신을 구해준 것이었다. 왕은 놀라 꿈에서 깼다. 온몸에 식은땀이 흘렀다. 꿈이 너무나 생생해 놀란 마음을 한동안 진정시키지 못했다.

왕은 놀란 마음을 진정시키고 아침이 밝자 어머니 명덕태후에게로 갔다.

"아침 일찍 어인 일이시오?"

"꿈이 하도 생생해서 말씀드리고자 찾아왔습니다."

아침 일찍 들른 왕을 보며 명덕태후가 묻자 왕은 명덕태후 앞으로 다가가 앉으며 말했다.

"자객이 나타나 저를 난데없이 칼로 찔렀습니다."

"이런, 놀라셨겠습니다."

간밤의 꿈으로 초췌한 왕의 얼굴을 바라보며 명덕태후는 위로했다.

"그때 홀연히 스님이 나타나 자객을 제압하여 목숨을 건졌습니다."

"다행입니다."

명덕황후는 한숨까지 내 쉬며 말을 받았다.

"아직도 그 꿈이 생생합니다."

"그러시겠지요."

그때 밖에서 내관이 김원명이 찾아왔다는 말을 전했다. 김원명은 왕의 마음을 잘 헤아리는 사람이었다. 왕이 해결하기 귀찮은 일을 미리 나서서 처리해주곤 했다. 마음이 여린 왕으로서는 고마운 존재였다.

"아침부터 어인 일로 찾아왔다더냐? 들어오라 해라."

김원명이 들어왔다.

"소인이 스님 한 분을 모시고 왔습니다. 일전에 덕망 있는 스님을 소개해 달라고 하셨는데 오늘 모시고 왔습니다."

"그럼 들라고 하세요."

왕의 말이 떨어지자 김원명을 따라 스님이 들어왔다.

왕과 명덕황후는 들어오는 스님을 바라보았다.

"아니, 스님은?"

왕은 놀라워하며 벌떡 일어섰다.

명덕황후와 김원명은 놀라워하는 왕을 보고 놀랐다. 왕의 행동과는 상관없이 김원명을 따라 들어온 스님은 침착하게 왕에게 고개를 숙였다. 놀라워하는 왕과는 대조적으로 침착했다.

"왜 그러시는 게지요."

"아니 글쎄 …"

명덕황후의 말에 답을 하지 못하고 왕은 스님을 바라만 보았다.

"진정하시고, 말을 해 보세요."

명덕황후의 말에 왕은 잠시 마음을 가다듬더니 말을 이었다.

"이 스님이 바로 그 스님입니다."

"예? 그 스님이라니요?"

명덕황후가 다시 물었다.

"제가 조금 전에 간밤에 있었던 꿈 이야기를 하지 않았습니까?"

"했지요."

"자객이 나타나 저를 칼로 찌르는 순간 어느 스님이 나타나 그를 제압해 제가 살았다고요."

왕의 말을 이어 명덕황후가 다시 물었다.

"그럼. 이 스님이 바로 그 스님이라는 말씀이십니까?"

왕의 이야기에 명덕황후도 놀랐다.

"아니, 이럴 수가 있습니까?"

명덕황후가 믿기지 않는 표정으로 말했다.

"지금도 꿈에 있었던 일이 생생합니다. 그 모습 그대로입니다."

"참 신기한 일도 있군요."

왕은 아직도 신기한 듯 스님을 바라보았다.

스님은 아무런 표정을 얼굴에 담지 않고 상황을 받아들이고 있었다. 알 수 없는 꿈 이야기가 오가는 중에도 스님은 침착하면서도 중심을 잃지 않고 석상처럼 서 있었다.

"글쎄 참 신기한 일입니다."

왕은 이제야 조금 진정을 찾아가고 있었다.

"그렇다면 귀인이 찾아오신 것인데, 이러고 있으면 안 되지요."

명덕황후의 말에 왕은 정신을 차리고 자리를 권했다.

"앉으시지요."

왕은 아주 정중했다.

스님과 김원명은 너무 정중한 대우에 영문을 모르고 자리에 앉았다. 왕이 간밤에 있었던 꿈 이야기와 꿈에 나타났던 스님의 얼굴이 지금 스님의 얼굴임을 설명했다. 그리고는 스님과 김원명은 안심이 되어서는 얼굴 가득 웃음을 담았다.

"인연이란 우연을 가장해서 찾아오는 법이지요. 아마 새로운 인연을 가지게 될 꿈인가 봅니다."

스님이 차분하게 말했다.

"그랬으면 좋겠습니다. 지금 왕께서는 심약해 있습니다. 이럴 때일수록 마음의 위안을 삼을 분이 필요한데, 좋은 징조인 듯합니다."

명덕황후가 얼굴에 웃음을 담고서 말했다.

"그렇습니다. 스님을 보는 순간 놀랍고 반가웠습니다."

왕의 말에 스님은 고개를 숙였다.

"소승은 신돈이라 합니다."

"신돈이라고요?"

"예. 그렇습니다."

신돈의 성은 신辛이었다. 이름인 돈旽은 밝다는 뜻이었다. 왕과 신돈의 인연은 꿈에서 출발했지만, 현실로 이어지는 계기를 마련해 주었다. 세상을 바라보는 시선과 상황인식이 너무 잘 통했다. 왕은 신돈을 수시로 찾았다. 의지할 데가 별로 없는 왕으로서는 현몽까지 한 듬직한 우군을 만난 셈이었다. 하루라도 보지 않으면 왕은 조급한 마음이 생길 정도로 신돈을 찾았다. 도가 깊은 것을 느낄 수 있는 만큼 세상의 일에 대해서도 꿰뚫고 있었다.

"스님은 어찌 승속을 함께 아우르고 계시는가요?"

"소승은 가장 미천한 신분으로 태어났습니다. 승려라는 신분을 가지게 되면서 가진 자와 못 가진 자를 모두 만나게 되었습니다. 두 신분은 둘이 아니고 하나입니다. 같이 어울릴 때 화합이 되고 화합의 바탕 위에서 힘이 나오는 것입니다. 지금 고려는 두 신분이 서로 배척하고 있습니다."

"두 신분이라니요?"

"귀한 신분과 천한 신분을 가진 사람들이지요."

"그럼 어찌해야 화합할 수 있습니까?"

왕은 해결책을 물었다.

"노비를 해방하고, 왕권을 찾아야 합니다."

"그것이 얼마나 어려운 일인가를 절감하고 있습니다. 원의 간섭이

옷 입는 것까지 간섭하고 있고, 내정 하나하나까지 참견을 하는 것이 지금의 상황이지요."

왕은 지금까지 받아온 수모를 떠올리며 아주 강한 어조를 말했다.

"가장 시급한 것은 국권을 찾아야 합니다. 국권 없이 어떠한 일도 이루어질 수 없습니다. 평등사상도, 개혁도, 이 땅의 평화도 국권이 있어야 가능합니다."

왕은 신돈의 생각에 고개를 끄덕였다.

"그러기 위해서는 전하께서 직접 일을 챙기시기에는 어려움이 있습니다. 중이 제 머리를 깍지 못하는 것과 같이 전하께서 전하의 측근을 다스리는 데에는 어려움이 있습니다. 국사에 인정이 개입하고, 몇몇 잘못하고 있는 사람에게 벌을 주지 못하고 안타까운 마음이 들어가면 큰일을 하는 데 방해가 됩니다. 그를 위해서는 제삼자가 냉정하게 일을 처리하도록 해야 합니다."

신돈은 미리 준비라도 한 것처럼 말을 이끌어갔다.

"그럼 스님이 도와주시지요?"

왕은 응원군을 만난 것처럼 반갑게 말했다.

"소승의 힘이 닿을 수 있는 일이라면 하겠습니다."

"힘이 되다마다요."

왕은 지원군을 만난 듯 흐뭇했다.

개혁을 실천하려면 늘 반대하는 무리가 있었다. 그들은 단합해서 왕을 공격했다. 수많은 이유를 대서 일의 추진을 막으려 했다. 신하들의 반대는 반대에 그치는 것이 아니라 추진하고 있는 일이 곧바로 원으로 연결이 되곤 했다. 친원파들이 바로 원에 보고하면 다시 고려에 압력을 가해 일을 망쳐놓기 일쑤였다.

고려 정국의 앞날은 하루 앞을 점치기가 어려울 만큼 복잡하고 예상하기 어려운 일들이 일어났다. 지금까지는 이색과 이춘부가 왕의 최측근에서 개혁을 이끌고 있었다. 이들은 명문가였다. 왕은 어느 집단에도 속하지 않은 신돈을 신봉했다. 신돈에게 자문을 구하고 신돈에게 개혁의 방안을 얻었다. 그동안 개혁을 추진하는 동력을 얻었던 이색은 한쪽으로 쏠리지 않는 안정된 변화를 하려 했지만, 왕은 이색의 그런 면이 못마땅했다. 개혁에 힘이 실리지 않았고 가시적으로 드러나지 않아 마음이 급했다. 어디에도 눈치 볼 것 없는 신돈을 내세워 강력한 추진력과 변화를 끌어내고 싶어 했다. 그것을 실천할 사람으로는 신돈이 제격이었다. 개인의 이익을 따지지 않고 밀어붙일 수 있는 사람이었다. 적어도 왕의 눈에는 그렇게 보였다.

"전하께는 힘이 필요합니다."

"…!"

"그러기 위해서는 원으로부터의 독립이 우선이고 그다음이 왕권의 회복입니다."

신돈의 말에 왕은 얼굴이 밝아졌다. 좀 전에 왕이 했던 말을 다시 한번 각인시키는 말로 종지부를 찍었다. 듣던 중 반가운 말이었다.

왕은 원으로부터의 간섭을 떨쳐버리고 싶었다. 원에 기반을 둔 기황후 일족을 모두 없애 버리고 싶었으나 후환이 두려웠다. 기황후의 배후에는 원나라가 있었다.

"원과 먼저 거리를 두어야 합니다."

신돈은 확정적으로 말했다.

"계책이라도 있습니까?"

"있습니다."

왕이 신돈의 말에 바로 이어 묻자 신돈은 당당하게 대답했다.

왕은 자신을 이해해주는 사람을 만나 더욱더 반가웠다. 왕은 모든 것을 신돈에게 맡기고 싶어 했다. 그리고 신돈에게 힘을 실어주기 시작했다. 왕을 개혁으로 이끄는 가장 강력한 힘은 비공식적인 조직이었다. 왕은 적극 신돈의 입지를 향상해주고 신돈의 개혁 의지가 성공할 수 있도록 조직을 가동하기 시작했다. 신돈의 개인적인 개혁 의지가 상당 부분 반영되고 있었다. 신돈은 파격적인 성격의 소유자였다. 아직은 전면에 나서지 않고 있었다. 왕은 신돈에게 의지하면서 자신의 개혁 목표와 같은 신돈을 신봉했다. 신돈은 원에서 한동안 생활했었다. 그런 만큼 원과 고려 모두를 잘 이해하고 있었다. 그리고 불교에 입각한 평등사상에 관심이 많았다. 고려가 가야 할 길을 꿰차고 있었다. 문제라면 혁명적인 발상과 실현이 문제였다. 왕도 현재의 복잡한 문제가 해결하기 어려운 것임을 알고 있었다. 유학자들은 신돈의 출현을 속으로는 반대하고 있었지만 드러내놓고 말할 수는 없었다.

여러 입장을 파악하고 있는 왕으로서 개혁의 실현을 위해서는 정치에 몸담지 않은 제삼자에게 역할을 주어 과감하면서도 냉정하게 형세를 뚫고 나갈 사람이 필요했다. 누구에게 일을 맡겨도 이해관계가 얽히게 되어 있었다. 원을 지지하는 기황후의 세력을 업은 사람들과 고려의 독립을 지지하는 개혁세력 중 한쪽에 기울어서 정사를 보기에는 위험성이 너무 컸다. 이미 개혁을 위한 방향으로 칼을 뺏기 때문에 다시 집어넣기에는 어려움이 많았다.

신돈의 출현은 왕으로서는 더할 수 없는 위안이며 힘이었다. 이제는 고려가 원의 속국이 아니라 독립국이라는 것을 선언하고 끌어내기를 바랐다. 왕으로서 원에게 받는 치욕을 떨쳐버리고 싶었다. 신돈은 왕의 마음을 누구보다도 강하게 두둔했다. 원으로부터 치욕적인 일은 헤아리기가 어려울 만큼 많았다. 마음에 들지 않으면 왕을 갈아치우는 무소불위의 횡포를 경험했고, 고려의 왕이지만 죽음을 각오하지 않으면 개혁을 실행할 수 없었다. 더구나 원나라로부터의 독립은 꿈꾸기 어려운 상황이었다. 이름만 고려의 왕이었다.

"무슨 일이 있어도 원과의 관계는 끊고 왕권을 회복해야 합니다."

"그래야지요."

두 사람이 만나면 반복하는 말이었다. 의지를 말하고, 의지를 실천하고자 하는 바람이 같은 말의 반복으로 이어졌다. 신돈의 말에 왕은 아주 단호하면서도 무게를 실어 말했다.

"고려의 왕이 원나라 태자나 공주보다 아래라는 것은 치욕입니다."

신돈은 고려 사람이다. 승려여도 원에 굴복한 조국을 바라보는 것은 안타까운 일이었다.

"지금 가장 큰 문제는 왕께서 일관되게 개혁에 힘을 실어주는 것입니다. 그러려면 왕권의 강화가 무엇보다 선결되어야 합니다."

신돈이 힘을 주어 다시 한번 왕권 강화에 대해 말했다.

"그렇습니다."

왕이 다시 한 번 힘을 주어 말했다. 그러면서 긴 한숨을 쉬었다. 무엇보다 강하게 공감하면서도 어려운 점이 많은 부분이었기 때문이다.

신돈은 왕이 왕권을 찾지 못하면 다른 어느 것도 할 수 없음을 잘 알았다. 그리고 왕 자신의 목숨까지도 언제 날아갈지 모른다는 것을 알고 있었다. 왕권이 서야 나라가 제대로 바른길을 찾아갈 수 있을 것이란 생각에는 변함이 없었다.

신돈과 왕은 원에 당한 수모를 눈으로 목격한 사람들이었다. 왕의 치욕은 고려의 치욕과 다를 바 없었다. 고려에서 원에 공녀로 팔려간 여인이 원나라의 황후가 되었다. 원나라 기황후의 아들인 만만태자가 원나라에서 왕위를 받았다. 기황후는 원의 만만태자를 고려에 보내 기황후의 어머니 영안왕대부인을 위한 발아찰을 열었다. 발아찰孛兒扎은 원의 황제가 황실의 단합을 위하여 친인척에게 베푸는 행사를 말한다. 연경궁에서 연회가 열렸는데 좌석 배치에서 서열을 알 수 있었다.

고려의 왕은 순위에서 왕비보다 낮은 수치를 당했다. 노국공주와 만만태자는 남쪽을 향하여 앉고, 왕은 서쪽에 앉았다. 왕의 부인인 왕비는 상좌에 앉고, 고려의 왕은 정작 밑에 앉아 있었을 때 고려의 신하들과 백성들의 마음은 참담했다. 고려왕의 부인이 원나라 공주라 해서 왕보다 상석에 앉는 모습을 보고 고려인의 가슴에 나라의 국권을 잃은 아픔을 절감했다. 더구나 고려의 왕이 무릎을 꿇고 술을 따르는 것을 만만태자는 서서 받았다. 고려의 신하들은 속으로 울었다. 국권 회복에 대한 생각은 개혁에 반대하는 사람들에게 있어서도 같았다. 다만 기황후의 친족일당인 기 씨 일파만이 예외였다. 기철, 기륜, 고룡보 등 기 씨 일당은 막강한 힘을 과시하고 있었다. 친원파와 개혁파는 서로 칼을 들이대고 있는 형국이었다.

"내, 믿을 만한 공신들을 몇 불렀습니다. 오늘 만나보시지요."

"개혁에 적극적인 분들이어야 합니다."

왕의 제의에 신돈이 걱정하는 바를 이야기 했다.

"틀림없는 사람들만 불렀습니다."

"그럼 개혁 상소를 올렸던 이색이란 분도 오십니까? 이부시랑吏部侍郎(벼슬의 이름)겸 병부낭중兵部郎中이라고 했던가요?"

"예. 이부시랑도 오라고 했습니다."

얼마 후 재상들이 들어왔다.

이색과 이춘부, 김보, 목인길이 들어왔다.

신돈은 왕을 만나기 전 조정의 대신들과 같이 자리한 적이 있었다. 이 자리 말고도 이춘부와는 몇 번 만나서 개인적인 의견을 나눈 적이 있어, 그만큼 서로 간의 신망이 쌓여있었다. 신돈과 개혁의 선두에서 일할 것을 자청하기도 한 것이 이춘부였다.

신돈이 이색을 굳이 찾은 것은 이색의 명석함과 혜안을 인정하고 있었기 때문이었다. 개혁의 속도가 느려 왕이 아쉬워했지만 여러 곳에서 이색의 혜안에 대하여 이야기하는 것을 들은 바 있었다. 왕은 그런 신돈의 마음을 알고 있었다. 유학자들이 앞에서는 읍소하면서 뒤에서는 욕하는 것을 신돈도 알고 있었다.

"짐이 경들을 부른 것은 지금 안과 밖으로 우리는 변화의 시대에 살고 있습니다. 지금 이 시기를 어떻게 넘기냐가 고려의 운명이 좌우된다고 해도 지나친 말이 아닙니다. 그래서 짐의 일을 도와줄 분을 모셨습니다."

왕은 신돈을 바라보았다. 그리고 다시 재상들을 향하여 말했다.

"이 스님을 짐의 사부로 모시기로 했습니다."

누구도 그것에 대해 말을 하지 않았다. 너무나 확고한 왕의 마음에 거슬리기 어려웠다.

왕은 말을 계속했다.

"짐의 생각과 스님의 생각은 일치합니다. 사부께서 결정하고 시행하는 일이 곧 짐이 결정하고 시행하는 일이라고 생각하면 됩니다. 가장 믿고 개혁적인 생각을 하는 분들만을 오늘 이 자리에 모셨습니다. 적극적으로 도와주시기를 바랍니다."

왕은 얼마만큼 지쳐있었다. 개혁을 추진하는 것도 힘든 상황인데 내부의 적도 많았다.

"한 말씀 하시지요."

왕은 신돈에게 인사말을 요청했다.

"이 나라가 바로 서는 것을 보고 싶습니다. 역사 앞에 떳떳하고자 소승이 나섰습니다. 역사는 백성을 위한 일을 기억할 것입니다."

신돈은 잠시 쉬었다 이야기를 이어갔다.

"소승은 빈손으로 왔으니 빈손으로 갈 것입니다. 백성을 위하는 마음이 어떤 것인가는 누구나 다 압니다. 지금 시점에서 중요한 것은 소신보다 행동입니다. 그 역할은 아무것도 가진 것 없는 소승이 할 일이라고 생각합니다. 개혁의 불쏘시개가 되겠습니다. 여러분의 도움이 진정 필요합니다."

신돈은 차분하면서도 마음에 둔 생각을 정리해서 말했다.

"여러분들도 사부의 뜻을 따라 이 나라의 기틀을 다시 마련하는데

도와주시기 바랍니다."

왕은 간곡하게 부탁했다. 누구 하나 이의를 제기하지 않았다. 이춘부는 지금까지와 마찬가지로 행정적으로 그리고 실질적으로 조용히 뒤에서 돕고 싶었다. 누군가가 해야 하지만 나서기에는 모두 꺼리는 일이었다. 숱한 반발과 질시가 따를 것이 뻔했다. 그렇더라도 누군가 해야 할 일이라면 내가 나서겠다는 마음은 이춘부도 신돈과 같았다.

이승경은 술을 한 잔 한데다 분기를 삭이지 못하고 있었다.

"그 까까머리는 반드시 나라를 어지럽힐 놈이야!"

"그렇습니다. 그놈은 요승입니다. 그놈을 죽여야 비로소 조정이 바른길을 갈 것입니다."

고위재상 이승경은 신돈을 극도로 미워했다. 이승경과 마주 앉은 재상 정세운도 가세해서 신돈을 비방했다. 이승경과 정세운은 고려 조정의 실세 중의 실세였다. 권력을 한 손에 움켜쥔 사람들이었다. 그들이 신돈의 출현에 정면으로 도전하고 나섰다. 개혁의 화살이 자신에게 언제 날아올지 몰랐다. 이미 권력의 상당 부분은 신돈에게로 넘어갔다. 왕이 신돈에게 절대적인 신임과 권력을 쥐여 주었기 때문이었다.

"중놈이 나랏일을 알면 얼마나 안다고 설치는지 모르겠습니다."

"내 이놈을 반드시 없애고 말 것입니다."

이승경의 말에 정세운이 가세했다.

두 사람은 왕이 개혁을 시도하고 있는 것에서 소외된 사람들이었다. 전민변정도감田民辨整都監(권문세족이 토지와 노비를 늘려 국가 기반이 크게 악화하자 이를 바로잡기 위하여 설치한 임시 특별기구)에서 실시하고 있는 토지를 원소유자에게 되돌려주는 작업에도 이들이 가진 토지가 대상이 되고 있었다. 고위재상이라면 이 나라의 중추적인 일을 결정할 위치에 있는 사람이었지만 개혁 정국에서 소외되어 있었다. 왕을 내놓고 욕을 할 수는 없고 신돈이 대타였다. 이승경은 남들이 있는 자리에서까지 공공연하게 내놓고 신돈을 욕했다. 신돈과 함께 일을 하는 사람들에게도 한통속이라며 욕을 했다.

이승경이 밖을 향해 소리쳤다.

"운세야!"

"네. 대령했습니다."

머슴이 달려와 머리를 숙였다.

"적막골에서 사람이 온다고 했다. 오는 즉시 이리로 안내하거라."

"예. 분부대로 하겠습니다."

운세가 물러가자 이승경이 정세운에게 작은 소리로 말했다

"내 이놈을 반드시 처단할 것입니다. 오늘 사람을 불렀습니다. 잘 아는 아이인데 입이 무겁고 칼솜씨가 보통이 아닙니다."

"아니. 진짜로 죽이시려고요?"

이승경이 정세운을 향해 검지로 입을 막으며 조용히 하라는 표시를 했다.

"저는 한다면 합니다. 제 놈이 나를 무시하고 살아남을 수가 있다고 생각하십니까. 그에 동조하는 놈들도 같은 놈들이지요."

얼굴이 잔뜩 상기되어 있었다.

"일을 너무 크게 벌였다가는 잘못하면 역공을 받을 수 있습니다."

"저는 한다면 합니다. 감히 나를 무시하다니…"

밖에서 머슴 운세의 목소리가 들려왔다.

"주인님. 적막골에서 사람이 오셨습니다."

"들라하라."

눈이 부리부리하고 날렵해 보이는 몸이었다. 방으로 들자 머리를 숙여 가볍게 인사를 했다.

"이분은 나와 뜻을 같이하는 분일세. 재상 정세운 어른이시네. 알아두면 도움이 될 걸세."

"네. 알아 모시겠습니다."

목소리에 절도가 있었다. 입이 일자로 과묵해 보였다. 무언가 모를 살기가 몸에 배어있었다.

"앉게나."

문 입구에 무릎을 꿇고 앉았다.

"내 긴히 자네가 필요해서 불렀네. 실수하면 안 되는 일일세."

"네. 명하는 대로 하겠습니다."

"이리 가까이 오게나."

이승경의 말에 무릎으로 사내는 가까이 다가왔다.

이승경이 속삭이듯이 말했다. 사내는 아무 표정 없이 들었다.

"네. 알았습니다."

그의 말은 딱딱 끊어졌다.

"실수하면 안 되네."

이춘부는 개혁의 실행방안을 연구 중이었다. 자신이 평소 가지고 있던 철학과 백성을 위한 길이 무엇인가 고민해왔던 것들을 실행하고 싶었다. 어떤 난관이 있다 하더라도 헤쳐나가야 할 길이었다. 왕과 신돈이 생각하고 있는 일련의 개혁적인 일들이 이춘부의 생각과 맥을 같이했다. 하지만 실행하기에는 모두 위험한 일이었다.

원나라와의 관계를 끊고 독립을 이루는 일이 특히 그랬다. 하지만 이 일을 제대로 하지 않고서는 어느 것도 할 수가 없었다. 원과의 단절과 독립은 첫 단추였다. 이 일이 잘 성사되어야만 다음 단계에 진입할 수가 있었다. 조정에는 원과의 관계가 친밀한 사람들이 많았다. 기황후를 등에 업은 사람들도 있었지만, 원나라에 자신의 딸을 바쳐서 벼슬을 얻은 사람도 있었다. 이런 긴밀한 끈을 끊는 것은 고려의 독자노선을 걷는 첫걸음이 되지만, 그들에게는 생명줄을 끊어 놓는 것이어서 반발이 당연했다.

목숨을 건 전쟁이 시작된 셈이었다. 왕의 등극과 더불어 벌여온 일련의 일들이 전진과 후퇴를 하며 진행되고 있었다. 왕의 마음을 이춘부는 잘 알고 있었다. 왕이 누군가를 기다리고 있었음을. 그때 신돈이 나타나 준 것이었다. 왕의 마음과 신돈의 마음이 하나로 합해지는 것을 보았다. 또한 그래야만 했다. 왕과 신돈은 같은 마음, 같은 목적지를 가진 사람들이었다. 이들의 만남은 휘발성이 강한 왕의 성격에 달리는 말 한 마리가 가세한 격이었다. 꿈에 나타난 기현상도 한몫했지만 왕의 마음을 한 번에 잡은 것은 신돈이 왕의 마음을 잘 헤아렸기 때문이었다.

신돈은 사심 없이 이 세상을 개혁하고 싶어 했다. 그리고 일은 가차 없이 진행되기 시작했다. 일단은 물밑에서 정지작업부터 시작했다. 그 일을 이춘부에게 왕이 부탁한 것이었다. 이춘부는 앞서 나서지 않는 성격이어서 조용히 그러나 확실하게 실행에 옮길 수 있는 사람이었다. 공도 탐내는 성격이 아니었다. 조용히 실무적인 일을 하기에 이춘부만한 사람이 없었다.

"사부를 도와주세요."

왕이 이춘부를 불러 간곡히 부탁했다.

"짐과 사부는 일을 저지르는 사람입니다. 뒤에서 조용히 일을 계획하고 마무리하는 일에는 부족한 성격입니다. 그러니 실무적인 일을 맡아서 해주기 바랍니다."

"신도 힘이 닿는 데까지 열심히 하겠습니다."

이미 개혁의 배는 떠나고 있었다.

생명의 은인을 만나다

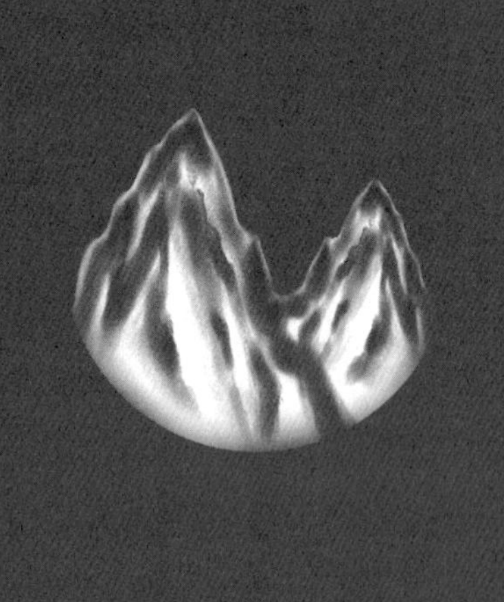

6

노인을 찾아가다

어떤 사람은 천국을 가지고 살고,

어떤 사람은 평생 자신의 선 자리를 지옥으로 만든다

이옥은 달렸다. 바람이 맑아 호흡도 상쾌했다. 모처럼의 휴가가 주는 자유에 감동하고 있었다. 목숨을 건 전투에서의 치열함과 군영 생활에서 벗어나 아무런 걸림 없이 말을 달려본 지가 언제인가 싶었다. 물론 언제 적의 화살이 날아올지 모르는 상황에서도 휴식은 있고 나름의 여유는 있었다. 이옥이 달려가는 벌판. 시간과 공간이 텅 빈 곳에서의 충만감은 자유였다. 새가 되어 날아가는 기분 같았다. 더구나 왕이 직접 내려준 말을 타고 달리는 기분이란 말로 표현하기 힘들었다. 이옥은 노인을 만나러 달렸다. 어린 소녀처럼 살아가는 순하고 맑은 꽃지도 보고 싶었다. 그리고 고마운 사람들이었다. 노인에게서 쫓겨나듯 돌아온 것에 대해서도 가만 생각해보면 고마운 일이었다. 말로 꼬박 하루를 달려야 도착할 먼 길이었다. 아침에 출발해

배가 출출했다. 주막에 들러 밥을 먹고서 다시 달리기 시작했다.

왕이 직접 써서 내려준 강궁強弓이란 글씨가 얼굴에 아른거리기도 했다. 명궁이란 말보다도 훨씬 좋았다. 강이란 말에서 풍기는 느낌은 더욱 남자답고 힘이 찼다.

“강궁.”

이옥은 혼자 중얼거렸다.

노인이 없었어도 강궁이 될 수 있었을까? 달릴수록 바람이 거칠게 얼굴에 부딪혔다. 그럴수록 더욱 강렬한 기쁨이 느껴졌다. 가을은 제법 깊어가고 있었다. 나무들은 붉게 물들고 어떤 것은 노랗게 또 어떤 것들은 갈빛으로 물들었다. 세상이 자신을 축하해주기 위하여 단풍을 물들이는구나 싶을 만큼 기분이 좋았다.

나라의 운명도 힘든 군영 생활도 다 벗어던지고 자신만을 위하여 한 달을 쓰고 싶었다. 걱정을 가불해서 쓰는 것은 어리석은 일이다. 이왕이면 기쁨을 가불해서 쓰는 것이 현명한 일이다. 걱정을 가불한 사람은 늘 걱정으로 살았다. 하지만 기쁨이나 행복을 가불한 사람은 늘 여유와 희망이 있었다. 기쁨은 오늘 느껴야 하는 것이다. 주어진 기쁨을 잘 쓰는 것이 생을 받아들인 사람의 몫이다. 행복을 미루는 일처럼 어리석은 일은 없다. 이옥은 행복했다.

한참을 더 달려서야 노인의 집이 보이기 시작했다. 그때와 같이 한적하고 평화로웠다. 집 옆으로는 채소들이 자라고 있었다. 가을배추가 파랗게 자라고 있었다. 노인과 활쏘기를 했던 과녁판이 멀리 보였다. 이옥은 말의 고삐를 늦추고 내렸다. 그리고 천천히 집을 향해 걸어 들어갔다. 내 집에 찾아온 듯한 평온함이 함께 했다. 가까이

다가가도 인기척이 들리지 않았다. 사람이 없는 듯했다.

마구간에는 말이 매여 있었다. 궁과 술이 다 있었다. 말도 이옥을 알아보고는 머리를 흔들었다. 문을 열고 안으로 들어가 보았다. 모든 것들은 그때와 다름없었다. 활과 화살도 벽에 그대로 걸려 있었다. 부엌에는 찬장 하나가 달랑 있었는데 찬이 몇 가지 들어있을 뿐이었다. 가마솥은 아직 조금의 온기가 남아있었다. 점심을 먹고 밥을 넣어둔 모양이었다. 아궁이도 열어보았다. 불은 꺼져있었으나 차가운 기운이 없는 거로 보아 얼마 전까지도 불을 땐 것이 틀림없었다.

왜 이곳에서는 평화로움이 느껴질까. 노인이 주는 느낌 때문일까. 이곳만의 특별함이 있는 걸까. 이옥은 아주 편안한 마음이 들었다. 얼마나 오랜만에 느끼는 적막함인가 싶었다. 마치 고향에 온 듯한 느낌이었다. 아무것도 가진 것 없이 살면서도 강인해 보이는 것이 노인의 매력이라면 매력이었다. 외모는 촌로 이상도 이하도 아니었지만 몇 마디 말을 해보면 다른 느낌을 받았다.

저녁이 되어서야 노인이 딸 꽃지와 숲길을 따라 올라오고 있었다. 이옥은 반가움에 두 사람이 오는 방향으로 걸어갔다. 노인과 꽃지가 다 같이 걸망을 맨 것으로 봐 약초를 캐러 갔다 오는 모양이었다.

"건강하구먼."

"네. 건강해졌습니다. 덕분에 이렇게 건강을 찾았습니다."

"덕분이기는. 우리야 밥과 잠자리를 준 것 외에는 한 일이 없네."

"아닙니다."

노인과 이옥이 주고받는 말 뒤에 꽃지가 서 있었다.

"아주 건강해 보이세요. 얼굴도 밝고요."

"고마워."

꽃지의 말에 이옥이 감사한 마음을 담아 아주 부드럽게 말했다.

"한데, 어인 일인가?"

노인이 중간에 끼어들었다.

"아버지. 어인 일이기는요. 인사차 들렀겠지요."

꽃지가 아버지의 말을 막았다.

"예. 그렇습니다. 은혜에 감사도 드릴 겸 찾아왔습니다."

어인 일로 찾았느냐는 노인의 말에 이옥은 조금은 섭섭했다. 반갑게 맞아줄 것으로 생각했었다.

"아니, 나는 반갑지만 이리 한적한 곳에서 젊은 사람이 시간을 보내서야 하겠는가 싶어서 그러네."

노인의 목소리는 한결 부드러워졌다. 그러면서 이옥에게 안으로 들 것을 손짓으로 안내하며 말했다.

"여기 서서 이럴 것이 아니라 들어가세."

"네."

이옥의 목소리가 금세 밝아졌다.

꽃지가 밥을 차려 들여왔다. 이곳에 머물 때 먹던 것들이었다. 보리밥과 나물이 주였다. 고기나 생선 하나 없는 상은 초라했다. 조그만 상에 얹힌 밥과 반찬 몇 가지가 전부였지만 마음이 흐뭇했다. 쌀은 보이지 않고 보리와 감자가 더 많았다.

"찬은 없지만 들게. 이곳에 머물렀으니 다 아는 형편일 테고."

꽃지가 숭늉을 바가지에 담아서 들어왔다.

"맛있게 드세요. 찬은 없어요."

이옥은 말을 타고 달려오느라 배가 고팠다. 아주 맛있게 먹었다.

"제가 찾아온 것은 먼저는 죽을 사람을 구해주신 것에 대한 고마움 때문입니다. 그리고 한번 뵙고 싶었습니다."

노인은 이옥의 말을 듣기만 했다. 시선을 이옥에게 고정한 채.

"저는 지금도 궁금한 것이 있습니다."

노인은 여전히 시선을 이옥에게 고정한 채 바라보았다.

"지난번 활을 쏘실 때 마지막 한 발을 허공으로 쏘셨습니다."

"…"

"제가 물었습니다. 왜 허공으로 화살을 쏘셨는지요."

"…"

"그때 말씀하시기를 내 마음의 중심을 향하여 쏘았다고 하셨습니다."

노인은 허리를 꼿꼿하게 세우고 앉은 자세로 이옥을 바라보았다.

"그 말씀의 뜻을 알고 싶습니다. 말씀해 주십시오."

이옥의 목소리는 부드러웠으나 마음이 듬뿍 담긴 목소리였다. 노인은 그 자세, 그 시선 그대로 들었다. 대답 없이 침묵하고 있다가 말을 꺼냈다.

"그 말의 의미가 궁금해서 이 먼 길을 왔는가?"

"그건 아닙니다."

이옥은 아니라고 했지만, 자신을 가만히 생각해 보니 이곳까지 달려오면서 그 생각을 떠올린 것을 보면 노인의 말이 맞는 것 같았다. 노인에 대한 신비가 남아있어 이옥을 더 강하게 이곳으로 끌었음이 분명했다.

"젊은이는 성공할 걸세. 그런 마음의 자세라면 큰일을 할 것일세."

노인의 말에 이옥은 어떤 답변도 할 말이 없었다. 고마웠지만 이옥이 바라는 말이 아니었다. 이옥은 노인이 그것에 대해 말하고 싶지 않은 것을 알았다. 말에는 때가 있는 법인데 그것이 무르익지 않아서인지도 몰랐다. 이옥은 굳이 다시 묻지 않았다. 자연스럽게 말을 해주리라 생각했다.

노인의 말은 계속되었다.

"욕망이 사람을 키우지만, 그 욕망을 절제하지 못하면 자멸하지. 욕망이 모자라면 추진력이 없고, 욕망이 넘치면 사람의 도리가 무너지지."

"욕망을 이루려면 무언가를 시작해야 하지 않습니까?"

"그렇지. 세상으로 나갈 때 가장 큰 장애는 언제나 자신이라네. 그 자신이라는 산을 넘으면 실패든 성공이든 일이 벌어지지. 이 세상에서 가장 큰 산은 자기 자신 안에 있네. 그래서 자신 안에 있는 거대한 산을 넘지 못하면 자멸하네. 시작도 못 하는 인생으로 남게 마련이지. 형체도 없는 마음 산이 가장 높은 산이지. 축하하네."

"예?"

이옥은 뜻밖의 축하라는 말에 놀라서 되물었다. 옆에 있던 꽃지도 눈을 동그랗게 떴다. 무슨 축하 받을만한 일을 이옥이 했는가 하는 모습이었다.

노인은 그냥 웃었다. 그뿐이었다.

노인은 사람에게 궁금증을 남게 했다.

"무엇을 축하한다는 것이에요, 아버지."

노인은 그냥 웃었다. 그리고는 어두워가니 건너가 자라고 했다. 이옥이 이렇게 찾아온 것이, 무언가 추진력을 가지게 되었다는 것을 의미하는 것인지도 모른다.

노인과 꽃지는 같은 방에서 자고 이옥은 건너갔다. 방이라고 해야 두 사람이 누우면 꽉 차는 방이었다. 꽃지가 이불을 깔아 놓았다. 불도 넣어서 따뜻했다. 등잔불로 아늑해진 방은 마음을 충만하게 했다. 이옥이 움직일 때마다 그림자가 벽에서 움직였다. 손으로 그림자를 만들기도 하고 그림자의 크기를 조절하기도 했다. 한가함을 즐기는 것이 산골에서 제일 먼저 배우는 놀이였다. 같은 나라, 같은 공간에 있어도 다른 세상을 살고 있었다. 생각이 천국과 지옥을 만들고 있었다. 불과 얼마 안 떨어진 곳에서는 전쟁을 준비하고, 죽음과 삶이 오가는 것을 걱정하고 있고, 이곳은 세상의 분란과 상관없이 평화가 있었다. 이옥은 생각하다 그만 잠이 들었다.

아침 일찍 일어나 방에서 나와 걸었다. 햇살이 시냇물처럼 맑았다. 스치는 공기가 싸하면서도 기분이 상쾌했다. 숲을 걸었다. 벌써 일어나 가볍게 나는 새들의 비상이 활기찼다. 같은 상황을 보고 있으면서도 이렇게 다를 수 있구나 하는 생각이 다시 들었다. 전장에서는 새의 움직임이 적의 침입을 확인하는 방법의 하나였는데 이곳에서는 무엇 하나 걸릴 것 없는 평화가 가득했다.

되돌아보면 빈틈없이 살아왔다. 자신이 태어난 뒤 이 나라는 한 번도 편안한 날을 가져본 적이 없었다. 원에 복속된 치욕적인 나라의 운명을 바라보면서 살아왔다. 마음 편한 날이 없었다. 아버지가 전쟁터에 직접 나가는 것을 보았고, 커서는 물고 물리는 조정 안의 일을 귀동냥으로 들으며 살았다. 커서는 군인 신분으로 크고 작은 일에 출동했다. 그리고 얼마 전에는 왜구의 출몰에 대적해서 싸워야 했다. 이옥은 전쟁의 무서움을 알고 있었다. 전투가 있고 나서는 비린내가 한동안 코를 찔렀다. 칼과 몸에 엉겨 붙은 피가 코를 자극했다. 손과 발이 잘리기도 하고 목이 달아난 것을 보는 것은 전투에서는 흔한 일이었다.

이옥은 신기했다. 이런 정적을 가진 곳이 있고, 이런 정적과 어울리는 사람이 있다는 것이 신기했다. 그동안 살아온 이옥의 세상과는 다른 세상이었다. 늘 시끌벅적하고 사람들은 각자 맡은 일을 처리하기에 분주했다. 문제가 생겼고, 그 문제를 해결하기 위해 바빴다. 하지만 이곳은 달랐다.

이옥은 일찍 일어나 숲을 거닐다 돌아왔다. 그새 일어난 노인이 장작을 패고 있었다. 장작을 패는 모습이 제비처럼 날렵했다. 도끼날에 장작들이 두 쪽으로 갈라지는 모습이 마음을 시원하게 했다. 이옥이 다가갔다.

"제가 한번 해보겠습니다."

노인이 아무 말 없이 도끼를 건네주었다.

팔꿈치만큼씩 토막 난 장작 중에 하나를 올려놓았다. 도끼를 들어 내리쳤다. 도끼가 장작의 중심 부분을 가르지 못하고 장작의 한 부분이 잘려나갔다. 시원하게 두 쪽으로 갈라져서는 저절로 양옆으로 쓰러져야 하는데 그렇지가 못했다. 이옥은 조금은 쑥스러운 기분으로 다시 한 번 내리쳤다. 이번에는 도끼날이 장작에 꽂혔다. 도끼를 들자 장작이 도끼에 끼어 함께 들려 올라왔다. 한 번에 쪼개겠다고 세게 내리치면 장작이 옆으로 튀어 나갔다. 노인이 도끼를 슬며시 뺏었다.

"명궁이 도끼질은 형편없군."

노인이 다시 장작을 패기 시작했다.

정확하게 가운데를 치면 두 쪽으로 갈라져 양옆으로 쌓였다.

"마음의 중심을 향하여 쏘았다는 그 말씀에 대해서 말씀해 주시지요?"

"그게 다일세. 무슨 설명이 필요하단 말인가?"

"화살을, 마음의 중심을 향하여 쏜다시면서 시합을 하던 중에 마지막 한 발을 허공으로 날리는 그 마음을 이해하지 못하겠습니다."

이옥은 허공을 향하여 한 발을 날린 의도도 궁금했지만, 마음의 중심을 향하여 쏜다는 뜻이 알고 싶었다.

"세상은 복잡하게 추측하고 해명하려고 할 필요가 없네. 그냥 단순하게 보면 답이 다 나오지 않는가?"

"저는 모르겠습니다."

"허 참. 아무것도 아닌 것을 가지고 귀찮게 하는군. 허공으로 쏜 것은 다 맞추어서 굳이 나 자신이 오만해지지 말자는 것이고, 내 마음의 중심을 향하여 쏜다는 것이야 말 그대로 아닌가. 세상의 중심은 자기 자신의 목숨이 붙어있는 그 자리지. 그 자리가 어딘가 생각해 보게."

"..."

"자네가 세상의 중심이니 자네가 서 있는 그 자리가 세상의 중심이 아닌가. 그 자리에 마음이 있고, 그 중심을 향하여 화살을 쏘면 화살이 어디로 날아가든 무슨 상관인가. 중심은 내가 가지고 있으니 세상이 변하든, 흔들리든 상관없이 의연할 수 있는 것이네."

이옥은 어느 정도 이해가 되었지만 확연하게 뜻을 잡지 못했다.

"나 자신의 중심에 화살을 쏜다는 것보다 먼저 해야 할 일이, 나 자신이 세상의 중심이라는 생각을 세우는 것이겠군요?"

"그렇지. 사람은 움직이는 중심을 가지고 사는 동물인 게지."

"움직이는 중심이요?"

"그렇지. 천국도 지옥도 자기가 가지고 사는 것이네. 어떤 사람은 천국을 가지고 살고, 어떤 사람은 평생을 자신의 선 자리가 지옥이기도 한 것이네. 자기 자신 안에 천국이 있는데 사람은 움직이는 동물이니 천국이 사람을 따라다니지 않겠는가."

노인의 말은 달리는 말처럼 정의 내리기 무섭게 한 발을 앞질러 갔다. '사람은 움직이는 중심을 가지고 사는 동물'이라는 말에 마음이 잠시 멈춰 섰다.

군인으로 살아온 이옥은 이런 대화에 익숙하지 않았다.

"제가 인생의 지침으로 가지고 살 말씀 하나 주시면 고맙겠습니다."

"내가 할 말이 무엇이 있겠는가. 하지만 굳이 군인에게 한마디 한다면 이 말일세."

"군인에게 필요한 말이요?"

"사내의 가슴은 조국에 묻어야 하네."

"가슴을 조국에 묻어야 한다고요?"

"…"

노인이 이옥의 물음에 더 이상 답하지 않고 나무 둥치를 들어다 옮겼다. 이옥은 대화의 간격을 유지하려 노인을 따라가며 노인과 같이 나무둥치를 날랐다.

"저를 구해준 분을 만나고 싶습니다."

이옥은 뜬금없이 다른 화제를 꺼냈다. 마음에 담아두었던 말이었다. 이 말을 저번에도 물어보았으나 정확한 답을 듣지 못하고 지나쳤다. 이옥이 꼭 알고 싶은 내용이었다.

"젊은이를 구해준 사람은 옆 마을에 사는데, 어떤 이는 기생이라고 하기도 하고, 어떤 사람은 의녀라고도 하는데 정확히는 모르겠네."

"기생이나 의녀라고요?"

기생의 역할이 다양해서 춤과 노래나 춤을 추기도 하지만 의술도 있었다. 유흥의 자리에 서기는 했지만, 기예를 보여주는 것이 전부였다. 그리고 어떤 기생은 점을 보기도 했다. 노인이 의녀라고 함은 관청의 의원에서 일하는 여성을 말하는 것이었다. 관찰사가 있는 관아에서는 의녀가 있었지만, 약제를 다루는 의료행위뿐 아니라 여러 가지 다른 일도 함께 하고 있었다. 그리고 궁중의 의녀는 궁중의 의료를 책임지는 내의원에 근무했다.

"그럼. 그분은 어디에 계신답니까?"

"개경에 있다고 했네. 이름은 말하지 않았나?"

"이름은 말씀하셨습니다. 성아라고요. 개경이라면, 내의원…"

이옥은 사냥대회에서 다쳤을 때 치료해준 의녀가 떠올랐다. 자신과 눈이 마주쳤을 때 눈길을 피하던 여인이었다.

노인은 다시 도끼를 잡더니 장작을 패기 시작했다.

7

개혁 반대세력의 정면 도전

봄은 겨울을 넘어선 자만이 만날 수 있다

어두운 거리에서 조금 벗어난 골목길에서 한 사내가 검은 두건을 꺼냈다. 얼굴에 뒤집어썼다. 등 뒤에는 칼이 걸려있었다. 사내의 몸은 바람을 닮아 있었다. 몇 발자국 달리더니 훌쩍 담을 넘어 들어갔다. 아주 순간이었다. 쿵 소리도 나지 않았다. 민첩함이 야수를 닮았다.

사내는 뒷마당을 지나 툇마루를 건넛방으로 스며들 듯이 들어갔다. 소리 없이 이루어지는 사내의 몸짓은 그림자가 움직이는 것 같았다. 문을 아주 천천히 열었다. 어둠 속에서 이루어지는 일이 정적과 만나 살기가 어렸다. 이불이 펴져 있는 곳으로 다가가더니 이불을 걷었다. 사내는 이불을 집는 순간 알아챘다. 아무도 없음을. 사내는 당황했다. 조금 전까지 주도면밀하던 사내의 행동이 흔들리기 시작했다. 사내는 몸을 돌려 나가다가 도자기를 넘어뜨렸다. 도자기 깨어지는 소리가 날카롭게 밤공기를 흔들었다.

놀란 가족들이 먼저 마루로 뛰어나왔다. 사내는 이미 담을 넘어 사라진 후였다.

같은 시간에 신돈과 이춘부는 밀담을 나누고 있었다.

"저는 구국을 위하여 과거의 정을 모두 끊기로 했습니다."

신돈은 이춘부의 말에 감동스러운 얼굴로 이춘부를 바라보고 있었다. 이춘부의 아버지는 원 영종황제의 총애를 받은 재상 이나해의 아들이었다. 그런데도 원과의 관계를 끊고 고려를 자치국으로 만들어야 하는 일에 앞장서고 있는 이춘부를 바라보는 눈길에 만족이 보였다.

이춘부의 말에 신돈이 말했다.

"힘드시겠지만 연을 끊는 일이 우리가 우선해야 할 일입니다. 정에 묶이면 큰일을 하기에 어려움이 있지요. 제가 권력을 가졌다고 하지만 잠시 전하의 마음을 대리할 뿐입니다. 욕심을 부려서 제가 가질 것이 무엇이겠습니까. 중은 빈손이어야지요. 저는 제명에 죽지 못할 걸 알고 입조했습니다."

"무슨 그런 말씀을 다 하십니까?"

'제명에 죽지 못할 걸 알고 입조했습니다.'라는 신돈의 말에 이춘부의 마음에 감동이 일었다. '무슨 그런 말씀을 다 하십니까?'라고 했지만 이춘부도 같은 마음이었다.

"아닙니다. 저는 길에서 죽을 것을 압니다. 너무 큰 개혁이라 적도 많이 생길 것이고 추진하는데 곤란도 많을 것입니다. 벌써 몇 번 죽을 고비를 넘겼지요."

이춘부도 알고 있었다. 신돈을 음해한 사람들이 제법 많았다. 칼을 들고 담을 넘어 들어온 자객도 있었다. 신돈은 나라를 망칠 사람이라며 왕에게 상소가 올라가고 있는 것도 알았다. 아직까지는 왕이 중심을 가지고 신돈을 두둔했다. 도리어 그런 신하들을 귀양 보내거나 내치기도했다. 그러나 신돈과 이춘부를 비롯한 개혁적인 사람들은 왕의 성격을 알고 있었다. 왕이 언제 어떻게 변하게 될 지를 예측하기 힘들었다.

"저같이 못난 사람을 믿고 힘이 되어주시는 몇몇 분들에게 고마울 뿐입니다. 원나라의 간섭을 끊고 어엿한 독립국으로 가는 길에 나서 주셔서 제게 큰 힘이 됩니다. 한데 이 재상께서는 늦으시는군요."

신돈은 아직 도착하지 않은 이색을 두고 하는 말이었다.

"도착할 때가 되었습니다."

이춘부의 대답에 신돈은 말을 이었다.

"이 재상은 열네 살에 과거에 합격한 것도 대단하지만 학식과 견문이 넓어 제가 도움을 많이 받고 있습니다. 연경에서 유학한 경험도 그렇고 국자감에서 연경 학자들과 교류하며 학문을 익힌 것이 개혁의 물꼬를 트는 작업에 도움이 되고 있습니다."

신돈의 이색에 대한 칭찬에 이춘부가 덧붙여서 말했다.

"더구나 개혁 상소를 올린 것은 용기 있는 사람이 할 일입니다."

이춘부가 이색을 두고 용기 있는 사람이라고 하자 신돈이 말을 받았다.

"그렇습니다. 용기 있는 사람입니다. 상소 내용 하나하나가 정의의 실천에 있습니다. 그것을 실천하는 일이 우리가 할 일이기도 합니다.

권세가와 지방 토호들이 양민들에게서 빼앗은 토지를 돌려주는 일이나 문무의 균형 있는 발전을 위하여 무과를 실시하자는 것도 부국강병의 차원에서 필요한 것들입니다."

이색의 상소 내용을 두고 이춘부와 신돈이 이야기를 나누고 있었다.

이색은 원나라에 있었는데 부친의 사망으로 고려로 귀국했다가 영구 정착했다. 어머니가 연로해 보살피기 위해서였다.

"상소 내용과 지금 추진하고 있는 일이 맥을 같이 하는 것들이 있습니다."

이색이 원나라에서 귀국해 올린 상소 내용을 두고 이춘부가 부가 설명을 했다.

"저는 평등 세상을 만들어보고 싶습니다. 원나라 사람들이 고려 사람들을 보고 조롱합니다. 같은 민족끼리 노예를 삼는다고 비아냥거립니다. 우리가 물리치려는 그들에게서도 배울 것은 배워야 합니다."

신돈의 목소리에는 힘이 들어가 있었다.

"노비를 해방해 평등의 세계를 열어야 한다는 것은 이 시대에 필요합니다. 인본에 뿌리를 둔 문제이기도 하지만 너무 많은 노비로 인해 세금을 내지 않는 사람의 수가 늘어나고 군역을 할 자가 없어 강한 나라를 만드는 데 어려움이 있습니다."

원나라의 관리가 고려의 노비에 대해서 비아냥거리는 것에 대한 설명이었다. 다른 나라는 자기 나라 사람들을 노예로 삼지 않는데 고려인들은 자기 나라 사람들을 노예로 삼아 세습시키고 부린다는 것이었다. 노비는 고려의 노예제도였다. 사람을 재산으로 취급하고, 사고 팔수 있으며 개인 사집단을 만들기도 해서 국가 기강을 흔드는 문제 요소였다. 노비는 군역에도 포함되지 않고, 개인재산으로 취급되어 세금도 내지 않아 세수 확충에 문제가 있었다. 권문세가들은 자신의 이익을 위하여 노비 문제에 대해 한 발도 양보하지 않아, 강국을 만드는 데 걸림돌이 되고 있었다.

이춘부가 이야기하는 도중에 이색이 들어섰다.

"어서 오세요."

두 사람이 이색을 반겼다.

"저번 회의 때 결정했던 대책에 대해서 추진을 하고 있습니다. 하지만 그리 만만치가 않습니다."

이춘부가 원나라의 풍습인 변발辮髮과 호복胡服을 입던 것을 다시 고려의 원래 옷으로 바꾸어 입는 것에 대한 이야기를 꺼냈다.

"왕께서도 변발과 호복을 폐하고 몇 년이 되었음에도 원에 추종하는 자들은 아직도 변발과 호복을 고집하고 있습니다."

이색도 가세했다.

원에 복속되고 나서 시행되어온 변발과 호복을 입는 것을 왕 스스로 솔선수범하여 벗어버렸다. 이는 원나라에 대한 거부를 암시적으로 보여주는 처사였다. 그런데도 많은 대신은 아직도 변발과 호복을 고집하고 있었다. 이를 왕명으로 못 입게 하는 주장을 폈다.

변발은 머리의 후두부만 남겨놓고 주변의 머리털을 깎아 나머지 모발을 땋아서 등 뒤로 늘어뜨린 것을 말한다. 원종 13년에 혼인 문제 때문에 원에 갔던 세자 심이 몽골 풍속에 따라 변발에 호복차림으로 돌아왔는데, 이를 처음 본 백성들이 매우 해괴하게 여겼으며, 또 이를 슬퍼하여 우는 자도 있었다.

호복은 원의 복식을 그대로 받아들여 왕 이하 전원이 입고 있었다. 그러나 이를 거부한 왕의 행동을 두려워하는 자들이 있었다. 어떤 옷을 입느냐 하는 것이 복식의 예법인 듯하지만 결국은 원과의 관계를 끊어버리는 상징적인 의미가 있다. 왕권을 강화하고 강화된 모습을 드러내기 위해서는 호복을 입지 못하는 안을 구체적으로 통과시켜 시행까지 하게 하는 것이 필요했다.

"이는 나라를 가벼이 여기고, 왕을 무시하고 원에 기대려는 마음이 큰 것입니다."

이춘부의 목소리에는 힘이 들어가 있었다.

"우리를 노리는 자들이 제법 됩니다. 노비해방에 불만을 품은 자들이나 토지를 원소유자에게 빼앗기고 있는 자들이 벼르고 있는 것을 알고 있습니다."

친원 세력은 개혁세력에 비수를 들이댈 기회를 엿보고 있었다.

왕의 주도하에 얼마 전엔 기륜 일당을 제거하려다 기륜만을 살해하는 데 그쳤다. 원의 기황후가 서슬퍼렇게 버티고 있는 상황에서 용기가 없으면 할 수 없는 일이었다. 친원파와 개혁세력 간의 긴장감이 팽팽했다. 왕을 노리는 자들은 먼저 신돈을 노렸다. 그리고 신돈과 함께 개혁의 현장을 뛰고 있는 사람들을 노렸다. 대상의 최우선 순위가 이춘부였다. 이색이 개혁안을 내놓았지만, 추진의 핵심은 이춘부였다. 이춘부는 뒤에서 강력한 힘으로 구체적인 추진을 하고 있었다.

신돈을 노리고 있는 것은 이들만이 아니라 왕의 최측근인 고위

재상 이승경과 재상 정세운 등이 있었다. 그뿐만 아니라 왕권 강화에 적이 되는 대상으로 한지閑地로 쫓아낸 장수들도 있었다. 자신의 권위에 도전할 힘이 있는 사람은 가만두지 않는 왕에게 문제가 있었지만, 그들은 개혁론자들의 입김에 의해서 자신이 쫓겨났다고 생각하고 있었다.

밖에서 소란스러운 소리가 들려왔다.

"웬 소란이냐?"

신돈이 문을 열며 밖을 내다보았다.

"영상을 뵙고 가야 한다며 생떼를 쓰고 있습니다."

신돈은 재상들의 최고위직인 영도첨의領都僉議여서 첨의 또는 영상이라 불렸다.

"가까이 오시라고 해라."

허름한 행색의 남자 둘과 여자 셋이었다. 제대로 머리도 들지 못하고 고개만 조아렸다.

"어인 일이시오?"

신돈이 밖으로 나오며 말했다. 이춘부와 이색도 따라 나왔다.

"저희를 구해준 분에게 보답해야 한다고 생각했습니다. 산에서 석청을 채취해 감사의 표시로 가져왔지만 직접 뵙고 싶었습니다."

말을 반은 더듬으며 그중 한 명의 사내가 말했다.

"어인 사연이십니까?"

신돈이 부드럽게 물었다.

"저희는 서해도에 사는 양민이었는데 빚을 져 팔려갔다가 이번에 스님의 은혜로 풀려난 사람들입니다. 저희 인생을 구해주신 분의 얼굴을 한 번 꼭 보고 가고 싶었습니다. 이렇게 불쑥 고집을 부리며 찾아왔습니다. 용서하십시오."

"빚을 얼마나 졌기에 노비로 팔려갔습니까?"

신돈이 물었다.

"소 한 마리 값에 가족이 모두 팔려가 살다가 스님의 은혜로 광명을 얻게 되었습니다."

한 사람의 말이 끝나기 무섭게 옆에 있던 아낙이 말했다.

"먹을 것이 없어서 쌀 다섯 가마를 빌렸다가 못 갚는다고 이자에 이자를 물려 감당할 수 없을 만큼 불어났습니다. 해서 지아비가 팔려갔습니다. 결국 가족 모두 뿔뿔이 흩어져 팔려갔다가 이번에 만났습니다. 개돼지처럼 각자 다른 곳으로 팔려갔다가 이번에 만나서는 끌어안고 얼마나 울었는지 모릅니다."

복받쳐서 말에 두서가 없었지만 이해할 수 있었다.

"고생하셨습니다."

신돈은 마루를 내려가 기단 밑까지 내려가서 그들의 손을 꼭 잡아주며 말했다.

신돈은 자신의 어린 날을 생각했다. 옥천사가 떠올랐다. 신돈의 어머니는 옥천사의 노비였다. 아버지는 옥천사에 불공을 드리러 온 신씨 성을 가진 영산의 유지였다. 고려왕조의 법은 아버지와 어머니 중 한쪽이 노비면 자식도 노비가 되었다. 자식의 소유권은 부모 중 여자 노비의 소유자에게 있었다. 신돈은 어머니의 소속인 옥천사의 소유가 되었다. 그래서 여자 노비는 남자 노비보다 비쌌다. 자식을 많이 낳으면 재산이 늘어나기 때문이다. 여자 노비는 다른 남자와 관계해야 했다. 그래야 재산이 늘어나기 때문이다. 사람이 아니라 가축이라고 할 수 있었다. 신돈은 그런 분위기에서 자랐다.

"무슨 생각을 하십니까?"

옆에 있던 이색이 물끄러미 허공을 바라보고 있는 신돈을 바라보다 말했다.

"아, … 예. 그냥 옛 생각이 나서요."

신돈은 가끔 아버지를 찾아갔던 기억을 떠올렸다. 아버지는 능력 있는 사람이었다. 갈 때마다 위로의 말과 돈을 쥐여주었다. 신돈은 그런 아버지가 고마웠다. 노비의 아비라는 것을 숨기려고 하는 모습은 보이지 않았다. 신돈이 세상에 대해 눈 뜰 무렵 아버지가 옥천사에 몸값을 지불하고 노예에서 해방시켰다. 하지만 옥천사의 중들은 노비 출신인 신돈을 동료로 대하지 않았다. 신돈에게는 죽은 사람의 시신을 수습하는 일이 주어졌다. 이름하여 매골승埋骨僧이었다. 어디에도 평등은 없었다. 부처 안에서도 불평등은 존재했다. 지금도 자신을 멀리하는 사람들은 신돈이 노비 출신과 매골승이었음을 경멸했다. 그들은 그것을 빌미로 신돈을 공격했다.

신돈은 자신이 잠시 어릴 적 생각에 젖어있었던 것을 깨닫고는 자신을 찾아온 사람들에게 위로의 말을 했다.

"새로운 세상이 빛을 가지고 올 것입니다. 열심히 사십시오. 저에게 힘을 주셔서 도리어 고맙습니다."

찾아온 사람들은 머리를 몇 번이나 조아리며 물러갔다.

신돈과 두 사람은 물러나는 사람들을 바라보았다. 한동안 누가 먼저 말을 꺼내지 못했다. 신돈의 표정이 너무 진지했고, 그들의 사연이 아팠다. 이춘부와 이색은 좋은 집안 출신이었다. 그들의 아픔처럼 직접 세상의 고난과 만나 보지 못했다. 두 사람은 신돈의 개혁정치를 옹호하고 같이 뛰면서 몸으로 체험하고 있었다.

"오늘은 그냥 돌아가시지요. 정사는 미루도록 하지요. 마음도 그렇고 하니 술이나 한 잔 하시던가요."

신돈은 스님의 신분이면서도 파격을 행하고 있었다. 머리를 기르고 술도 했다. 몸이 마른 체위에 강한 기질이 보이는 얼굴이 돋보였다. 걸림 없이 세상을 살았고 겨우 두 칸짜리 집에 무엇 하나도 들이지 않았다. 궁 뒤에 마련되어서 좀처럼 마음을 먹지 않으면 찾아오기도 쉽지 않았다. 집이라고 하지만 아주 단출했다. 말 많은 사람들은 축재를 했느니 어디에 땅을 마련해 놓고 있다느니 했지만 정작 신돈은 아무것도 소유하지 않았다.

하지만 그에게 적은 엄연히 존재했다. 불가에서도 신돈을 인정하지 않았고, 유자들은 승려보다도 더 머리를 기르고 고기와 술을 먹는 신돈의 파격을 욕했다. 가진 자들은 신돈의 파격적으로 세상을 뒤집어엎는 공세적인 변혁을 두려워했다. 적들은 도처에 있었다.

"좋습니다."

신돈의 술 제의에 이춘부와 이색은 흔쾌히 받아들였다.

"아까 빚을 못 갚아 직접 팔려간 노비를 보니 어떻습니까?"

신돈이 술자리에 앉으며 꺼낸 말이었다.

"노비 문제는 두 가지 관점에서 반드시 해결되어야 합니다. 같은 사람이라는 관점에서 접근하는 것이 우선이겠지만 지금 나라의 형국에서는 위난 극복을 위한 첩경이기도 합니다."

"맞습니다. 나라가 위험한 상황에서도 징병할 장정이 드물다는 것입니다. 이는 노비를 개인재산이나 노동력으로 사용하는 데서 국가의 위기가 오고 있습니다."

이야기는 자연스럽게 개혁 문제로 돌아갔다. 노비를 개인재산으로 인정했기 때문에 노비는 나라에 짊어져야 할 노역이나 군역의 의무가 없었다. 그래서 나라에 정작 필요한 사람을 얻지 못하는 형국이 되었다. 개인 사병은 많아도 정작 나라의 군사는 부족한 상황이었다. 이래서는 부국강병은 요원한 일이다.

"한 잔들 더 하시지요?"

신돈의 건배 제의로 이춘부와 이색이 술잔을 들 때 밖에서 신돈을 찾았다.

"급한 전갈이 왔습니다."

"무슨 일이냐?"

신돈이 밖을 향해 말했다.

"이 재상님 댁에 자객이 들었다 합니다."

밖에서 들려온 말을 듣고는 신돈이 문을 활짝 열었다.

"그래서 무슨 변고라도 있다더냐?"

"여기, 사람이 와 있습니다."

"그럼 어서 들라 해라."

이춘부 집에서 온 사람이 이춘부와 일행을 보고 머리를 수그렸다.

"다행히 일은 없었습니다."

"다행이로구나. 놈이 누군지는 알아보았느냐?"

"못했습니다. 흔적도 없이 사라져 버렸습니다. 저는 주인어른께서

혹여 또 일을 당하실까 두려워 달려왔습니다."

"그래 고맙구나. 어서 가자."

이춘부가 안에서 밖으로 나오며 말했다. 두 사람도 술자리를 파하고 나왔다.

"도대체 누굴까?"

이색이 스스로 묻듯이 중얼거렸다.

"사방이 적입니다. 원으로부터의 독립도 두려워하고 있는 데다 기득권자들의 반발이 거세어지고 있습니다. 사생결단으로 나오고 있습니다."

이춘부가 놀란 마음을 추스르며 말했다.

"맞습니다. 사태가 점점 급박하게 돌아가고 있습니다. 몸들 조심하십시오. 개혁은 칼날 위에서 이루어지는 곡예 같은 것입니다."

신돈이 두 사람을 배웅하며 당부했다.

"예. 영상께서도 몸조심하십시오."

"고맙습니다. 지금의 상황에서 나라를 구한다는 것이 목숨을 걸지 않고는 어려운 일입니다."

"나라를 구하는 일이라면 몸이 부서지더라도 할 것입니다."

이색은 단호했다.

왕은 즉위 이후 대륙의 정세변동에 따른 원의 약화를 이용하여 변발·호복을 풀고 정방政房 혁파, 지정 연호의 사용정지, 관제개혁 등으로 반원정책과 개혁을 동시에 단행했다. 걸림돌은 고씨와 기씨 그리고 그들과 연합한 세력이었다. 그들이 지금 반격에 나서고 있었다. 그리고 겉으로는 개혁에 동참하는 듯하지만 속으로 벼르고 있는 세력들이 있었다. 왕의 측근에 있으면서도 개혁에서 밀려나 소외된 세력들이었다. 공공연히 죽여 버리겠다고 하는 사람들도 늘어나고 있었다. 고위재상 이승경과 재상 정세운 같은 사람들이었다. 신돈과 그와 개혁에 앞서고 있는 사람들이 대상이었다. 이를 피부로 느끼고 있는 왕은 신돈을 보호하고 싶었다.

왕은 얼마 전부터 신돈에게 자리를 잠시 피할 것을 권했다. 그런 걱정하지 말라고 왕에게 대답했지만, 왕도 알고 있었다. 정세운과 이승경이 왕이 있는 자리에서까지 신돈을 중놈이라며 죽여 버려야 한다고 해서 왕이 직접 말을 막으며 야단을 친 적이 있었다. 그만큼 그들도 독이 올라 있었다. 그래서 왕은 신돈에게 몇 번이나 자리를 잠시 피해 있을 것을 주문했다.

분명한 것은 원의 영향력이 쇠퇴하고 있었다. 이춘부 이색 등의 요청으로 신돈이 주청해 전민변정도감田民辨整都監이 설치되었다. 토지를 원래의 소유자에게 돌려주자는 것인데 반발은 예상보다 컸다. 신돈이 조금 물러서 있는 동안 이춘부는 더 바빴다. 어려움 속에서도 단계를 밟아가며 일을 처리해야 했다.

8
스승을 만나다

세상은 넘어지게 되어있어 일어서는 것을 배우면 되는 것이다

이옥은 노인과 꽃지가 있는 산에 머무르면서 모처럼 한가함과 새로운 세계를 만난 것에 젖어있었다. 티 없이 맑은 꽃지와 보내는 시간이 즐겁기만 했다. 여동생보다도 몇 살 적은 나이지만 그늘진 곳이 없이 맑았고 이옥을 잘 따랐다. 꽃지는 성격이 시원하면서도 사람을 그리워하는 면이 있어 붙임성이 있었다.

"오라버니라고 부르면 안 돼요?"

"안 되긴 고맙지. 이렇게 이쁜 동생을 얻을 수 있는데 망설일 이유가 없지."

두 사람은 벌써 친해져 있었다. 이옥은 자연스럽게 반말을 했고 꽃지는 오라버니처럼 생각하고 있었다.

"이렇게 며칠을 머물러도 괜찮아요?"

"그럼 나라에서 허가해준 날이 한 달이나 되는데, 그중 그래야 며칠인걸."

"무슨 일을 하는데요?"

"한마디로 하면 싸우는 일."

"싸우는 일이요? 그럼 나쁜 사람들이네."

"그렇지 나쁜 사람들이지. 어른이 되어서도 싸움만 하니."

"농담이지요?"

꽂지는 이옥을 바라보며 고개를 갸우뚱하더니,

"군사시군요."

생각해 낸 듯 경쾌하게 말했다. 꽂지가 아는 싸우는 사람은 군사라는 것밖에 없었다. 계급이나 직책 이런 것에는 관심이 없었다. 전쟁에 나가 싸우는 사람에 대해 아는 사람이 군사가 전부였다.

이옥은 빙그레 웃었다.

"군사가 개인 시간을 자유롭게 낼 수 있나요?"

"그건 아니고 포상휴가야."

"포상휴가는 또 뭐예요?"

"이번에 개경에서 궁술대회가 있었는데 거기에서 1등을 했어."

"우와, 정말 축하해요."

"우승한 것이 꽂지 아버지 덕분이라서 인사드리러 들른 거야. 목숨을 구해준 것에 대한 감사도 드릴 겸해서…"

"정말 축하드려요. 아버지께서 한 일이 있으셨나요?"

꽂지의 목소리가 컸다. 꽂지의 목소리가 산마을을 신선하게 흔들었다.

배추밭은 파랗게 자라나고 무는 무청을 파르스름하게 목을 드러내고 있었다. 이랑마다 계절답지 않은 푸른 배추와 무 잎이 싱싱했다.

저만큼에서 무심히 풀을 매던 노인이 한마디 했다.

“무엇이 그리 소란스러우냐?”

“아버지. 여기 오라버니가 궁술대회에서 1등을 했대요.”

꽃지는 오라버니라는 말을 자연스럽게 했다.

노인은 일어서서 허리를 폈다가 아무 말 없이 다시 김매기를 시작했다.

“아버지. 반갑지도 않으세요?”

노인은 대꾸도 없이 김만 매고 있다.

이옥은 노인 곁으로 다가갔다. 노인은 여전히 몸을 구부리고 호미로 풀을 뽑고 있었다.

“감사의 인사를 드리러 왔습니다. 궁술대회에 1등을 한 것도 덕분입니다.”

“내 덕분이랄 것이 어디 있나? 나에게서 배운 것도 아니고, 스스로 타고난 재능인 것을.”

“아닙니다. 저번에 다쳐서 묵었을 때 말씀 하신 것 하나하나가 큰 힘이 되었습니다.”

“…”

“스승으로 모시고 싶습니다.”

이옥은 마음속 깊은 곳에서 진심으로 하고 싶었던 말을 꺼냈다.

“그건 아니네.”

의외로 노인의 목소리는 단호했다.

"제가 부족해서 그렇습니까?"

"그것은 더욱더 아닐세."

"그럼요?"

노인의 말이 끝나기가 무섭게 나온 이옥의 목소리는 상기되어 있었다.

"나는 누구의 스승이 될 자격이 없는 사람일세."

노인은 여전히 김을 매며 앞으로 나아갈 뿐이었다.

"저에게는 더없이 고마운 분이시고, 궁술을 한 단계 올리는 데 도움을 주셨습니다."

"나에게는 자네의 그런 마음이 고마울 뿐이네. 하지만 나는 스승도 없고, 제자도 없는 사람이네. 내 길을 갈 뿐이지."

노인의 말은 조용했지만 단호했다.

"그렇게 말씀하시니 더 스승으로 모시고 싶습니다."

"좋을 대로 하게. 하지만 나에겐 제자는 없네."

"저는 마음을 정했습니다. 스승으로 모시겠습니다."

"젊은이 마음은 알겠네. 하지만 나는 인연만큼만 사람을 사귀네."

"인연만큼만 사람을 사귄다는 것은 무슨 뜻입니까?"

"인위를, 사는 일에 가능한 들이지 않는다는 말이네."

정확한 말뜻을 잡기는 어려웠지만 꼬치꼬치 물어보기도 어려웠다.

"뛰어난 궁술과 깨달음을 가지고 계신 분이 왜 이리 깊은 곳에 묻혀 사십니까?"

이옥은 꼭 물어보고 싶었지만, 기회를 잡지 못하고 있었는데 마음을 별러서 물었다.

"묻혀 사는 것이 아니라 가장 적합한 곳을 찾아서 사는 것이라네."

이옥은 순간 말문이 막혔다.

"다 그릇이 있는 걸세. 내 그릇은 이곳이 적지지."

노인은 일어서서 허리를 폈다. 그리고는 주위를 천천히 둘러보았다. 아직은 남은 나뭇잎들이 나무에 걸려있었다. 단풍이 든 나뭇잎들이 떨어져 더없이 아름다운 풍광을 만들어내고 있었다. 바람에는 냉기가 담겨 있었지만 상쾌하게 느껴졌다. 겨울로 접어들기 위한 숲은 고요했고 평화로웠다.

"나무는 겨울을 건너기 위해 자신의 분신들을 떨구어 버리지. 낙엽을 보게나."

숲은 제법 옷을 벗었다. 숲은 헐거워지고 있었다.

"사람 사는 곳도 그만큼 힘이 드네. 나도 한때는 힘들게 살았네. 하지만 언젠가부터는 나와 함께 살기로 했네."

"…?"

이옥은 듣고 있다가 '나와 함께 산다'는 말에 귀가 번뜩 띄었다. 하지만 가만히 있었다.

"내가 어느 날 인생의 스승이 되었지. 스승은 내 안에 두어야 하는 것이었다네."

"…?"

"젊은이는 나처럼 살면 안 되네. 젊은이는 젊은이가 살아야 할 방법이 있는 것이지. 세상으로 달려나가 자신의 포부를 이루어야지."

"세상은 무섭게 서로 싸우고 있습니다."

"그렇지. 무섭게 싸우고 있지. 사실은 살아있는 것들은 모두 싸운다네. 평화로워 보이는 저 숲속의 나무들도 그렇고, 김을 매고 있는 배추밭도 그렇다네. 내가 김을 매는 것도 살펴보면 잡초와 배추가 치열하게 싸우고 있는데 내가 끼어들어 배추 편을 들어준 것이지."

"..."

이옥은 노인의 비유가 재미있었다. 막힘없이 노인의 이야기는 전개되었다. 말이 느리면서도 구수한 것이 전형적인 촌로였다. 어수룩해 보이는 몸놀림과 안색. 그리고 옷차림이 어디 하나 드러내놓고 볼만한 것이 없었다. 평범했지만 예사롭지 않았다.

"젊은이도 살면서 힘든 일이 많을 걸세. 그때마다 자신의 편을 들어주게."

"자신의 편을 들어주라고요?"

이번에는 '자신의 편을 들어주라'는 말에 다시 귀가 번쩍 했다.

"그러네. 객관의 토대 위에서 자신에게 힘을 실어주어야 한다는 것이네. 그러기 위해서는 극한을 만나야 하네."

"극한을 만나다니요?"

"인생에서 만나는 양면, 대립하는 두 요소가 있다고 가정할 때 그 끝을 만나라는 것일세."

"세상은 대립하는 요소들로 이루어져 있다고 해도 과언이 아닌데, 그 많은 대립하는 것들을 어찌 다 만날 수 있습니까?"

"많은 것들을 아주 단순하게 통합시키는 것이 사유의 세계지. 깊이와 넓이를 만나고 나면 아주 단순함만 남는다네."

이옥은 노인의 말이 어려웠다.

그렇다고 하나하나 물어볼 수도 없었다. 큰 흐름만을 일단은 받아들이기로 했다.

“세상을 살아가는데 가장 필요한 덕목은 무엇이라 생각하십니까?”

노인은 한동안 하늘을 바라보았다.

“사람에게 넘어지는 것을 가르쳐 주지 않네.”

“네?”

이옥은 노인의 말에 어린아이처럼 대답했다.

“사람은 일어서는 것을 배우면 되는 걸세. 세상은 넘어지게 되어있기 때문이지.”

“…!”

이옥은 처음 경험하고 있었다. 이옥은 유교적인 교육을 받은 터였다. 불교와 도학적인 이야기를 듣거나 책을 본 적이 있었지만 유학자다운 분위기가 가득한 곳에서 자랐다. 불교가 국교이긴 했지만, 지배원리는 유학이었다. 유학은 지배 논리가 잘 갖추어진 학문이었다. 군신 관계나 부자지간 관계의 틀이 잘 만들어진 학문이었다. 모든 것이 다듬어지고 정리된 틀 안에서 행동강령이 있었다. 인과 예는 어떤 상황에서 어떻게 행동해야 하고, 어떤 행동이 군자의 할 일이라는 것까지 명시되어 있었다. 그런데 지금 만나고 있는 이 노인은 달랐다. 어디에도 속하지 않는 독립적인 존재 같았다. 선인의 말을 인용하거나 도용하지 않았다. 아주 독단적이면서도 명쾌한 논리를 전해주는 것을 느꼈다. 유교가 가진 고답적인 면이 어디에도 없었다.

이옥은 마음속에 스승 한 분을 모신 것이 듬직했다. 사람은 일어서는 것을 배우면 된다는 노인의 말이 가슴에 얹혔다. 노인이 제자로 받아준 것도 아니지만 마음에 인생의 지표 하나를 가지게 된 기분이었다.

"무슨 이야기를 그리 재미있게 하세요."

꽃지가 얼굴에 웃음을 담고 다가왔다.

"쓸데없는 이야기로 즐겁단다."

노인이 꽃지에게 말했다.

"저도 끼워 주세요."

"그러려무나."

꽃지의 깜찍한 투정을 노인이 받아주었다.

"이 아이도 활쏘기와 말타기는 제법 되네. 아주 어려서부터 몸에 달고 다녀서 이제는 제법 숙련이 되었지. 혹여 기회가 되면 데려가 돌봐주게."

"예, 저를 데려가라고요?"

꽃지는 노인과 이옥을 번갈아 보았다.

"이 아이를 이런 시골에서 살게 하고 싶지가 않네. 나 죽은 다음에 자기 갈 길을 가도록 해주어야 하는데, 기회가 되면 힘 좀 써주게."

"네. 알았습니다."

"난 싫어요. 아버지 돌아가신 다음에도 이곳에서 살 거예요."

"아무도 없는 이곳에서 무엇을 하며 살겠다는 게냐?"

"지금처럼 살지요."

꽃지의 말에 노인은 빙긋이 웃었다.

9

홍건적에게 대승을 거두다

가장 중요한 것은 아주 가까운 곳에 있다

"어서 오게. 상황이 긴박하네."

이옥이 군영에 도착하자 안우 장군이 전례 없이 반기며 맞았다. 느낌에 긴박함이 보였다. 그렇지 않아도 군영에 들어올 때 보니 상황이 예사로워 보이지 않았다.

"무슨 일입니까?"

이옥의 말이 조금 빨라져 있었다.

"홍건적이 다시 쳐들어왔네. 무려 20만 대군이라는군."

"20만이라면 우리 고려군 전체를 합해도 태부족 아닙니까?"

왜구가 나타났다가 사라진 지도 얼마 되지 않아서 이번에는 북쪽에서 홍건적이 쳐들어왔다.

"그렇지. 두려운 것은 그들보다, 전쟁도 시작하기 전에 마음 안에 패배를 들여놓을까 그것이 두렵다.”

“그럴 리가 있습니까? 죽음을 각오하고 싸울 준비가 되어있습니다.”

“나는 이 장수를 믿네. 사내 중의 사내지.”

안우 장군이 이옥에게 좀처럼 하지 않던 칭찬을 얹었다.

“그리고. 아직 소식을 모르고 있었겠군.”

“…?”

“자네, 진급했네. 특진일세. 지난번 궁술대회 우승과 왜구침입 때 공을 세운 것이 인정되었네.”

이옥은 왜구침입 때 세운 공과 궁술대회에서 1등 한 공로로 진급하여 정4품 장군으로 진급했다. 이옥이 바로 휴가를 받고 떠나서 모르고 있었다.

옆에 대기하고 있던 장졸에게 안우 장군이 명령을 내렸다.

“장도를 가져오너라.”

왕이 친히 장수에게 전하는 칼이었다. 왕이 친히 내리는 승진 하사품이었다.

“직접 전하께서 하사해야 하지만 상황이 긴급하게 되어 요식행사를 생략하고 이리 초라한 진급 행사가 되었네. 이해하게나.”

“아닙니다. 고맙습니다.”

“고맙기는, 전하께서 직접 하사해야 하지만 상황이 급했네. 축하해주고 축하를 받을 그럴 시간이 없네. 바로 전투준비를 하게.”

“예. 알았습니다.”

“이곳은 이옥 장군이 맡아주게. 나는 날이 밝으면 바로 궁으로 들어갈 걸세. 전하를 배알하고 대책을 세울 것이네."

안우 장군은 통 큰 사람이었다. 사내다운 배짱과 기개가 있었다. 홍건적 1차 침입 때 정찰병들을 이끌고 나갔다가 언덕을 넘는 순간 적장이 이끄는 대군이 바로 눈앞에 나타났다. 부하들이 파랗게 질려 도망가려 할 때 아주 태연하게 적 진영을 향하여 오줌을 본 후에 장졸을 이끌고 조용히 자리를 피해 작전 구상을 한 대범한 사람이었다.

전세는 긴급하게 진행되고 있었다. 고려군의 총사령관은 왕을 대리한 김용이 임명되었다. 현장 지휘관으로는 안우 장군이 임명되었다. 주력부대는 도원수로 임명된 안우 장군이 이끌었다. 김용은 총지휘관이었지만 감독을 담당했고, 실제로 전장의 선두에 선 것은 안우 장군이었다. 고려의 대표적인 군장들이 이번 전쟁에 대거 참여했다.

안주(평안남도 서북단에 있는 군) 땅에 주둔하고 있던 안우 장군이 주력을 이끌고 홍건적이 쳐들어오고 있는 곳을 향하여 진을 쳤다. 청천강을 방어망으로 삼았다. 이옥은 주력부대에서 조금 떨어진 곳에 진을 쳤다.

이옥은 처음으로 장군의 임무를 맡았다. 마음이 무겁기도 했지만, 어느 때보다도 책임감으로 긴장하고 있었다.

"다 모였는가?"

"다 모였습니다."

이옥은 침착하게 상황을 파악해 나갔다. 이옥은 같은 품계의 장수 중에서 나이가 어렸다. 그런데도 신중했다. 배짱도 있었다. 이옥은 먼저 앞서가지 않았다. 상황을 전달받고, 의견을 경청했다. 배정받은 부대를 이끌고 직접 지휘하여 부대를 통솔해야 하는 위치였다. 이옥은 먼저 부대를 배치 완료하고 참모들을 소집했다.

"이곳에 대해 지세와 강을 더 잘 아는 사람이 없는가?"

모두 서로의 얼굴을 둘러보았다.

"가장 중요한 것은 가장 가까운 곳에 있다는 것을 명심하도록 하라."

이옥은 훈시하듯 강하고 짧게 말했다.

"아직은 시간적인 여유가 있으니 이곳을 잘 아는 사람을 찾아서 데려오게. 그러고 나서 작전을 짜도 그리 늦지 않다."

"예. 알았습니다."

이옥 장군의 바로 밑에서 작전을 수행할 중랑장 성사빈이 대답했다.

"일단은 맡은 바 임무를 수행하고, 다시 모이도록 하게."

이옥은 말을 타고 휘하의 성사빈과 병졸 몇을 데리고 강가를 둘러보았다. 마을 사람들은 모두 대피시켜서, 비어버린 마을을 둘러보았다.

"이곳에서 평생을 살며 고기를 잡아먹고 사는 촌장을 대령시켰습니다."

병사 하나가 노인을 데리고 왔다.

노인은 이옥을 보자 머리부터 수그렸다.

이옥이 말에서 내렸다. 따라온 병사들도 말에서 내렸다.

"이곳에 계속 사셨습니까?"

"예. 평생을 이곳에서 살았습니다. 고기도 잡고 농사일로 살았습니다.”

“이곳에서 전체를 관망할 수 있는 곳은 어디입니까?”

“바로 장군님 뒤에 있는 산입니다. 나무도 가장 크고 많지요. 골짜기에는 물도 많고요.”

“물을 건너기 쉬운 곳은 어디지요?”

노인은 이옥이 주둔하고 있는 곳 일대를 손바닥 보듯이 훤히 알고 있었다.

“앞으로 이 어른을 정중하게 모시도록 하여라. 모든 편의를 제공하고, 무슨 작전을 준비하든 노인의 말을 먼저 듣고 일을 시행하는 것을 지키도록 해라.”

이옥은 부하들에게 노인의 의견을 존중할 것을 단단히 지시했다.

이옥은 일대를 자세히 훑어보고 나서 다시 회의를 소집했다. 작전을 짤 때 노인을 항상 배석시키고 노인의 말을 적극 참고했다. 노인은 평생을 살아 동굴이나 골짜기의 특성까지 정확하게 알고 있었다. 이옥은 먼저 청천강을 방어망으로 삼으면서 강 건너에 첨병을 파견했다. 그리고 청천강 한복판에 있는 작은 섬으로 정탐 병을 숨겨놓았다. 강 건너의 첨병은 홍건적이 출현하면 바로 강 건너에서 신호를 보내기 위한 것이었고, 홍천강에 있는 작은 섬은 적들이 첨병을 보낸다고 하면 그곳을 거쳐 올 것이라 예상하고 배치했다. 부대는 골짜기를 벗어난 산허리 중턱에 주둔시켰다. 그곳은 병사들이 진을 치고 있어도 숲이 우거져 노출되지 않았다. 이옥은 산 정상의 전방위를 관망할 수 있는 곳에 자리 잡았다.

이옥은 2차 작전 회의가 있는 막사로 들어갔다. 장수들이 일어났다가 이옥이 자리에 앉자 따라서 앉았다.

“저들은 이곳 지형을 우리만큼 알지 못한다. 우리는 정면으로 붙지 말고 치고 빠지는 기습에 역점을 둔다.”

“예. 알았습니다.”

“주력은 중랑장 정사빈이 맡고, 저들이 공격을 해오면 후퇴하면서 산개하면 측면에서 이 낭장과 홍 낭장이 공격을 하도록 하게. 그리고 측면 공격은 과감하게 하되 불리하다 싶으면 바로 흩어지는 작전을 구사해야 한다. 우리는 그들보다 수가 적어 정면 대응으로는 승산이 없다.”

“예 알았습니다.”

“그리고 산개했던 병사들이 모이고 다시 흩어지고를 반복하면서, 공격은 측면에서 기습하는 것을 원칙으로 한다.”

이옥은 지시를 하다가 주위를 둘러보고는 말했다.

“노인은 왜 참석하지 않았느냐?”

“이번 작전 회의는 실질적인 행동을 정하는 자리라 참석시키지 않았습니다.”

성사빈 중랑장이 말했다.

“아니다. 이런 자리에 민간인을 참석시키지 않는 것이 일상적인 예지만 앞으로는 노인을 반드시 참석시키는 것으로 한다. 이곳의 지리나 환경을 아는 사람의 말이 아주 중요하다. 모셔 와라.”

이옥 장군의 목소리는 단호했다.

“예, 알았습니다.”

성사빈 중랑장이 밖으로 나가 노인을 데리고 들어왔다.

"작전개요를 다시 설명해 드려라."

"작전내용을요?"

이옥은 대답 대신 고개를 끄덕였다.

성사빈 중랑장이 작전내용을 설명했다. 노인을 작전내용을 귀 기울여 들었다.

"적의 침투 시 산개지점과 집결지점으로 적당한 곳을 알려주시지요."

이옥이 노인에게 말했다.

"적이 공격을 해 온다면 반드시 거쳐야 할 곳이 이곳입니다. 그리고 측면 공격은 이 지역이 암반 지역인데 암반이 숨기에 좋게 되어 있는 요새지요. 암반 뒤에서 숨을 수도 있을 뿐더러 공격 시 돌을 굴려 적에게 타격을 줄 수 있는 곳으로는 이곳이 적격입니다. 암반 뒤는 도주할 수 있는 길이 비교적 좋아 2차 집결지역인 이곳으로 이동할 수도 있는 곳이지요."

노인의 설명은 막힘이 없었다.

작전 회의를 마치고 나오는데 둘째 동생 이예가 찾아왔다.

"어쩐 일이냐?"

너무나 뜻밖이었고, 반가웠다.

"업무로 왔다가 가까운 곳에 계시다고 해서 들렀습니다. 저도 상황이 급박하게 돌아가고 있어 바로 가야 합니다."

"이것이 얼마 만에 보는 것이냐."

"제법 오래되었지요."

"그렇구나."

매일 마당에서 뛰어놀거나 산으로 들로 다섯 형제가 몰려다니면서 놀았다. 칼싸움도 즐겼고, 활쏘기도 했다. 칼싸움은 동생 빈이 잘했고 활쏘기는 언제나 이옥이 앞섰다. 이제는 얼굴도 보기 어려운 처지가 되었다. 이옥은 동생들이 보고 싶었다. 동생들의 이름은 빈, 예, 한, 징으로 모두 외자였다. 그래서 빈아, 예야, 한아, 징아 라고 불렀는데 막내는 유난히 이름으로 놀림을 당하기도 했다. 징징이라고 부르면 화를 내다가 계속 놀리면 나중에는 진짜로 울어서 아예 징징이라는 이름으로 굳어졌다. 둘째 동생인 이예를 만나니 반가웠다.

"징징이는 잘 있냐?"

막냇동생이 유난히 떠올랐다.

"예. 잘 있습니다. 책 보기를 좋아해 시간만 나면 공부를 합니다."

"여전하구나. 어렸을 때도 그렇더니만…"

"징이는 집에서 당분간은 못 나가게 했습니다. 세상이 흉흉해서요."

"그래. 잘했다. 한 사람은 집을 지켜야지. 이제는 서로 얼굴 보기도 힘이 드는구나."

"아버지, 어머니는 어떠시냐?"

"얼마 전에 자객이 들었습니다."

"뭐라고, 자객이?"

"예. 자객이 들었는데, 마침 아버지께서는 스님 신돈을 만나고 계셔서 변을 면했습니다."

"그래 범인은 잡았느냐?"

"자객이 침입한 것을 알았을 때는 이미 자객은 도망한 후였습니다.

별다른 피해는 없고요."

"누군가 짚이는 사람은 있느냐?"

"있지만 물증은 없으니 어떻게 대처할 수가 없습니다."

"누군데?"

"재상 정세운과 고위재상 이승경이 짚이는데 심증일 뿐입니다."

"그들은 원에 줄을 대고 있는, 개혁에 반대하는 사람들이 아니냐?"

"그렇습니다. 개혁과 수구간의 갈등이 정점에 있는 상황입니다. 지금은 홍건적의 침입으로 당분간 물밑으로 잠수하겠지만 언젠가는 다시 드러나겠지요. 왕마저도 언제 무슨 일이 날지 예측할 수 없는 상황으로 치닫고 있는데, 전쟁까지 터졌으니 한 치 앞도 내다볼 수 없는 상황입니다."

"그렇구나. 일은 잘 처리하고 가는 게냐?"

"예. 문서를 전해주고 돌아가는 길인데, 형님이 이곳에 주둔하고 있다고 해서 들렀습니다."

"고맙다. 서로 몸 조심하자꾸나. 어머니도 건강하시지?"

"예. 휴가 때 형님이 다녀가고 나서 전쟁이 터진 후에 어머니는 큰 형님 걱정으로 잠을 제대로 못 이루세요. 다른 건강상의 문제는 없으십니다."

"그렇구나. 전쟁이 끝나야 얼굴이라도 뵐 수 있겠구나."

"형님도 몸조심하세요. 그리고 김구용을 만났는데 형님 이야기를 하시던데요?"

"김구용이라면 궁술대회 때 한 번 본 것 같은데…"

"맞아요. 그때 이야기를 하면서 안부 인사드려 달라고 하더군요.

같은 곳에 근무하고 있습니다."

"그렇구나. 힘든 일은 없느냐?"

"예. 저야 개경에 있으니 힘든 줄 모르고 잘 있지만, 형님은 야지에서 고생이 많으십니다."

"이제는 이 생활에 익숙해져 있다. 그럼 이제 가거라. 언제 전투가 벌어질지 모르니 잡을 수가 없구나. 얼굴이라도 보니 반갑다. 가거라."

이옥은 동생 예가 보이지 않을 때까지 한자리에 서 있었다. 차마 발이 떨어지지를 않았다. 동생 예도 같은 마음인지 몇 번이나 가다가 돌아보고는 들어가라는 손짓을 했다. 동생을 다시 볼 수 있을지도 모르는 형국이었다. 전쟁터에서는 죽어 나가는 사람이 늘 있었다. 죽음과 삶이 그리 멀지 않았다.

동생이 떠나가고 나서 보다 시야가 넓게 보이는 곳으로 올랐다. 병사들에게는 불화살을 가능한 한 많이 만들도록 지시했다. 적들은 배가 아니면 현재의 상태에서는 건너올 길이 없었다. 마을은 이미 비어있었고 적막했다. 전투 직전의 고요는 사람을 긴장하게 만들었다. 어쩌면 전쟁 중일 때보다도 더 견디기 힘들었다. 늘 고요 뒤에는 전투가 기다리고 있었다. 진을 친 첫날은 아주 조용하게 지나갔다. 소수의 정탐부대만이 긴밀하게 움직일 뿐이었다. 이옥은 잠이 오지 않았다. 눈을 붙여야 전투 시에 견딜 수 있는데, 지역 사령관으로서 처음 맡은 부담도 있었지만 어제저녁에 동생 이예에게 들은 집에 든 자객 생각으로 더욱 잠이 오지 않았다. 누가 아버지를 죽이려고 했을까.

이런 어려운 형국에도 갈등은 증폭되어 가고 있는 조정이었다. 지금은 홍건적이 쳐들어온 것을 물리치는 것이 우선이지만 원과의 관계를 유지하려는 파와 독립을 이루어내려는 파 사이에 목숨을 건 치열한 음모가 있었다. 그러한 일이 자객을 불렀고 기득권자들은 가진 권력 기반을 놓으려 하지 않았다. 이옥이 눈을 잠깐 붙였을 때 밖에서 함성이 났다. 밖으로 뛰어나가는 순간 당번병이 뛰어 들어오며 소리쳤다.

"불화살이 떴습니다."

강 건너에 매복하고 있던 정찰병들이 적의 침입을 알리는 불화살이었다.

"각자 자신의 위치로 가거라."

수장들이 자신의 위치를 찾아 달렸다. 어둠이 내리기 시작하는 황혼녘이었다. 예측한 시간과 다르지 않았다. 집중적인 공격을 피하고자 그들은 몇 개의 침입로를 선택했다. 이옥은 처음부터 화공을 선택했었다. 배가 건너오기 시작했다. 사정거리에 들어오자 이옥은 명령했다.

"불화살을 쏴라!"

불화살이 허공을 날았다. 빠른 속도로 강을 건너던 배가 불타기 시작했다. 그러나 배를 모두 불태우기에는 그 수가 너무 많았다. 상당수의 배가 이미 불이 붙었지만, 불이 붙은 배를 밀어붙여 육지로 몰려들었다. 이옥은 작전계획대로 직접 부딪히는 육탄전을 피했다. 적들이 얼마만큼 전열을 가다듬자, 힘에 밀리는 것처럼 물러났다. 그들은 일단 상륙하면 공격하기 좋은 평원을 통하여 들어와야 했다.

이옥은 적의 중심으로 달려들다 힘에 부치는 척 골짜기로 유도했다. 그들은 예상대로 걸려들고 있었다. 주력부대는 뒤로 빠져 후방의 측면으로 이동했다.

골짜기로 적이 몰려들자 대기하고 있던 군사들이 위에서 돌을 굴렸다. 그들은 좁은 곳에서 피할 수 없이 돌 세례와 화살 세례를 받았다. 혼란의 와중에 있는 적들을 향하여 산 쪽의 측면에 대기하고 있던 군사들이 다시 공격했다. 적은 수의 병사들로 많은 인원을 상대하기에 좋은 지세였다. 적들은 다른 방도도 없었다. 육지에 상륙해서 머무를 수도 없었고, 공격해서 방어망을 뚫는 것이 목적이었다.

상당한 피해를 입은 적들은 다시 공격해왔다. 이옥의 주력부대는 천천히 밀리면서 시간을 끄는 동안 측면에서 활과 돌 세례를 쏟아부은 후 다시 산지의 능선을 이용하여 후방의 측면으로 배치하였다.

노인이 지정해준 장소가 적을 공격하는데 최고의 자리였다. 주력부대가 밀리자 다시 측면으로 이동한 군대가 화살을 쏘아댔다. 그들은 독 안에 든 쥐처럼 지형에 의지하여 공격하는 병사들에게 대적할 수가 없었다. 그들은 수에 비해 예상보다 쉽게 무너졌다. 대승이었다. 살아남은 적들은 겨우 강을 건너 도망가기 바빴다.

10
왕의 피난길에서 성아를 만나다

기회는 상황이 닥쳤을 때 준비하면 늦는다
기회는 준비해 놓은 자의 것이다

이옥의 부대가 승리의 환호에 싸여 있는 사이에 본진으로부터 전령이 도착했다.

"큰일 났습니다. 본진이 무너졌습니다. 안우 장군이 위급한 상황입니다."

"상황은 어떠하냐?"

이옥이 다급하게 물었다.

"전면 육탄전이 벌어지고 있는 상황에서 수적으로 밀려 패하고 안우 장군과 살아남은 병사들은 지금 후퇴하고 있습니다. 적들의 세력이 빠르고 강해 지금 지원병을 보내지 않으면 안우 장군까지도 위급합니다."

"알았다. 전원 출발 준비를 하라. 그리고 수장들을 불러라."

"예. 알았습니다."

이옥이 이동 직전에 수장들의 집합을 명령했다. 승리를 느낄 시간도 없이 공격을 당하고 있는 곳으로 이동을 준비했다.

"아무리 급하더라도 현지에 도착하면 그곳의 동태부터 파악하고 지형을 확인한 후에 공격을 시작한다. 그러기 위해서는 그곳에 살던 사람들의 도움을 받도록 하라. 가능한 젊은 현지인과 함께 행동하도록 한다. 그리고 유리한 위치가 아니면 절대로 공격하지 말고 다음 기회를 노리도록 한다."

"예. 알았습니다."

"그리고 모든 공격과 후퇴는 특별한 지시가 없는 한 수장이 독자적으로 결정한다. 기다릴 필요가 없다. 거기에 대한 책임은 묻지 않겠다."

이옥은 현장의 수장에게 전권을 주었다. 공격과 후퇴 그리고 다른 권한까지 위임했다. 현장은 현장에 있는 사람이 판단하고 결정하는 체계를 만들었다. 승리와 패배의 책임도 공도 결국은 현장 수장이 갖도록 했다.

이동하는 동안 또 다른 전령이 도착해서 비보를 전했다. 김득배 장군이 방어를 맡았던 자비령의 군대가 대패했다는 전갈이었다. 자비령慈悲嶺(평양과 개성 사이를 통하는 교통로)이라면 고려군이 가장 전력을 다해 방어한 곳이었다. 그곳이 뚫리면 바로 개경으로 물밀듯 쳐들어갈 수 있는 요새였다. 목책까지 세우고 방어했으나 힘에서 밀렸다. 들어오는 전령이 모두 위급한 상황이라는 내용이었다. 이옥은 이럴 때일수록 신중할 것을 당부했다.

이옥은 급했지만 다시 한번 선발대를 보내면서 만나는 현지인들로부터 그곳의 상황파악을 지시했다. 그리고 지형에 밝은 사람을 수배하도록 지시했다. 잘못 판단하면 모두가 죽임을 당할 수 있었다. 용맹을 떨치던 최영 장군도 작전상 후퇴하고 있다는 소식을 받았다. 이옥은 안우 장군이 후퇴하고 있는 곳으로 달려갔다. 안우 장군은 적에게 쫓기고 있었고 안우 장군의 부대는 치열하게 싸우면서 후퇴하고 있었다. 병사들은 적의 공격에 전열이 흐트러져 자신의 몸을 지키기도 바빴다. 이옥은 안우 장군을 공격하는 적들의 허리를 끊고 들어갔다. 그리고 허리가 끊긴 적들을 집중 공격해, 안우 장군을 후방으로 안전하게 안내했다.

"너희들은 어찌 되었느냐?"

"저희는 공격하는 적들은 거의 전멸시키고 이리로 지원하러 달려왔습니다."

"그렇구나. 장하다. 후퇴하느라 전체적인 전황도 제대로 받지 못했다. 이옥 장군이 있으니 이제는 마음이 놓이는구나."

도원수로 본진을 이끌었던 안우 장군이 말 한 필로 겨우 목숨을 부지하기 위해 도망해야 한다는 것은 치욕이었다. 고려군은 모두 패해서 2차 집결지역으로 집결하고 있었다. 마지막 차단지인 금교역에 주둔했다. 분위기는 좋지 않았다. 이옥은 도착하자 부하들부터 챙겼다. 하나하나 돌아가면서 이상 여부를 확인했다.

"너희들은 다친 데 없느냐?"

"예. 없습니다."

"지금 전황이 좋지 않다."

"지금 도성 안은 피난하기에 바쁘다고 합니다."

"그렇겠지. 모두 패하거나 후퇴한다는 소식뿐이니 마음 편하게 도성에 머무를 수가 없을 것이다."

"이미 왕께서도 피난 준비를 하고 있다는 말이 돌고 있습니다."

"김용 총병관과 안우 장군 그리고 최영 장군 등이 궁으로 들어갔다. 곧 방침이 정해질 것이다. 최후까지 사수하느냐, 아니면 후퇴하느냐겠지."

"이번 전투에서는 누구보다도 노인의 공이 컸습니다. 다 장군님 덕분입니다."

중랑장 성사빈이 어깨를 으쓱하며 이옥에게 말했다.

"그렇습니다. 장군님이 말씀 하신 대로 현지를 잘 아는 사람의 도움을 받은 것이 적중했습니다."

낭장 이천석이 거들었다.

"정말 노인 덕에 승리할 수 있었다. 그리고 너희들이 훌륭하게 잘 해주었다. 수장은 상황에 대해 좋은 방법을 아는 사람이 아니라, 좋은 방법을 선택할 줄 알면 된다. 먼저 듣고, 결정은 신중하게 하는 것에 익숙하도록 해라. 나도 여러 의견 중에 괜찮은 것을 선택했을 뿐이다."

이옥은 중랑장 성사빈과 낭장 셋과 동행해서 부하들을 둘러보았다. 다른 부대원들은 모두가 지치고 패잔병처럼 쫓겨 온 것에 의기소침했지만, 이옥과 그 부하들은 당당했다. 승리도 있었지만, 똘똘 뭉쳐서 서로에게 힘이 되었다.

왕은 얼굴이 푸석해져 있었다. 밤을 꼬박 지새웠음이 틀림없었다. 왕비인 노국공주도 잠을 한숨도 못 자고 노심초사했다.

이춘부는 긴급히 소집된 어전 회의에 가다가 재상 정세운과 고위재상 이승경을 만났다. 정세운, 이승경과 눈이 마주치자 깜짝 놀라는 것을 느꼈다.

"잘 지내시지요?"

이춘부가 아무 일 없었다는 듯 두 사람에게 안부를 물었다. 두 사람이 유독 정책에 있어서 반대 입장에 있었지만 그리 사람을 보고 놀랄 필요까지는 없었다.

"예!, … 아, 예."

정세운이 마음을 가다듬고 말했다. 옆에 같이 들어오던 이승경도 묵례로 대신했다. 이춘부는 문득 집에 자객이 들어왔던 일을 떠올렸다. 그러나 얼굴에 마음을 담지 않았다. 신돈은 당분간 전면에 나서지 않고 있었다. 전쟁으로 위기에 처했고, 조정은 혼란스러웠다. 개혁을 수행할 입장이 되지 못했다. 왕의 정책을 후면에서 자문하는 것으로 족하고 있었다. 왕은 시기를 저울질하고 있었지만, 개혁의 칼날을 다시 신돈에게 쥐여 주려는 마음은 강하게 가지고 있었다. 왕이 개혁을 이끌수록 개혁의 중심에 있는 신돈과 이춘부, 이색 등은 적이 생겼다. 그리고 고위재상 이승경이나 정세운 등은 정책에서 점점 밀려나고 있는 것을 느끼고 있었다. 이런 와중에 홍건적의 침입이 있어 일단 개혁은 우선 과제에서 밀려났다. 지금은 나라가 바람 앞에 등잔불 같은 처지였다. 적이 바로 코 밑까지 쳐들어와 있는 형국이었다.

총병관 김용과 도원수 안우 장군, 이방실 장군이 무릎을 꿇고 왕에게 상황을 전했다. 이미 왕은 소식을 알고 있었지만, 현장에서 지휘하고 있는 사람의 말을 직접 듣고 확인하고 싶었다. 그리고 위안의 말이라도 듣고 싶었다. 어느 곳 하나 제대로 된 방어망을 유지한 곳이 없었다. 이옥이 이끄는 부대의 승리가 고작이었고, 이번 전쟁의 대세와는 거리가 먼 부분적인 승리였다.

"전황이 그리 나쁘다면 한시바삐 도성을 떠나야 합니다. 전하의 안위는 고려 전체의 안위와 같습니다. 빨리 도성을 빠져나가야 합니다."

비서인 원송수가 말했다.

"그렇습니다. 주력부대가 무너진 상황에서 도성을 지킨다는 것은 무리입니다. 예측하기 어려운 처지에 목숨을 걸어야 하는 것으로 타당하지 않습니다."

온건하고 합리적인 입장의 이색이 말했다.

"아니 되옵니다. 전하께서 도성을 떠나시면 전의가 상실됩니다. 조금이라도 더 계시다가 상황이 더 급박해지면 떠나셔도 늦지 않습니다. 저희가 책임지고 대피로를 만들어놓겠습니다."

"그것은 아니 될 일입니다. 모든 방어망이 뚫린 마당에 이차 방어선을 구축했다고 해도 지금으로서는 믿을 수 없습니다. 먼저 주상의 안위가 먼저입니다. 장군들은 본연의 임무만 수행하세요. 주상의 피난과 정사는 저희가 결정합니다."

이승경은 강한 어조로 말했다.

전장에서 달려온 장군들의 눈빛이 빛났다. 왕을 보위한다는 핑계로 독점하겠다는 주장이기도 했다. 또한 장군들의 불만이었다. 이승경에 대한 원망과 독주에 대한 반감이었다.

"맞습니다. 제가 병사를 모집하는 데 앞장서겠습니다. 그리고 패전에 대한 책임을 물어야 합니다."

정세운 재상이 가세해 문책을 주장했다.

총병관 김용과 장수들의 낯빛이 더욱 흐려졌다.

"그렇습니다. 이번 전쟁에서 패한 것은 살신성인의 자세가 모자랐기 때문입니다. 책임을 물어야 합니다."

정세운이 다시 강하게 문책을 주장했다.

왕은 듣고 있다가 몸을 고쳐 앉으며 말했다.

"이번 패전에 대한 책임은 묻지 않겠소. 지금은 전쟁 중이고 정세를 가장 잘 파악하고 있는 김용 총병관 체제를 그대로 가져가시오."

김용의 얼굴이 조금 풀렸다.

김용과 정세운은 왕의 최측근에서 병권과 인사권을 행사하는 권력을 행사하면서 경쟁의식이 강했다. 왕은 그러한 경쟁의식을 이용하여 궁중의 권력을 나누었다. 의심이 많은 왕은 누구도 믿지 못했다. 그리고 누구에게도 힘이 쏠리는 것을 허용하지 않았다. 의심은 끝이 없었다. 두 사람의 경쟁의식을 이용하여 충성을 부추기기도 했다. 김용과 정세운의 기 싸움은 날카로웠다.

아직도 왕이 도성을 떠나 피난을 가야 하느냐 하는 문제는 결론을 내리지 못했다. 왕은 떠나고 싶은 마음이 강했다. 그러나 마음을 표하기에는 자존심이 남아 있었다. 왕은 이러지도 저러지도 못하고 신하들의 말만을 듣고 있었다.

참다못한 노국공주가 나섰다.

"지금 방어망을 친 곳은 금교역입니다. 금교역이 만약 무너진다면 개경은 바로 코앞입니다."

총병관 김용과 안우 장군, 이방실 장군은 다시 말했다.

"도성을 지키지 않으시면 안 됩니다. 신들을 믿어주시기 바랍니다."

왕은 말이 없었다. 허공만 바라보고 있었다.

"김용 장군은 말할 자격이 없습니다."

정세운이 맥이 빠져있는 김용에게 다시 일격을 가했다.

김용은 화가 치밀었지만, 분위기는 자신의 편이 아니었다. 패장으로서 할 말이 없었다.

"주상께서 조금만 더 머무르셔서 이번 전쟁에 임하는 장군들에게 힘을 실어주시기 바랍니다. 힘을 다해 싸우겠습니다. 종묘와 사직을 지키시기 바랍니다."

최영 장수가 김용의 입장에서 군사들의 사기를 위하여 머물 것을 주문했다. 군의 사기를 생각하는 현장의 장수들과 왕의 입장에서 바라보는 재상들의 의견 차이는 좁혀지지 않았다. 최영은 적을 막지 못한 통분과 위험을 무릎 쓰고 도성에 머무를 것을 호소하면서 감정에 복받쳐 어깨를 들썩이며 울음을 터뜨렸다. 개성을 포기 한다는 것은 나라의 치욕이었고 장수로서 감당하기 어려운 패배를 인정하는 것이었다. 김용과 안우, 이방실도 함께 통곡했다. 조정은 순식간에 울음바다가 되었다. 왕은 슬며시 고개를 허공으로 돌렸다. 왕은 끝까지 눈물을 감추려 애썼다. 분위기가 낙망스러웠다.

"지금 장군들의 뜻은 이해하나 전황은 우리 뜻대로 이루어지고 있지 않으니 먼저 주상께서 개경을 떠나시고, 다음 조치를 상황에 맞춰서 하는 것이 옳을 듯합니다."

이춘부가 나서서 말했다.

"그렇습니다. 먼저 위험을 피하고 나서 다음 상황에 대처하는 것이 옳습니다. 그렇게 조치하세요."

노국공주가 왕을 대신해서 말했다.

상황은 결정되었다. 누구도 이의를 달지 못했다. 차마 궁성을 떠나겠다는 말을 하지 못하던 왕도 슬쩍 이춘부와 노국공주의 생각에 동조했다.

어전회의에 다녀온 안우 장군의 얼굴빛이 좋지가 않았다. 상황이 안 좋은 것을 느낄 수 있었다. 방어에 전념해야 하는 긴박한 상황임에도 몇 개의 임무를 가지고 나누어져 수행해야 했다. 의병을 모집하기 위해 편성된 부대와 방어에 임하는 부대 그리고 왕이 안전하게 피난할 수 있도록 도우러 가는 부대가 있었다. 이옥은 안우 장군으로부터 개경에서 철수하는 왕을 친위 부대 외곽에서 보호하는 역할을 지시받았다.

이옥은 부대를 이끌고 개경으로 향했다. 마을은 대피령이 내려 길에는 피난민들로 가득했다. 이옥 일행이 개경으로 들어가자 벌써 아녀자들과 노인들이 앞서서 떠나고 있었다. 궁성 안은 소란스러웠다. 징병을 위해 관리들과 병졸들이 돌고 있었고 피난민들은 피난민대로 우왕좌왕했다. 피난 가는 사람, 혼란의 와중에서도 사람을 찾는 사람, 하나라도 더 들고 가려는 사람들이 뒤엉켜 어느 때보다도 소란스러웠다. 성을 빠져나가는 사람들로 성문은 줄을 선 듯 밀려있었다.

개경의 동대문인 숭인문을 빠져나가는 왕의 행렬이 지나가자 성안의 백성들이 엎드려 통곡했다. 왕의 얼굴에는 참혹함이 그대로 담겨 있었다. 백성에 대한 미안함과 자신에 대한 초라함이 겹치고 있었다. 왕의 행차였지만 초라하기 이를 데 없었다. 왕이나 노국공주마저도 말에 의지한 채 성을 빠져나가고 있었다. 왕을 측근에서 보좌하며 따르는 사람이 수십 명에 불과했다. 궁내의 사람들을 다 데리고 떠날 수도 없었다. 날씨는 이미 겨울로 접어들어 차가웠다. 하늘은 마음만큼이나 낮게 내려앉아 더욱더 을씨년스러웠다.

"나라님이 도성을 빠져나가면 우리는 어찌 살라고…"

"벌써 몇 번째 남의 손에 넘어가는 땅에 사니 이곳이 사람 사는 땅인가?"

아낙의 걱정 어린 말이나 노인의 불만이 뒤섞여 더욱더 쓸쓸하게 했다.

왕과 노국공주가 초라하게 말을 타고 왕을 호위하는 본진과 재상들이 섞여 함께 지나갔다. 이옥은 궁을 지킬 본대로 남아야 하므로 성을 빠져나가는 사람들을 안내하고 성안을 살펴야 했다. 왕이 성을 빠져나가고 따르는 사람들 속에는 아버지 이춘부도 있었다.

이옥은 아버지 이춘부를 보고 달려갔다.

"아버지!"

아주 짧으면서도 작게 불렀다.

이옥이 달려갔지만 이춘부는 듣지 못하고 그냥 지나갔다. 벌써 몇 걸음 앞으로 가 성문 안으로 들어서고 있었다. 사람들이 뒤섞여 있어 따라잡기가 어려웠다. 이옥은 얼굴이라도 다시 한번 보려고 좀 더 크게 불렀다. 그제야 이춘부가 돌아보았다. 이옥을 보고는 얼굴이 금세 환해졌다.

이춘부가 이옥을 향하여 무어라고 소리쳤지만 들리지는 않았다. 이옥도 따라가 인사나 이야기를 나눌 형편이 아니었다. 왕이 도성을 버리고 피난 간다는 소식이 전해지자 도성 안 사람들의 피난은 더 빨라졌다. 누구도 믿을 사람이 없었기 때문이다. 왕의 행렬이 지나가자 호위부대와 내의원 사람들이 왕의 뒤를 이어 따라갔다.

내의원 사람들은 관리들만 말을 타고 나머지 하급 관리들은 걸어서 성을 빠져나갔다. 이옥은 관심 있게 얼굴을 살펴보았다. 자신이 다쳤을 때 보살펴주었던 노인의 말에 의하면 자신을 구해준 사람이 내의원의 의녀일지도 모른다고 했기 때문이었다.

이옥은 중요한 임무가 있음에도 마음이 급해 의녀의 대열로 들어섰다.

"혹시 의녀 중에 성아라는 이름을 가진 분이 있습니까?"

"성아요?"

"예."

의녀의 반문에 이옥은 아주 빠르게 대답했다.

"저 앞에 갔는데요."

"그래요. 어느 분이지요?"

"저 달구지 앞에 막 지나가는 여자예요."

"고맙습니다."

이옥은 인사도 제대로 하지 않고 달려갔다. 달려가 의녀가 가리킨 여인을 찾았다. 순간 이옥은 놀랐다. 안면이 있는 얼굴이었다. 궁술대회 때 상처를 치료해 주었던 의녀였다. 의녀도 자신을 바라보는 이옥의 눈길을 보고는 마주 보았다. 시선이 마주쳤다. 이옥이 반가움으로 얼굴에 웃음을 담았지만, 의녀는 대수롭지 않게 시선을 돌리고 발길을 옮겼다. 이옥은 따라가며 호흡을 가다듬었다.

"혹시…"

"예?"

따라오며 자신에게 말을 거는 이옥의 출현에 의녀는 눈을 동그랗게 떴다.

"혹시, 성아라는 분입니까?"

"성아요? … 전데요."

"예! 저, 모르시겠어요?"

"예."

이옥은 설마 했는데 자신을 모른다는 뜻밖의 대답에 말문이 갑자기 막혔다. 여인은 자신을 몰라보고 있었다. 벌써 궁에서 제법 벗어나고 있었다. 의녀를 불러 세워놓고 말을 할 처지도 아니었다. 의녀는 일행을 따라가야 했다. 이옥은 이옥 대로 성을 나가는 사람들과 성을 안전하게 지켜야 하는 책임을 맡은 사람이었다.

"제가, 일전에 생명을 구해주신 바로 그 사람입니다."

"예?"

"길에 쓰러진 사람을 구해준 적이 있지요?"

"… 아, 예."

성아는 그제야 생각을 해내고는 정색을 하고는 이옥을 바라보았다. 사람들 속에서 섞여 몇 마디를 하는 동안 의녀는 뒤처져있었다. 앞서가던 일행 중에 다른 의녀가 손으로 손짓을 하며 성아를 불렀다.

"빨리 와!"

그제야 성아는 이옥을 다시 한번 바라보고는 일행을 쫓아서 달려갔다.

이옥은 따라갈 수가 없었다. 성문에서 한참을 벗어난 것을 보고는 이옥도 성문을 향했다. 이옥은 너무 아쉬워 성문을 향하여 돌아가면서도 뒤돌아보았다. 저 여인이 나를 구해준 사람이었구나. 궁술대회 때에도 치료를 해 주었던 여인이었구나. 한데 이렇게 만나고 다시 헤어지다니. 지금은 언제 어디서 다시 만난다는 약속을 할 수 없는 상황이었다.

전쟁은 참혹했다. 죽이고 죽임을 당하는 현실은 말로 표현하기 어려웠다. 이 전쟁에서 이옥 자신뿐만 아니라 누구라도 살아남을 수 있다고 말할 수 없었다. 이옥은 성문에 다다라서도 멀어져 가는 일행을 바라보았다. 이제는 늙어가는 아버지가 떠나고, 자신을 구해준 여인이 떠나가고 있었다. 거친 바람이 이옥의 옷깃을 스치며 지나갔다.

이옥은 중요한 일이 마무리되고 관리들이 안전하게 철수한 것을 확인하고는 부하들을 소집했다.

"너희들이 이제 아주 중요한 역할을 수행해야 한다."

이옥의 목소리에는 힘이 들어가 있었다.

"우리가 안전하게 철수하는 것을 돕고, 경계해야 할 임무는 마무리

되었다. 다음 일은 후방부대에서 맡을 것이다."

모두의 시선은 빛나고 있었다. 참패하던 고려군 속에서도 독보적으로 승리를 한 부대의 병사다웠다.

"명령만 내리시면 어떤 임무라도 수행할 것입니다."

중랑장 성사빈이었다.

"정말 든든한 너희들을 만나 더없이 마음도 든든하다. 이제 우리의 임무인 철수를 돕는 일은 마무리되었으니 우리가 개경을 빼앗길 시 다시 공격의 활로를 찾아야 할 것이다."

"아니, 개경이 빼앗긴다는 것을 전제로 하시는 것입니까?"

낭장 이천석이었다. 조금은 볼멘소리였다.

"그렇지 않다. 그러나 전사는 언제나 최악의 상황을 생각해야 한다. 만일 우리마저 철수해야 한다면 그때 개경을 다시 빼앗아야 할 것을 대비하자는 이야기다. 그때 우리가 이용할 침투로를 만들어 두자는 것이다."

"알았습니다."

낭장 이천석은 이옥의 말에 바로 대답했다.

"지금부터 우리가 방어할 때 문제가 될 부분과 도성을 빼앗기고 다시 개경을 공격할 때의 상황 모두를 두고 점검해주기 바란다. 그리고 방어를 위한 방법과 아울러 공격 시에 가장 유리한 장소와 침투가 용이한 장치를 마련하도록 한다."

이옥은 사전 준비를 했다. 일차적으로 방어가 문제지만 왕까지도 철수하고 징병도 쉽지 않은 상황에서 철수를 고려해야 했다. 그리고 철수한다면 다시 공격해서 찾아야 한다는 것은 당연한 이치였다.

그것을 준비해 놓으려는 의도였다.

"장군님은 대단하십니다. 지금 철수를 돕고자 온 우리가 방어를 생각하는 거야 당연하지만 빼앗길 것까지 생각해서 공격 지점을 정해 놓고 그곳에 무언가를 설치하자는 말씀입니까?"

중랑장 성사빈은 이옥의 생각을 정확하게 읽고 있었다.

"그렇다. 우리가 공격하기 용이하도록 밧줄을 연결해 숨겨두거나 성을 쉽게 허물 수 있도록 장치를 해 두자는 것이다."

"걱정하지 마십시오."

이성계를 만나다

11

신돈, 세상의 소리를 듣다

이 땅에 살고 있는 사람의 소리를 듣는 것이 진정한 정치다

신돈은 머리를 기르고 해진 옷을 입고 다녔다. 왕으로부터 잠시 떠나있을 것을 권유받고서 민심을 파악하고자 세상을 떠돌았다. 재상 정세운과 고위 재상 이승경이 신돈의 목숨을 노리고 있었다. 왕은 자신이 있는 자리에서도 저놈의 중놈을 죽여 버리겠다며 소리치는 이승경을 어찌할 도리가 없었다. 정세운과 이승경은 강한 어조로 신돈을 비판하곤 했다. 두 사람뿐만은 아니었지만, 힘을 가진 두 사람의 강경함은 막을 길이 없었다. 그들도 왕을 위해서 신돈을 없애야 한다는 충성으로 무장하고 있었기에 마음 약한 왕은 그들을 한 번에 내치지 못하고 있었다. 정세운과 신승경이 왕의 최측근으로 왕의 입장을 가장 잘 알고 손발이 되어주었다. 딱히 그들을 제어할 방법이 없었다. 신돈을 대하는 무례함을 왕이 나서서 타일렀지만

헛일이었다. 그리고 그들은 아직도 국정운영과 군권을 움켜쥐고 있었다. 거기에다 그들의 세도는 하늘을 찔렀다. 왕이 함부로 건드리기에는 그들의 세력이 커져 있었다. 왕을 대행하게 하기 위해서 그들에게 일부 넘겨주었던 힘으로 요직에 자신들의 측근을 앉혀, 막강한 힘을 구축하였다. 왕으로서도 신돈을 그들에게서 보호할 묘안이 없었다.

왕은 신돈에게 의지하고 있었다. 꿈에서 만난 스님이, 깨어나 찾아온 스님과 일치해서만이 아니었다. 해박한 지식과 혜안 그리고 추진력이 왕을 감동하게 했다. 신돈은 노국공주의 마음마저 빼앗았다.

신돈은 충청도를 지나 문경 새재를 넘고 있었다. 전쟁 소식이 날아들었지만, 이곳은 아직 조용했다. 주막에 들러 술을 시켰다. 그리고는 넉살 좋게 모여 앉아 세상 이야기를 나누고 있는 사람들 사이에 끼어 앉으며,

"쓸쓸한 사람, 끼워주시지요. 술은 제가 사겠습니다."

넉살 좋게 궁둥이를 들이밀었다.

"스님이십니까, 거사십니까?"

"저는 승도 속도 아닌 경계에 머무는 사람이지요."

신돈에게 자리를 내어주기 위해 조금씩 궁둥이로 옮겨 앉으면서 한 사람이 물었다. 스님인지 스님의 행색을 한 평민인지를 묻고 있었다. 세상을 떠돌며 장사를 하는 사람들이었다. 등에 진 짐이 전부였지만 세상 돌아가는 것에 대해서는 남부럽지 않을 만큼 알고 있는 사람들이었다.

"세상에서 가장 편하게 사는 사람이군요."

"허허허. 그렇습니다. 그러나 가슴 안에서는 폭풍이 불지요."

일행 중의 한 사람의 말에 신돈은 속을 보여주는 듯한 행동을 보이며 말했다.

"스님의 가슴팍에서 폭풍이 불면 스님이 아니지요."

"중의 가슴은 돌덩이로 만들어졌는지 아십니까? 희로애락이 부글부글 끓는 것을 달래는 게지요. 하지만 세상 돌아가는 걸 보면 답답합니다."

술이 한 잔 들어간 사람의 말에 신돈은 호쾌하게 받았다.

"거야, 이 나라에 사는 모두의 마음이지요. 가진 전답田畓은 빼앗겨 힘 있는 자들의 것이 되었지, 노비가 된 자들은 대를 이어 자식까지 노비로 주인에게 봉사하는 개돼지로 살아야 하는 세상에서 무슨 낙으로 살겠소이까?"

"맞아. 어느 것 하나 사는 희망이 보여야 살지. 원나라에서는 같은 민족끼리는 노예로 삼지 않는다는데, 예의를 숭상한다는 이 나라는 어떻게 하면 노비를 사서 편하게 영화를 누릴까를 고민하는 세상이니 도대체 무엇이란 말이요!"

모두 다 한마디씩 했다. 사람들은 불만이 가득했다.

"전쟁이 났다고 하는데 이곳 사람들은 천하태평이니 그래도 이곳이 천국이라도 되는가 봅니다."

불만 일색인 중에 한 사람이 그래도 이곳이 천국이라고 하자,

"그럼. 술이 있고 길벗이 있으면 천국이지 천국이 따로 있는 것이겠습니까?"

신돈이 술기운이 도는 어투로 답했다.

"지나 오다 보니 징병을 하는 모양입니다. 나이만 젊은듯하면 마구 잡아가고 있는데 이곳에도 쓸 만한 사람이 있을 듯한데요."

라며 장사치인 듯한 사람이 술자리를 둘러보며 말했다.

모두 나는 아니라며 고개를 젓는다. 때를 넘겼다는 투였다.

"나라 사람으로 나라에 변고가 있으면 나가 싸워야지요."

신돈이 슬며시 징병에 나갈 것을 권했다.

"무슨 말을 하는 게요? 이 나라에서 백성에게 하나라도 해 준 것이 있습니까? 도리어 빼앗아 가기만 했지."

"맞아요. 나라가 사람을 살게 해줘야 충성도 하는 것인데, 온통 힘없는 자들을 부려먹고 빼앗아만 가니 누가 나라를 위하여 싸움을 자청하겠소?"

"맞아요."

너도나도 원망의 소리였다. 나라에 대한 불만이 많았다.

"나라님은 살겠다고 도성을 빠져 피난길에 올랐다고 합디다."

가장 나이가 든 듯한 사람이었다. 말을 해 놓고는 후환이 두려운지 주위를 둘러보았다.

"조금만 위험해도 먼저 도망만 가니 백성은 누구를 믿고 살아야 한다는 것인지…"

머리가 조금 벗어진 사람이 말을 해놓고는 혀를 끌끌 찼다.

이것은 신돈도 오늘 처음 듣는 내용이었다. 진위여부야 알 수 없었지만 허튼소리만은 아닌 듯싶었다. 왕이 개경을 떠나 피신했다는 것이 맞는 모양이었다. 신돈 자신도 죽이려는 사람이 있으니 피신해 있으라는 권고를 듣고 개경을 떠나온 지도 달포가 지나고 있었다. 개혁이 필요하고, 개혁을 위해서는 왕권이 서야 가능한 일이었지만 아직도 원의 간섭이 남아있었다. 흔들리는 원의 입장에서 직접적인 간섭은 할 수 없었지만, 원에 기대어 벼슬을 하거나 권력을 가진 세력은 여전히 건재했다.

어려운 형국에 전쟁까지 터졌으니 병권은 다시 왕에게서 재상과 장수들에게로 넘어갈 것이었다. 개혁과 왕의 세력기반은 밀접한 관계에 있었다. 조정 안은 이합집산의 모임이라고 할 수 있었다. 원을 등에 업은 세력, 지금의 왕을 정점으로 만들어진 세력, 그리고 다른 왕을 추대하려는 은밀한 세력도 있었다. 그리고 개혁을 이끌어가는 세력과 지금의 형국을 지켜내려는 수구세력, 그리고 유교를 신봉하는 신진 사대부 세력들이 얽히고 설켜 있었다.

복잡한 관계로 만들어진 조정 안에서 중재안을 만들어 일을 추진한다는 것은 거의 불가능했다. 왕은 이러한 복잡한 내부사정에 자유로운 신돈을 기용하고자 했다. 하지만 생각했던 것보다도 반대는 강했다. 거기에다 병권이 왕에게서 나오는 것이 아니었다. 장군들의 사병과 재상들이 개인적으로 운영하는 친위부대들이 있었다. 형식적으로는 왕이 직접 명령을 내릴 수 있고 임명권을 가졌지만, 내부사정은 달랐다. 사병들은 먼저 주인에게 충성하는 속성을 가졌다. 급여도 주인에게서 받았다. 국가재정이 거의 바닥이 나서 운영하기도 어려웠다. 무슨 일을 추진하려면 재상들과 장군들의 의견을 구해야 했다. 이래서는 나라가 제대로 설 수가 없었다.

강력한 권력에서 개혁이 추진될 수 있고, 개혁은 성공할 수 있다.

문제는 하나가 아니라 숱하게 있었다. 우선 순위를 정해서 추진하는 것이 필요했다. 백 년 가깝게 원나라에 끈을 대고 고려의 독립을 방해하고 있는 친원 세력의 힘을 끊어야만 했고, 국왕의 권력을 다시 찾아야 하는 것이 무엇보다 우선이었다.

신돈은 민심을 아는 것도 중요하지만 지금은 나름으로 개혁을 위한 준비를 하는 것이 중요하다는 것을 깨달았다. 나라를 살리느라 이 한 몸 불사른다면 얼마든지 살신성인하리라 마음먹었다. 가족도 없고, 기반도 없어 몸과 마음이 유독 가벼운 자신이었다. 나라를 위한 일에 일부 사람들이 손가락질한다고 해서 그것을 두려워할 필요는 없었다. 술자리는 계속되었다.

"이 나라의 벼슬아치들은 누구를 위하여 정치해야 하는지를 모르고 있어."

삿갓을 쓰고 조용히 술을 마시던 사람이 한마디 했다.

목소리는 크지 않았지만 사람들의 시선을 잡아끄는 힘이 있었다.

좌중은 순간 조용해졌다.

"모두가 자신이 살길을 찾아가는 것이 정한 이치이지만 큰 자는 큰 것을 보고 가는 법이지."

"…"

평소 같으면 이렇게 조용히 그리고 나직하게 이야기하면 말을 끊고 농담을 하거나 객소리를 한다며 무시했을 터인데 이번에는 모두 귀를 기울이고 있었다.

"길을 가면서 미물이 발에 밟힐까 걱정하는 것은 한가할 땐 할 수 있는 일이지만, 큰일을 할 때는 버려야 하는 것도 있는 법이지."

"…"

사람들이 신기할 만큼 조용히 그의 말을 듣고 있었다. 드문 일이었다.

"술이 차가운 가슴을 안아준다고 해도 제가 저 자신을 안아야 온전한 온기인 게야."

신돈에게 쏠렸던 관심이 삿갓을 쓴 사내에게로 넘어갔다.

신돈은 듣고만 있었다.

"된 자라면 왕조를 보지 않지, 부처도 보지 않고, 공자도 보지 않아. 이 땅에 살고 있는 사람의 소리를 듣는 것이지. 그것이 길이고 참된 삶이 되는 거지."

신돈은 자신이 생각하고 있던 것과 별반 다르지 않음에도 뒤통수를 한방 얻어맞은 기분이었다. 자신에게 대놓고 하는 말 같았다. 신돈은 갑자기 일어나 길을 나섰다. 주위에 있던 사람들이 눈을 둥그렇게 뜨고 바라보았다.

"왜 술을 잘 들다 갑자기 일어서는 게요?"

신돈은 대꾸도 없이 무엇에 홀린 사람처럼 일어나 밖으로 나갔다.

신돈에게 나라를 살린다는 것은 굶주리며 힘겹게 생을 일구어 살아가는 백성들을 구하는 길이었다. 나라를 위한다는 것이 왕과 재상 그리고 장군들을 위하는 것이 아니었다. 신돈에게는 헐벗은 사람들을 구하기 위하여 왕이 필요하고 그의 생각에 동조하는 재상이나 장군이 필요한 것이었다. 잠시 다른 세계에 있었던 신돈이 잊고 살았던 세계를 다시 만난 기분이었다. 이 땅에 사는 사람의 소리를 들었고, 낮은 자리에 있는 사람들의 삶을 누구보다도 많이 알고 자신

또한 그들과 별다르지 않게 살아왔다고 자신해왔다.

신돈은 노비의 자식이었다. 노비의 자식은 태어나면서부터 다시 노비가 되어야 하는 치욕의 굴레를 없애는 것이 할 일이었다. 그리고 가난하고 헐벗은 사람들에게 땅을 되돌려주어 따끈한 밥상 앞에 둘러앉는 신분이 없는 평화로운 가족을 만들어주고 싶었다. 그러기 위해서는 넘어야 할 산이 높았다. 산을 넘으면 다시 산이었다. 그것이 세상이라고 했지만, 지금은 자신의 몸을 돌보려 도망 다니는 신세처럼 느껴졌다. 술자리에서 이름 모를 사람의 한마디에 정신이 번쩍 들었다.

신돈은 서둘러 발을 재촉했다. 만나야 할 사람이 있었다. 개인의 안위를 위하여 가고자 하는 길에서 주저앉아 있을 수만은 없었다. 신돈은 안동으로 향하고 있었다. 개혁에 동참하는 사람들을 만나, 보다 구체적이고도 확실한 방안을 만들어낼 작정이었다.

12

이옥과 이성계의 활약

사내의 가슴은 조국에 묻어야 한다

"금교역이 무너졌다."

이옥이 좀 전에 받은 파발의 내용을 성사빈에게 전했다.

"그럼, 개경은 어떻게 되는 겁니까?"

성사빈의 목소리에는 긴장이 들어있었다.

"철수하라는 명을 받았다."

"그럼. 궁성은 어떻게 합니까?"

"그대로 남겨두고 철수하라는 명이다."

금교역은 고려군이 전력을 다해 친 방어선이었다. 금교역이 무너지면 개경은 물론 고려의 수도가 점령당하므로 고려가 홍건적에게 점령당하는 것을 의미했다. 한 나라의 수도가 점령당한다는 것은 나라의 절반 이상을 내어주는 꼴이었다. 이옥의 가슴 안에서 찬바람이 불었다. 이 나라가 다시 무너지는구나 탄식이 나왔다.

왕이 떠난 개경은 을씨년스러웠다. 급히 떠나느라 두고 간 가축들도 있었다. 급히 떠나느라 소를 놓고 간 사람도 있었다. 소가 우는 소리가 성안을 울렸다. 마지막 차단지인 금교역이 무너졌다는 소식이 다른 파발에 의해서 또 전해졌다. 후방에 있던 이옥은 개경의 궁성을 떠나야 했다. 이미 텅 비어 버린 성이지만 개경이 무너진다는 것은 고려의 심장을 버리는 형국이었다. 철수를 준비하는 이옥의 눈가에 눈물이 흘렀다. 남아의 눈물은 뜨거웠다. 이옥은 가슴이 아팠다. 개경을 버리고 떠나면서 치욕을 느꼈다. 자신이 태어난 나라가 남의 나라에 먹혀 뜻대로 의지 한 번 피지 못한 채 겨우 명맥만 유지하고 있는 현실이 아팠다. 이제 겨우 원나라가 힘을 잃고 고려는 힘을 얻기 시작해서 개혁의 기치를 들고 나라의 기틀을 새로이 세우려는 때에 홍건적의 침입으로 다시 고려의 상징인 개경을 버리고 철군해야 하는 마음이 쓰렸다. 개경을 버린다는 것은 국가의 안위가 풍전등화라는 것을 의미했다. 지금 개경을 지키기에는 어려움이 있었다. 부분적인 승리는 있었지만, 전체적으로 밀리는 상황이었고, 준비가 되어 있지 않아 평양성을 방어하기에는 역부족이었다. 흩어져 있는 군사력을 모을 수 있는 시간적인 여유도 없었다. 눈물을 머금고 후퇴해야 했다.

"총병관이 바뀌었답니다."

"알고 있다."

"알고 계시면서 저희에게는 아무 말씀도 안 하십니까?"

중랑장 성사빈이 이옥에게 따져 물었다.

총병관은 전쟁의 총지휘관이었다. 아주 특별한 일이 아니면 전쟁 중에 지휘관을 바꾸지 않는 것이 상식이었다. 왕이 먼저 개경을 떠나느냐, 더 머물다가 떠나야 하느냐를 가지고 설전이 있었다. 현장의 장수들은 위험을 무릅쓰고라도 더 머물 것을 주장했고, 재상 정세운은 먼저 안전하게 떠나고 패전의 책임을 당장 물어야 한다고 했었다. 그때는 김용이 총지휘관이었다. 김용과 정세운의 한판 대결장 같았다. 두 사람은 앙숙 관계였다. 그리고 경쟁 관계였다. 왕이 이번에는 김용에게 주었던 총병관 자리를 뺏어 정세운에게 주었다.

"알면 어찌하겠다는 것이냐? 우리의 힘이 미치지 않는 곳의 일이 아니더냐?"

"그렇더라도 정세가 돌아가는 상황은 알아야 하지 않겠습니까?"

"글쎄다. 우리가 나서서 무어라고 할 수는 없는 일이지만 전쟁 중에 지휘관을 바꾸니 마음이 착잡하다."

"우리에게도 언제 어떤 나쁜 상황이 닥칠지 모릅니다."

중랑장 성사빈이 얼굴을 붉혔다.

모두가 알고 있는 일이었다. 왕의 변덕스러운 마음으로 인해 정세가 오히려 꼬이고 있는 것은 이미 고려 천하가 다 알고 있었다. 왕은 누구도 믿지 못했다. 의심의 화살이 누구를 향할지 모르는 형국이었다.

"우리는 나라를 지키는 일에만 몰두하자. 인원 충원은 어찌 되었느냐?"

"후방에서 인원이 계속 보충되고 있습니다."

"그나마 다행이다. 우리는 이번 개경 수복 전투에서 가장 먼저 궁성에 기를 꽂아야 한다. 죽기를 각오하면 두려울 것이 없다."

"목숨을 걸고 싸울 것입니다."

이옥을 중심으로 중랑장과 낭장들이 모여 결의를 다졌다.

이번 전투는 홍건적과의 최대 결전이었다. 준비되지 않은 상황에서 맞은 침략에 고려군이 무너졌지만 이번에도 무너진다면 희망은 적었다. 나라 전체에 비상을 걸고 모병을 했고, 준비하고 있는 전투였다. 고려의 장수들은 모두 결집하였다. 안우, 이방실, 황상, 한방신, 이여경, 김득배, 안우경, 이귀수 그리고 최영 등이 있었다. 고려가 위험에 처해 있다는 소식을 들은 이자춘은 둘째 아들인 이성계를 고려로 내려 보냈다. 이성계는 28세의 약관이었으나 당당함이 어느 장수에도 뒤지지 않았다. 이성계의 부대는 안우 장군 휘하에 배속되었다. 총병관이 교체되면서 최영 장군도 안우 장군의 휘하로 배속되었다.

이자춘의 아들인 이성계의 출병은 의미가 있었다. 이자춘이 고려 사람으로서 고려를 돕겠다는 약속을 실천하는 출병이었다. 실질적으로 다수의 출병은 처음인 셈이었다. 고려의 왕으로서는 고마운 일이었다. 원나라 지배하에 있던 동북면의 관리인 이자춘이 원나라와 관계를 끊고 고려에 충성할 것을 약속한 첫 이행조치인 셈이니 더없이 반가운 일이었다.

고려의 장수는 모두 망라해서 참가했다. 징병을 통해 병력이 증강되었다. 그 수가 20만에 이르렀다. 정월의 개경은 추웠다. 살이 찢어지는 듯한 추위가 온몸을 떨게 했다. 진을 친 곳에서 개경은 그리 멀지 않았다. 진눈깨비가 날리고 있었다. 진눈깨비는 차가운 날씨를 더욱더 차갑게 느끼게 했다.

안우의 통솔 하에 있는 이옥은 누구보다도 개경에 대해 잘 알고 있었다. 그리고 궁중의 사람들이 마지막 철수하는 순간까지 그곳을 지키는 임무를 했기 때문에 궁성 안의 최근 상황까지도 파악하고 있었다. 이번 개경수복 전투는 고려의 입장에서는 마지막 격전이라고 할 수 있었다. 총력전이었다. 이 전투에서 고려가 패하면 끝장이었다. 마지막 혼신의 힘을 다하지 않으면 고려는 또 한 번 홍건적의 손아귀에 잡히게 되어있었다. 그리되면 고려는 무너질 수밖에 없다. 이제 겨우 원나라의 간섭에서 벗어나고 있는 마당에 홍건적의 침입으로 수도인 개경까지 내준 상황이니 더는 후퇴할 곳이 없었다. 왕까지도 도망 나와 안동에 머무는 형국이었으니 더 이상의 후퇴는 있을 수가 없었다.

안우 장군의 얼굴은 상기되었다.

"사내의 몸은 나라를 위하여 바쳐질 때 숭고한 것이다. 조국을 위하여 생을 던질 각오로 이번 전투에 임해주기 바란다."

군인이 생명을 걸어놓고 전투에 임하지 않는 경우는 없지만 안우 장군의 목소리는 어느 때보다도 긴장되어 있었다.

"이번 전투는 조국의 생사가 달렸다. 모든 역량을 모아 빼앗긴 개경을 수복하는 일에 우리들의 목숨과 조국의 사활이 달려있다. 이 나라가 패망의 길로 가느냐, 다시 국권을 찾는 길로 가느냐 하는 중요한 시점에 내가 서 있다는 것은 내 인생의 영광이라고 생각한다. 그대들도 비장한 각오로 임해주기 바란다."

안우 장군의 웅변에 가까운 이야기 후에 작전 회의가 있었다. 공격

목표지점이 지정되었다.

이성계가 일어섰다. 아직 노련함이 보이지는 않았지만 당당한 모습이었다.

"제가 선발대를 맡겠습니다."

공격지점 중 가장 치열하고 희생이 예상되는 성문을 공격하기 위한 선발대로 이성계가 나섰다. 모두의 시선이 이성계에게로 향했다. 뜻밖이었다. 고려의 신하 되기를 자청했지만 이번 전쟁에 참전해 준 것만으로 고려 입장에서는 감사해야 하는 처지였다. 그런 이성계가 선봉에 서겠다는 것에 모두의 시선이 집중되었다.

"공격의 선봉에 저도 나서겠습니다."

노련함과 기개가 넘치는 최영 장군이었다. 최영은 고려의 상징적인 존재였다. 그가 가는 곳에는 항시 승리가 따라다녔다. 죽음을 각오한 그의 공격에 당황하지 않는 적은 드물었다. 그에게 후퇴는 없었다. 선봉에서 직접 달려가는 그를 보면 살기가 느껴지기까지 했다. 길게 자란 수염이 용장다운 면모를 보여주고 있었다. 불혹을 넘긴 그에게서 의연함과 함께 힘이 넘쳐 보였다.

안우 장군의 얼굴에 웃음이 번졌다. 비장함이 보였던 그의 얼굴에서 웃음을 볼 수 있는 일은 아주 드문 일이었다.

"모두 고맙소. 어려운 전투일 텐데 어려움을 자청하는 그대들이 있어 더없이 고맙소. 최영 장군과 이성계 장군은 선발대로 나서라."

"저에게는 도성을 뚫는 임무를 주시기 바랍니다. 저는 성곽을 뚫을 수 있는 비책을 가지고 있습니다."

이옥은 특수임무를 자청했다. 이옥은 이성계보다는 나이가 많았지만, 고려군의 장수 중에서는 가장 어렸고 낮은 직위였다. 이성계는 아버지 이자춘의 친병을 끌고 출정했기에 나이에 상관 없이 장수라는 직책이 가능했다.

"어떤 비책이라도 있느냐?"

"저는 개경성에서 마지막으로 철수했습니다. 그리고 철수하고 나서도 성곽을 지키는 임무를 수행했습니다. 적어도 최근 성곽의 구조와 약점을 알고 있습니다. 저에게 성을 잠입할 수 있도록 별동대의 임무를 주시기 바랍니다."

"아하, 그렇구나. 성을 뚫을 수만 있다면 우리는 승리한 것이나 마찬가지일 것이다."

안우 장군의 얼굴에 화색이 돌았다. 이옥은 안우 장군이 가장 아끼는 사람이었다. 안우 장군은 흔쾌히 받아들여 주었다.

이옥은 성안으로 들어가기 위한 특수 임무를 수행하기 위해 별동대를 조직했다. 부대원을 이끌고 성 안으로 잠입하는 임무였다. 별동대로서 어떤 희생을 치르더라도 성안으로 들어가야 했다. 개경을 수복하기 위한 이번 전투의 성공 여부는 일차적으로 성안으로 들어가는 것이 성공해야만 가능한 일이었다. 성에 구멍이 생겨야 전투도 가능하고, 수복도 가능했다. 성곽 일부를 허물거나 성문을 깨부수는 것이 일반적인 성 공격의 방법이지만 너무 많은 희생을 치러야 하고 성공 가능성은 작았다.

성을 공격할 것에 대비해서 홍건적들은 소와 돼지를 도축하여 그 껍데기를 벗겨서 성곽을 덮었다. 그리고 그 위에 물을 부었다. 가죽 위에 물을 부어 가죽이 성곽에 얼어붙었다. 성곽은 반들반들해졌다. 미끄러져서 기어오르지 못하도록 했다. 그들에게 전투의 승패는 도성의 방어에 달려있었다. 고려군에게는 그 방어망을 뚫느냐의 여부가 이번 전투의 승리와 패배가 달려있었다.

고려군은 개경성을 에워쌌다. 소리 없이 개경 외곽을 둘러싸기 시작했다. 고려군의 20만 병력이 모두 개경 수복 전투를 위하여 투입되었다. 고려의 사직을 건 한 판 승리였다. 각자 맡은 지역에 주둔하고 있는 것에 비해 침투가 목적인 별동대와 이옥은 행동이 자유로웠다. 전운이 감도는 개경은 달빛이 밝았다. 차가운 날씨가 스산한 기분을 더욱 얼어붙게 했다.

사내의 가슴은 조국에 묻어야 한다는 노인의 말이 떠올랐다. 이옥은 이를 슬며시 물었다. 이옥은 성곽의 동쪽으로 이동하여 개경을 철수할 때에 마련해 두었던 침투로를 향하여 접근하기 시작했다. 어둠을 틈타 숲속으로 이동하기 시작했다. 이옥은 별동대를 3개 부대로 나누었다. 하나는 미리 마련해둔 침투로를 뚫는 부대, 하나는 침투로를 뚫는 부대를 경계하고 엄호하는 부대. 그리고 본대는 예비부대로 뒤에 집결해 있다가 침투로를 뚫는 부대와 임무를 교대하기로 했다. 침투로를 확보한 순간 잠입을 위해 대기하고 있었다.

"먼저 이동하거라."

중랑장 성사빈이 부대를 이끌고 떠났다. 성사빈은 침투로 개척을 맡았다. 지형지물을 이용하여 목표지점을 향하여 이동했다. 이옥의 지시에 따라 낭장 이천석과 홍기삼이 부대를 이끌고 다른 길을 이용하여 이동했다. 이옥은 본대를 이끌고 산의 8부 능선으로 이동했다. 눈이 쌓인 숲을 빠져나가는 것도 힘이 들었다. 이옥은 발자국이 나지 않도록 햇살이 들어 눈이 녹은 곳을 이용하여 이동했다. 앞에서 가던 첨병이 손짓을 해왔다. 이옥은 바로 손짓으로 정지를 명령했다. 적의 순찰부대가 이동하고 있었다. 4명이었다.

이옥은 소리를 낮춰 말했다.

"저들은 그냥 살려 보내라."

"활로 한 방에 날려 버리시지요. 아니면 제가 한 방에 날려 보내겠습니다."

낭장 이병석이었다. 힘이라면 이옥의 휘하에서 가장 세고 성격도 괄괄했다.

"저들 몇을 죽여서 화를 자초할 필요가 없다. 저들을 죽이면 경계가 강화될 것이다."

이옥은 의욕이 넘치는 이병석을 타일렀다.

적의 순찰부대가 지나갔다.

이병석은 주먹을 불끈 쥐고는,

"저것들을 그냥 보내다니…"

부르르 떨었다.

이옥은 그런 그를 보고는 빙긋이 웃었다. 어둠이 내리기 시작했다. 목표지점에 도달한 이옥은 본대를 이병석에게 맡기고 몇 명을 이끌고 침투로를 찾아내 뚫는 임무를 맡은 성사빈에게로 출발했다.

"찾았느냐?"

이옥은 철수 직전에 만들어놓은 암굴에 대해 물었다.

"예. 찾았습니다. 달이 지는 시간을 이용해 들어내려 합니다."

암굴은 성사빈이 누구보다도 잘 알았다. 직접 암굴을 만들기도 했지만, 성에 주둔해 있을 때 이옥의 지시로 침투로로 가는 표시 하나하나까지 만들어놓았었다. 암굴을 뚫고 나서 다시 보이지 않게 돌덩이를 얹어 막아놓았지만, 장정 서너 명이 밀어내면 뚫을 수 있었다. 굴막이 돌을 제거하면 침투로는 열린다. 성안에 있는 굴의 출구는 성벽에서 조금 떨어진 숲으로 연결되어있기 때문에 발견하기가 쉽지 않았고 그곳에도 굴막이로 암석을 막아놓았다.

어둠 속에서 이옥은 기다렸다. 달이 넘어가는 시간에 성사빈 조가 침투로를 열면 침투로를 이용해 잠입할 것이다. 성곽 안을 도는 순찰대의 모습이 아주 흐릿하게 보였다.

이옥은 자신도 모르게 잔뜩 긴장하고 있었다. 작전이 성공해야만 개경 수복이 가능하고 아군의 피해를 최소화할 수 있었다. 작전은 이번 수복 작전의 책임 장수인 안우 장군에게 보고되어 침투로를 뚫고 들어가 성문을 장악하면 불화살로 작전 성공을 알리게 되어있었다. 성문을 침투조가 여는 순간 외곽을 에워싸고 있던 고려군들이 성문을 이용하여 공격할 것이다.

달이 넘어가고 얼마의 시간이 흘렀다. 침투로를 뚫었다는 소식이 왔다. 부싯돌로 번쩍하는 숫자 표시가 세 번이면 성공했다는 표시였다. 엄호부대는 화살을 겨누고 성을 향하여 대기하고 있었다. 발견될 경우 화살로 암굴 입구의 돌막이 돌을 제거하는 군사들을 보호하기 위해서였다. 이옥은 병들을 이끌고 침투로 입구로 이동했다. 성사빈이 기다리고 있었다.

“성공했느냐?”

“예. 뚫었습니다. 일부는 벌써 잠입하여, 안전하게 침투할 수 있도록 조치했습니다. 군사들은 엄호형태로 배치했습니다."

"그래. 수고했다."

이옥의 격려에 성사빈은 앞서서 암굴로 들어갔다. 이옥이 뒤를 따랐다. 작전은 아주 조용하면서 신속하게 이루어졌다. 아직은 적에게 밝혀지지 않았다. 겨울철이라 다행히 굴이 허물어지지 않고 원형을 유지하고 있었다.

"다 나왔느냐?"

"엄호를 맡은 홍기삼이만 들어오면 모두 들어옵니다."

"그럼 성곽으로, 두 개조로 나누어서 출발한다. 성문 도착 직전에 성밖에 알리는 것은 성문을 먼저 장악한 사람이 한다. 반드시 성문 도착 직전에 신호탄을 쏘도록 한다. 그래야 협공이 성공할 수 있다."

"먼저 출발하거라."

성사빈이 출발하자 이옥은 적들이 성을 순찰하는 길을 피해 성문으로 향했다.

지형을 이용해 이동하는 중에 적병 일 개 조가 나타났다. 그들은 이옥을 발견하지 못했다. 숨어서 그들을 그냥 통과시켰다.

조금 더 이동하자 성문이 보였다. 누각에는 곳곳에 주위를 밝히기 위한 불이 타오르고 있었다. 이옥은 불화살을 쏠 것을 명령했다. 신호탄은 어둠을 뚫고서 날았다. 그와 동시에 이옥과 성사빈 조가 함성과 함께 성문을 향하여 달려갔다. 불의의 습격에 놀란 적병들이 하나씩 제거되었다. 전혀 예기치 못한 공격이었다. 밖으로부터의 공격이 아니라 안으로부터의 공격에 적들은 순식간에 제압되었다. 이옥과 성사빈은 성문을 향하여 달려갔다.

"빨리 열어야 한다. 적들이 알았으니 몰려올 것이다. 우리는 수적 열세여서 시간을 지체하면 당할 수 있다."

적들이 몰려오고 있었다. 이옥과 성사빈은 성문을 열고 다른 조들은 전열을 가다듬고 몰려드는 적들과 싸움 중이었다. 잠긴 자물통을 도끼로 부쉈다. 그리고 이옥이 성문을 열었다. 성문이 열리자 대기하고 있던 고려의 기병들이 먼저 달려왔다. 이성계가 선봉으로 달려오고 있었다. 바로 이어 최영 장군이 수염을 바람에 날리며 성안으로 달려들었다.

"고맙소."

이성계가 이옥을 발견하고는 소리쳤다.

"반갑소."

이옥이 이성계의 고맙다는 말을 받았다. 둘의 만남은 짧았지만, 이제는 호기가 통하는 사이가 되었다. 궁술대회에서 첫 만남으로 안면을 텄고 이번 수복 작전이 두 번째 만남이었다. 수복 작전에서는 작전 회의 때 만나 인사를 나눴다. 만남은 짧았으나 강했고 믿음이 생겼다. 나이도 비슷했지만 사나이다운 기질이 먼저 서로를 알아챘다.

이성계와 최영이 이끄는 고려군이 물밀 듯이 밀려들어 갔다. 한밤중에 고려군을 맞은 홍건적들은 갈피를 잡지 못하고 허둥댔다. 예상하지 못했던 성문이 일시에 열렸기 때문에 그들은 전열을 가다듬을 시간이 없었다. 고려군의 본진이 성문을 통과했다. 안우 장군이 있었다.

"수고했다."

큰 목소리로 말에서 소리치고는 이옥이 있는 곳에 이르자 말을 세우고 내렸다.

이옥이 다가가 예를 갖췄다. 안우 장군은 이옥을 부둥켜안았다.

"수고했다. 이번 수복 작전의 성공은 이 장군의 공이 크다."

"다행히 암굴이 그대로 남아있어 작전 수행이 용이했습니다."

"장하다. 누구도 생각하지 못한 것을 이 장군이 해냈구나. 나는 공격의 고삐를 늦출 수가 없다. 이곳에서 고려군들을 잘 안내하라!"

안우 장군이 말에 다시 올라타며 말했다.

"아닙니다. 이곳은 굳이 지킬 필요가 없습니다. 저희도 장군을 따라 적을 치겠습니다."

"알았다. 그러면 나를 따르거라."

이옥은 즉시 별동대를 소집해서 고려군의 본진을 따라 들어갔다. 고려군의 대승이었다. 예상했던 것보다 홍건적들은 반항 한 번 제대로 못했다. 내부에서 공격을 받아 성문을 열고, 밤의 기습적인 침입에 대항하지 못해 무너졌다. 홍건적은 참패였고, 고려군은 대승이었다. 홍건적의 머리를 10여만 개나 베었다. 그리고 나머지들은 압록강을 넘어 달아나 버렸다. 홍건적이 다시 회복하기에는 역부족일 만큼 참패해서 도망가기 바빴다. 홍건적에게는 커다란 타격이었다.

이번 수복 작전에서 가장 빛난 사람은 이성계였다. 이성계의 이름이 고려에 알려지는 순간이었다. 이성계의 이름은 아주 짧은 순간에 강하게 사람들에게 남았다. 홍건적 수괴의 머리를 베어 장대에 건 것도 이성계의 부대였다. 그리고 다음으로는 최영 장군이었다. 최영은 이미 고려의 얼굴이 되어있었다. 백성들에게 최영은 신화와 같은 존재로 자리를 잡고 있었다. 최영 장군이 가는 곳에는 벌써 기가 살아있었다. 최영 장군은 젊은 장수였지만 백전의 장수였고, 고려의 대표적인 장수였다. 그만큼 고려인들의 마음에는 최영 장군에 대한 믿음이 있었다.

이옥이 성문을 열자 번개처럼 나타나서 천둥처럼 달려와 홍건적이 미처 전열을 가다듬기도 전에 밀어붙인 두 사람의 전공이 컸다. 도착한 순으로 이성계와 최영 장군을 위한 전투처럼 되어버렸다. 이옥은 격렬한 전투는 아니었지만 개경수복 작전의 실질적인 성공을 위한 길을 열어놓은 사람이었음에도 이성계라는 전혀 예상하지 못한 존재의 출현에 그 공이 가려졌다. 더군다나 지원군으로서 참가한 이성계의 계급은 상장군上將軍(고려 시대 중앙군의 최고 지휘관)이었다. 28세라는 나이에 걸맞지 않은 높은 직책이기도 했지만, 이성계의 사병과도 같은 부대를 이끌고 아주 저돌적이면서도 인상적인 전과를 올렸다. 이천여 명은 이성계의 명령에 그림자처럼 움직였다. 사병집단이었기 때문에 눈빛만 보아도 서로 무엇을 말하고 있는지 알고 있는 듯했다. 무엇보다 용맹스러웠다.

이번 수복 전투의 지휘관은 재상 정세운이었다. 김용 대신 임명된 사람이었다. 총병관 정세운과 도원수 안우 그리고 원수 이방실과 김득배 등이 큰 공을 세웠다. 하지만 총병관 정세운은 안우 장군과는 어깨를 같이 하고 싶지 않은 관계였다. 정세운은 전형적인 무장이 아니었다. 그는 지략이 밝은 재상이었다. 그리고 안우 장군의 휘하에 있는 이옥을 그리 달갑지 않게 보았다. 더구나 이옥의 아버지 이춘부와는 개혁과 수구의 첨예한 대립각을 세운 인물이었다. 눈에 보이지 않게 적대적인 관계를 만들었다. 그런 이춘부의 아들인 이옥을 반기지 않았다.

재상 정세운은 왕의 수족 같은 존재이면서도 그동안 왕권에 버금가는 힘을 가지고 있어 두려움의 존재였다. 왕의 마음을 읽어내 미리 처리해주는 약삭빠른 존재였지만 정세운이 고위재상 이승경과 손을 잡기 시작하면서 때로는 왕의 명령을 어기면서까지 자의적으로 행동하고는 했다. 그런 정세운을 왕마저 두려워하고 있었다. 이번 승리로 정세운의 위세는 더욱 하늘을 찌를 것이다. 정세운은 특히 신돈을 나라를 망칠 놈이라는 말을 공공연히 떠들고 다니며 반드시 죽여 버리고야 말 것이라고 호언장담하고는 했다. 이는 왕에 대한 도전을 한 것이나 진배없었다. 왕이 가까이하는 것을 알면서도 정세운은 신돈을 죽이려 했다. 개혁에 대해서 정면으로 도전이라도 하듯이 반대했다. 그것은 정세운의 추종자들이 실권을 가지고 있는 것과도 무관하지 않았지만, 자신의 위세를 자신하고 있기 때문이기도 했다.

왕은 그런 정세운을 다시 개경수복 작전의 최고 책임자로 내세웠다. 김용에 대한 적당한 견제이기도 했지만, 딱히 다른 믿을 사람도 마땅치 않았기 때문이다. 왕은 사람을 믿지 않았다. 그리고 자신의 권력에 머리를 쳐들고 일어서는 것을 용납하지 못했다.

13
하극상과 어명 사이에서

함정은 걷기 편한 길에 만들어져 있다

모두가 승리의 축제에 흥분되어 있었다. 총병관 정세운을 제외하고 직접 전장에서 싸운 도원수 안우 장군과 원수 이방실, 김득배가 모여 승리의 기분에 젖어있었다. 이번 전투의 실질적인 지휘자들이었다. 이번 전투에서 있었던 전투에 대한 일화와 피해복구에 관해 이야기하고 있었다.

당직병이 들어와 안우 장군에게 보고했다.

"안우 장군을 찾아오신 분이 계십니다."

"누구라 하더냐?"

"김림이라는 분이십니다."

"김림이라면 김용 장군의 조카가 아니더냐?"

안우 장군은 혼잣말처럼 중얼거렸다.

"김용 장군의 조카가 이 자리에 올 이유가 없을 텐데…"

"그렇지요. 김용 장군의 조카가 왜 여기에 왔을까요?"

안우의 중얼거리는 소리를 듣고는 원수 이방실이 머리를 갸웃하자 김득배도 의아해하며 한마디 했다.

김용은 홍건적의 침입 때 방어를 해내지 못한 책임으로 총병관 자리에서 밀려나고 정세운이 총병관을 맡아서 이번 수복 작전을 지휘했다. 그런 김용 장군의 조카가 방문한 것은 뜻밖이었다.

"들라 해라."

"예. 알았습니다."

당직병이 나가자 바로 김림이 들어섰다.

김림은 들어서서 안우 장군만 있지 않고 다른 두 사람이 있자 몸을 사렸다. 무언가 쭈뼛거리는 듯한 느낌을 받았다.

"다 같은 생각을 가지고 있는 분들이요. 이 자리에서 이야기해도 괜찮으니 편하게 말하시오."

"예. 저는 재상 김용의 조카로 김림이라고 합니다. 긴히 전할 서신을 가지고 왔습니다."

"그럼. 주시오."

안우 장군은 서신을 받아들고 읽었다. 읽는 순간 안우 장군의 얼굴은 질려가고 있었다. 바로 적을 앞에 두고도 태연하게 적 쪽을 향하여 오줌을 갈기고는 여유 있게 자리를 뜨던 천하의 안우가 아니던가. 안우 장군을 바라보던 이방실과 김득배가 다가갔다. 질린 얼굴을 하고 있는 안우 장군에게서 서신을 빼앗아 이방실이 읽어 내려갔다. 두 사람도 얼굴이 사색이 되었다. 세 사람은 서로의 얼굴을 바라보았다.

정세운을 죽여라. 정세운은 평소에 경들을 꺼렸다. 정세운을 참하지 않으면 화를 면치 못할 것이다.

왕의 친서였다. 이를 어찌 해석해야 할지 난감했다. 실행할 수도 안 할 수도 없는 난감한 일이었다. 세 사람 모두 난감했다. 이해되지 않는 면이 많았다. 구중궁궐九重宮闕의 깊은 속내를 알 수는 없었지만, 왕은 지금 안동에 있었다. 피신해서 개경에 비하면 초가집 같은 곳에 기거하면서 보고를 받는 상황이었다. 그런데 난데없이 개경수복 작전을 시작하기 전에 파면시킨 김용의 조카를 통해 정세운을 죽이라는 밀명을 내렸다. 개경을 수복한 승리의 축배를 들어야 할 때에 작전의 최고책임자인 정세운에게 상을 주지는 못할망정 죽이라니. 그것도 김용에게 밀명을 내려 세 장수에게 정세운을 죽이라니 얼마나 어처구니없는 일인가.

"서신은 잘 받았으니 그만 돌아가시게."

안우는 김용의 조카를 돌려보냈다.

"마음을 가라앉히고 앉으시지요."

안우 장군이 마음을 가다듬으며 이방실과 김득배에게 자리를 권했다.

"어찌하면 좋겠소."

안우가 먼저 이야기를 꺼냈다.

"김용과 정세운 그리고 이승경 재상은 모두 주상의 측근에 있는 사람들입니다. 주상이 이들을 가까이하면서도 두려워하는 것을 나는 느꼈소. 무슨 일을 저지를 것만 같은 사람들이지요."

"맞아요. 정세운은 이번 전투에서도 뒤에 처져 명령만 내렸지, 몸을 사렸습니다. 그런 것들이 주상의 마음을 흔들었고, 평소 위험인물이었는데 이번 승리로 더 기고만장할 것을 두려워해서 우리에게 중대한 일을 맡긴 것이오."

이방실이 단호하게 말했다. 안우 장군도 마찬가지 생각이었다.

"그렇더라도 승리의 총책임자인 정세운을 죽이라는 것은 옳지 않소."

신중한 김득배는 두 사람의 생각에 반대했다.

"이것은 선택의 여지가 없는 것이오. 어명이란 말이오."

이방실의 목소리가 커졌다.

"그렇더라도 무언가 마음에 걸립니다. 시기도 그렇고 방법도 그렇습니다. 무언가 구린 데가 있습니다."

"무엇이 구린 데가 있다는 것이요?"

안우 장군의 목소리도 커졌다.

"왜 하필이면 승리한 전쟁의 최고책임자를 죽이라는 것입니까? 그리고 어명을 전달하는 사람이 왜 김용의 조카여야 하느냐는 것이지요. 김용은 간교한 자입니다."

"내 김 장군의 말씀이 이해는 갑니다. 그렇지만 김용은 정세운과 적대적인 관계에 있는 사람입니다. 그리고 주상의 인근에서 가장 마음을 잘 읽는 사람이기도 하고요. 그런 그가 아니면 이 일을 해결할 사람이 없는 것도 헤아려야 합니다."

"맞아요. 정세운은 나라를 간교함으로 이끌어가는 대표적인 사람입니다. 그런 그를 없앤다는 것은 고려의 사직을 보존하는 길이기도 합니다."

안우 장군과 이방실 장군은 강경했다.

"간교하기는 김용도 마찬가지지요. 정 생각이 그러하다면 정세운을 사로잡아 주상께 압송해 처분을 받는 것은 어떻습니까?"

끝까지 김득배는 신중론을 폈다.

"더 볼 것이 무엇이 있겠습니까? 어명이 증명하잖습니까? 친히 쓴 글이 보이지 않습니까?"

이방실의 말에 김득배도 더 반대할 수가 없었다. 김득배는 유학자였다. 신중했다. 김득배는 고려에서 유학에 뿌리를 두어 많은 제자와 학맥을 가지고 있었다. 정몽주도 김득배가 주관한 과거에서 급제한 사람이었다. 고려에서 그를 신망하는 사람이 많았다. 원칙을 중요하게 여겼고 아무리 급한 일이라도 도리에 어긋나서는 안 된다는 생각을 하는 사람이었다.

"그럼 어찌하시겠다는 것입니까?"

김득배가 방법을 물었다.

"그것은 우리 둘이 알아서 하겠습니다. 뒷짐만 지고 계세요."

김득배는 안우와 이방실의 강한 요구에 어쩔 수 없이 물러섰다. 그렇지만 김득배의 마음에는 일을 이렇게 처리해서는 안 된다고 생각하고 있었다.

진중은 아직도 승리의 기분에 들떠있었다. 혼란스러우면서도 승리감이 넘치는 분위기였다. 그런 분위기에 찬물을 끼얹기라도 하듯 참모들에게 비상령이 떨어졌다. 긴급 상황을 알리는 비상령이었다. 홍건적은 이미 크게 패하여 압록강 너머로 도망갔고 개경은 축제의 도가니였다. 전쟁 상황은 이미 종료되었다. 잔칫집 같은 상황에서 비상령이 발동되었다. 언뜻 이해가 가지 않는 상황이었다.

이옥은 본부로 달려갔다. 모두 와 있었다. 추측이 무성했다. 모두 긴장하고 있었다. 비상령이 떨어진 것에 얼떨떨해 있었다. 안우 장군이 들어왔다. 안우 장군의 표정은 굳어있었다.

"이렇게 긴급소집하게 된 것은 중요하고도 긴급한 상황이 생겼기 때문이다. 단호하게 말하지만 내 의견에 따르는 자는 나를 따르고, 그렇지 않은 사람은 부대로 귀환하면 된다. 판단은 전적으로 각자의 결정에 맡긴다."

안우의 목소리는 개경수복 작전 때보다도 오히려 더 긴장하고 있는 듯했다. 목소리가 떨리기까지 했다. 모두 꼼짝하지 않고 듣고 있었다.

"이번 결사는 어려운 결정이며 왕명이다. 그럼에도 결심이 필요하다. 반대하는 사람이 참여했다가 오히려 일을 그르칠 수 있기 때문에 당당하게 결정하기 바란다."

분위기가 너무 엄숙하고 비장해 중간에 질문이나 의문을 표할 수가 없었다.

"총병관 정세운을 처단하라는 어명이다."

서로 얼굴을 바라보았다. 모두 놀라워하고 있었다.

이 무슨 해괴한 일이란 말인가. 지금 정세운은 전쟁 수행의 최고 책임자인 총병관 자리에 있었다. 이는 하극상이었다. 상관에 대한 항명이었다. 어명이라고 하지만 승리한 전쟁의 총지휘관으로서 상을 받아도 부족한 판에 개선장군을 죽이라는 명을 받았다는 것은 이해가 되지 않는 일이었다. 바람 앞의 등불 같은 위기의 나라를 구했다고 축배를 들고 있는 판에 정세운을 죽이라는 것은 누가 봐도 이해가 되지 않는 상황이었다. 그것도 정상적인 절차가 아니었다. 있어서는 안 될 일이었지만 어명이라는 지엄한 분부를 어찌할 수가 없었다.

누구도 먼저 말을 꺼내지 못했다. 가장 믿고 안우의 마음을 잘 이해하는 장수들이었지만 이번 일만은 뭐라 말할 수 없었다. 적을 죽이는 일이라면 당당하고도 패기 있게 나설 일이지만 이는 조직 자체의 하극상이나 항명으로 보일 수 있는 상황이었기 때문이었다. 물론 왕명일 경우 하극상이나 항명은 아니었다. 하지만, 오늘까지도 명령을 하달 받았던 상관을 죽이러 간다는 것은 있을 수 없는 일이었다. 무엇을 특별히 잘못했거나 역모를 도모했다면 모르지만 지금 상황으로서는 나서기도 물러서기도 어려웠다.

"형부에서 할 일을 저희가 해야 하는 이유라도 있습니까?"

이 자리에서 막내인 이옥이 물었다.

"상황이 급박하다. 주상께서 긴급을 요하는 바라 직접 칙서를 써서 내려 보냈다. 그 깊은 심중은 나도 모른다. 나는 신하 된 도리로 따를 뿐이다. 따를 자는 이 자리에 남아라. 그렇지 않은 사람은 이 자리에서 나가도 좋다."

서로의 얼굴만 바라볼 뿐 행동을 결정하지 못하고 있었다. 이옥은 일어나 밖으로 나왔다. 무언가 마음에 걸리는 것이 있었다. 마음이 내키지 않았다. 안우 장군에 대한 믿음이 부족해서가 아니라 군인으로서의 도리가 아니라고 생각했다. 더구나 정상적인 형 집행이 아니었다. 아무리 긴급을 요하는 것이라고 해도 승리한 장수를 그리 죽일 수는 없는 것이다. 더구나 지휘를 받던 사람에게 상관을 처단하라는 명령은 가혹했다.

이옥은 노인의 말을 다시 떠올렸다. 떠올렸다기보다는 어려운 일을 당하면 노인이 떠올랐다. 세상이 아무리 못 믿을 것이라고 하지만 지금 상황은 잘못되어가고 있었다. '사내는 가슴을 조국에 묻어야 한다.'는 말이 머릿속을 맴돌았다. 어찌해야 이런 상황에 가슴을 조국에 묻을 수 있는 것인가? 승리의 분위기가 고조되어야 할 마당에 죽음의 피가 튀게 하는 것은 과연 누구인가?

정세운, 그는 얼마 전 아버지를 살해하기 위해 담을 넘었던 자객을 보낸 사람이라는 심증이 있었던 사람이었다. 그럼에도 이옥은 자리를 박차고 나왔다. 마음이 답답했다. 칼의 방향은 적에게 향해야 한다. 어찌 승리한 전쟁에서 상관의 피를 부르는 일을 계획하고 있는가. 환희와 축제의 장이 되어야 할 순간에 피의 축제가 기다리고 있었다.

이옥은 중랑장 성사빈을 불렀다. 상황을 설명했다. 자신이 참가하지 않는 마음도 전했다.

"나는 참가하지 않기로 했다. 이해해 주리라 믿는다."

"잘하셨습니다."

성사빈은 짧게 답했다.

"그 마음을 안다. 하지만 너는 선택의 권리가 없다. 이번 출병에 이유를 댈 수 있는 위치가 아니다. 장군들에게만 그 자리에서 선택권을 주었기 때문이다."

"군인이 된 것에 슬픔이 생깁니다. 나라를 위한 일이라는 생각이 들지 않습니다."

"이해한다. 하지만 명령을 어길 수 없는 것이 군인의 길이다. 무슨 일이 있거든 연락해라."

"어디를 가시게요?"

"어디를 가는 것이 아니라 이곳에 나 혼자 남아서 무엇 하느냐. 연락을 다오. 이곳이 내가 있을 듯한 곳이다."

이옥은 있을 곳을 적은 쪽지를 성사빈에게 건네주었다.

성사빈의 얼굴은 어두웠다. 구국의 길로 군인의 길을 선택한 자신이 원망스럽기까지 했다.

"안우 장군을 잘 보살펴 드려라. 이 나라에 그만한 분도 없다."

"예. 저도 압니다. 남자 중의 남자지요."

14

방황 속에서 다시 노인을 찾아가다

길이 많다는 것은 길이 없는 것과 별다르지 않았다

부대가 출병하고 혼자 남았다. 이옥은 자신에게 이번에 출병하지 않은 것은 용기라고 위로하고 있었지만, 어둠 속에 혼자 버려진 느낌이었다. 이옥이 이곳에 혼자 남아있는 것 자체가 탈영인 셈이나 마찬가지였다. 부대가 모두 옮겨간 마당에 주력부대가 이동한 그곳이 군영이었기 때문이었다. 선택할 수 있는 권한을 받아서 남았지만 어떠한 영향이 자신에게 주어질지 예측할 수 없었다. 모두가 떠나간 군영지는 허전했다. 충신과 역적은 무엇인가? 나라를 위하는 일과 왕을 위한 마음이 다를 때 어느 것이 충인가? 왕의 뜻과 다른 길을 가는 것은 충이 아니라고 교육을 받아왔다. 왕이 곧 나라님이었기 때문이었다. 마음의 갈피를 잡지 못하고 군영지를 오갔다. 기울어가는 석양의 중심을 새떼가 날아갔다. 노을은 더없이 아름다웠고 하늘은 새떼를 데리고 평화로웠다.

이곳 군영지는 전쟁을 수행하면서 임시로 마련된 곳이었다. 이곳에서 출병한 부대가 다시 이곳으로 돌아오리라는 법이 없었다. 어떤 보장도 없는 상황이었다. 쓸쓸한 마음만 가득했다. 자신 혼자만 참여하지 않았다. 왕명을 수행하러 간 그들은 정당한 것인가? 소신이라며 출병에 참여하지 않은 것이 정당한 것인가? 답이 보이지 않았다.

이옥은 말에 올라탔다. 그리고 달렸다. 어디를 가는 것이 아니라 끝없이 달리고 싶었다. 말도 달리고 싶었는지 힘차게 땅을 차며 달렸다. 산을 넘고 내를 건너 달려갔다. 사내로 태어나서 나라 위해 살아보겠다고 다짐했었다. 목숨을 걸어놓고 국가와 민족을 위하여 사는 길을 흔들리지 않고 살아보고자 했다. 세상은 간단하지 않았다. 마음이 가는 방향대로, 소신 대로 사는 것이 벽에 부딪혔다.

이옥은 자신도 모르게 자신을 구해주었던 노인이 있는 곳으로 달리고 있었다. 딱히 갈 곳도 없었지만, 다시 그곳으로 가고 있는 자신을 보고 이래서는 안 되는데 하면서 그곳으로 달려가고 있었다. 이런 어찌할 수 없는 상황을 만나서 누구와도 상의할 곳이 없는 자신이 부끄러웠다. 아버지 이춘부는 안동에 내려가 있었다. 그곳으로 가는 것은 여러 가지로 이치에 맞지 않은 행동이었다. 왕명을 수행해야 할 부대에 속해있는 자신이 부대에서 이탈해 안동으로 가는 형국이었다. 그리고 이 일은 극히 은밀한 일이어서 아버지도 모를 가능성이 높았다. 왕의 마음은 일관성이 없었다. 의심과 변덕이 심했다. 누구도 믿지 못하고 마음을 주었던 사람을 금세 날카로운 눈으로 의심하고 그를 죽였다. 어린 소녀의 마음처럼 여리고 감성적이다가도 야성의 늑대로 변했다. 그리고는 상대를 물어뜯었다. 예측이 어려웠다. 벌써 그렇게 죽은 사람이 여럿이었다.

하늘만 보이는 어둠 속에서 이옥은 말을 타고 가고 있었다. 더 견딜 수 없는 상황이 되어서야 주저앉듯이 말에서 굴러떨어지듯 내려왔다. 온몸은 땀으로 범벅이 되었다. 말도 힘 드는지 꿈적하지 않았다. 발에 힘이 없어 풀밭에 주저앉았다. 하늘을 보고 누우니 그래도 살만했다. 자신의 육체를 혹독하게 굴리고 난 후 기분은 그래도 나아졌다. 감았던 눈을 뜨니 하늘의 별들이 눈에 가득 들어왔다. 마음이 가라앉았다.

이옥은 바로 잠이 들었다. 얼마를 자고 일어났는지 알 수가 없었다. 추위가 온몸을 기습하자 깼다. 말은 옆에 그대로 서 있었다. 추운 몸을 일으켜 다시 말에 올라탔다. 길이 많다는 것은 길이 없는 것과 별다르지 않았다. 지금 세상은 예측할 수 없는 일들로 넘치고 있었다.

아침이 한참 지나서야 노인의 집에 도착했다. 여전히 평화로웠다. 세상과 담이라도 쌓고 사는 곳 같았다. 매번 올 때마다 느끼는 일이었지만 어찌 한 나라에서 이리도 다른 풍경을 만들어낼 수 있는 것일까 싶었다. 밭은 한 겨울철이라 텅 비었지만, 밭이랑은 여전히 두툼하게 올라와 있었다. 작은 논이지만 계단을 따라 만들어 놓은 논에는 벼를 베고 남은 밑동이 눈에 덮여 있었다. 전쟁도 이곳을 비껴갔고, 서로 경쟁하고 다투면서 살아가는 세상살이도 이곳에서는 잦아드는 듯했다. 세상과 등지고 살아가는 것이 도피라고 생각했던 때가 있었다. 그러나 지금 이곳의 이 평화로운 모습을 보면서 이옥은 삶의 의미에 대해 생각했다. 남아가 태어나 뜻을 세우고, 떨쳐 일어나 나라를 이끌어가는 입신양명이 최고의 길이라고 생각해왔던 것들이 이곳에서는 무너졌다.

"도움을 받으러 왔습니다."

이옥은 추위를 피해 안으로 들어서자마자 노인에게 말했다.

"무엇이 그리 급한가? 일단은 편히 앉기나 하게."

노인은 앉으며 말했다. 꽃지는 먹을거리를 준비하느라 부엌에 있었다. 부엌에서 덜거덕거리는 소리가 들렸다.

이옥은 그동안 있었던 이야기를 노인에게 자세하게 설명했다.

"충忠이란 가운데 중中자와 마음 심心자가 만나서 이루어진 글자네. 중심된 마음, 즉 세상의 모든 것들 가운데 흔들리지 않는 마음의 중심을 말하고 있는 글자지. 우주의 중심은 어디에 있는지 아는가?"

"…?"

"언제나 중심은 나 자신 안에 있어야 하네. 그 중심이 바깥에 있으면 그 사람은 살아있는 사람이라고 할 수 없다네."

"…?"

이옥은 달리 토를 달수가 없었다.

"모든 중심은 마음 안에 두고 살아야 하지. 살아있는 생명 그 자체에 중심을 세워야 하네."

이옥은 노인을 만날 때마다 시험 보는 학생이 된 기분이었다. 노인의 예측하기 어려운 이야기가 그랬고 그 깊이를 가늠하기가 어려워서이었다.

"자네가 알고 싶은 것에서 벗어났네만 내 생각을 이야기하겠네."

"예. 말씀해 주십시오."

"원래 충이란 말이 '중심된 마음'이고 그 중심은 자신의 마음 안에 두어야 한다고 하지 않았나?"

"예. 그렇습니다."

"한데 이 충이 유교의 효의 원리와 만나면서 충을 행함을 군주에게 충성하는 것으로 변질시켰지. 충은 곧, 왕에게 충성하는 것으로 만들었지. 왕이 곧 나라라고 교육을 시켰네."

"누가요?"

"위정자, 즉 왕권이겠지. 그리고 한 부류는 권력의 혜택을 받는 사람들일 테고."

"혜택을 받는 사람이라면?"

"충신과 간신 모두겠지. 모두가 같은 무리지. 그것은 자네가 생각해보면 알 것이고, 왕을 위한 마음이 충성이라고 하지만 나는 아니라고 보는 사람이네. 군주는 백성 위에 있는 것이 아닐 뿐만 아니라 충은 왕을 따르는 것이 아니라 백성의 뜻을 따르는 것이 진정한 충이네. 한 나라의 주체는 백성이고, 땅일세."

이옥은 듣고만 있었다. 충신과 간신 모두를 하나로 보고 이야기하는 발상부터가 남달랐다. 상당히 도발적이고도 위험한 생각이었다. 이런 말을 저잣거리에서 하다가 누군가에게 밀고라도 당하면 어찌 될지 모를 일이었다.

"그럼 백성의 뜻과 군주의 뜻이 다르다면 어찌해야 합니까?"

"군주는 쓰임일 뿐이지. 용用일 뿐이네."

"용이라니요?"

"이 세상의 쓰임일 뿐이지, 주체가 아니라는 것이네. 백성이 주체로서 존재하니 그 백성들을 위한 쓰임일 뿐이라는 것이네."

"!?"

놀랍기도 하고 두려운 생각을 하는 노인이었다. 그런데도 그 사상이 틀렸다고 할 수는 없었다. 이옥도 그 말이 가진 파괴력을 알고 있었다. 그리고 백성이 먼저지, 군주가 먼저일 수는 없음을 느꼈다. 그렇다면 지금 자신은 어떻게 처신해야 하는가를 생각했다.

이옥은 마음으로 다짐했다. 한동안 이곳에 머무르고 싶었다. 내 길을 제대로 찾아갈 수 있는 시간을 가지고 싶었다. 이번에 노인을 세 번째 만나는 것임에도 늘 새로운 것을 발견할 수 있었다. 이옥에게는 신세계를 만나는 통로였고 이제껏 겪어보지 못한 사람과의 만남이었다. 노인이 허락만 해 준다면 머물면서 새로운 출발의 계기가 되고 싶었다. 진정 그러고 싶었다. 지난번에 방문했을 때 제자 되기를 청한 바도 있었다. 그때 노인은 자신은 제자를 두지 않는다고 거절했지만, 다시 청하고 싶었다. 이옥은 지난번 거절당했던 것이 생각나서 조심스러웠다. 생명을 구해주었을 때도 큰일을 하는 사람은 사사로운 일로 한곳에 오래 머물면 안 된다며 쫓아버리듯 했었다.

꽃지가 밥상을 가지고 방으로 들어왔다.

"힘들어 보이니 밥을 들고 나서, 가서 쉬게."

"예. 이렇게 맞아주시니 고맙습니다."

"맞아 주고 말고가 어디 있나? 이렇게 만난 것도 인연인데 인연을 잘 거두어야지."

"많이 드세요. 오라버니."

이옥은 잊어버렸던 오라버니라는 말에 귀가 쫑긋했다.

고마웠다. 힘이 들 때마다 노인이 생각나기도 했지만 꽃지가 보고 싶었다. 티 없이 맑은 꽃지를 보면 어두운 마음이 풀렸다.

이옥은 밥상을 받고도 입맛이 없었다. 몸도 개운한 편이 아니었다. 그래도 이옥은 꽃지가 차려준 밥상이라 많이 먹으려 했다.

"찬이 마음에 안 드시나 봐요?"

"아니야. 맛있어. 몸이 좀 안 좋아서 그래."

찬이 없어서 그러느냐는 말에 이옥은 반색을 하며 고개를 저었다.

"그럼 드시고 얼른 쉬세요."

"그래. 고마워. 갑자기 들러서 신세만 지고, 미안해."

"아니에요. 저는 오라버니를 보면 힘이 나는걸요."

오누이가 다정하게 이야기를 하는 듯했다. 노인은 이옥과 꽃지가 주고받는 말을 들으며 좌정하고 둘을 바라보았다. 말수가 많은 편은 아니었지만, 노인이 입을 열면 폭포수 같았다. 도인 같았다. 노인은 이 세상에 대해서 그리 너그러운 시선을 가진 사람은 아니었다. 백성에 대해서는 무게를 두었지만, 백성 위에 군림하고 있는 왕을 정점으로 한 유교적인 체계에 반감을 품고 있었다.

"이렇게 늦게 소식도 없이 어쩐 일이세요?"

"응, 일이 생겨서. 갑자기 어르신 말씀을 듣고 싶어서…"

"무슨 일이요?"

"사람과 사람이 싸우는 일."

"사람끼리 싸우는 일이요?"

"그래."

둘의 이야기를 듣고 있던 노인이 말을 끊었다.

"꽃지야. 나가서 고구마하고 칼이나 가져오너라."
"예."
꽃지는 순순히 부엌으로 나갔다.
"어찌할 셈인가?"
노인은 직접적으로 물었다.
"지금으로서는 어떻게 해야 할지 난감합니다."
"이렇게 하게."
"어떻게요?"
"얼마간은 여기 머물다 내려가게. 상황이 심상치 않네. 가장 무서운 것 중 하나가 내분이지. 내분은 어느 쪽에도 들어가지 않는 것이 좋네. 어떤 결과가 와도 상처만 만들 뿐이지."
"고맙습니다."
꽃지가 고구마와 칼을 가지고 들어왔다.
"뭐가 고맙다는 거예요?"
꽃지가 소쿠리에 든 고구마와 칼을 내려놓았다.
노인은 고구마를 들어 칼로 깎았다. 익숙한 솜씨였다. 고구마를 깎아 이옥에게 건네주었다.
"밥맛이 없나 본데 고구마라도 들게."
"저는 이곳에 오면 마음이 편해집니다. 마치 제가 자란 곳 같기도 하고요."
이옥은 진심이었다. 이곳에 오면 새로운 평화를 만나는 기분이었다.
"그렇게 생각해 주면 고맙네. 얼마간은 쉬다 가게. 소나기는 피해

가야지.”

“무슨 일이 있기에 소나기를 피해가란 말씀이세요?”

“하극상이란다.”

“하극상이라니요?”

“우리는 모르고 있는데 전쟁이 났다는구나. 벌써 끝났고.”

“전쟁이라고요! 저희만 세상 모르고 살고 있나 봐요?”

“그렇구나. 그 와중에 상관을 죽이라는 명령을 받았다는구나.”

“어찌 그럴 수 있어요?”

꽃지의 목소리가 커졌다.

“글쎄다. 그것이 세상이지. 자네는 한 보름 정도 묵었다 군영을 다녀오게나. 탈영이 되어서는 안 되지.”

“예. 알았습니다.”

“그럼 오늘은 쉬고 내일 사냥을 하러 가세.”

“예? 사냥은 하지 않으시잖아요.”

이옥이 되물었다.

“안 하지. 하지만 내일을 특별한 날로 잡고 멧돼지나 잡으러 가자고.”

아침이 되자 준비를 하고 나섰다. 나뭇잎이 떨어진 숲은 휑하니 열려 있었다. 누렇게 변색한 풀과 나무들이 쓸쓸했지만 세 사람의 말 모는 소리는 활기찼다. 이옥은 숙면을 취하고 나서 활기를 찾았다. 침체되었던 마음은 언제였던가 싶게 힘이 솟았다.

“오늘은 얼굴이 좋은데.”

“예. 아주 상쾌합니다.”

노인의 말에 이옥이 답했다.

"정말로 이뻐졌어요."

꽃지도 이옥을 바라보며 귀엽다는 듯 한마디 했다.

"오라버니를 놀리냐?"

"놀리기는요. 이뻐졌다니까?"

"남자가 이쁘면 되겠냐?"

이옥의 반문에 꽃지의 얼굴에 환하게 꽃이 폈다.

말의 몸을 풀어주기 위하여 들판을 천천히 달렸다. 아침을 깨우는 말발굽 소리가 경쾌했다. 이옥은 모처럼 충만한 마음이었다. 마음속에 햇빛이 드는 기분이었다. 차가웠던 마음에 얼음이 녹고 졸졸졸 거리며 시냇물이 흐르는 듯했다. 이옥은 맑은 기분으로 숲을 달렸다.

노인의 인도로 숲으로 들어갔다. 멧돼지와 늑대가 자주 나타나는 곳이었다. 오늘의 목표는 멧돼지였다. 실한 놈 한 놈 잡아서 잔치를 열 생각이었다. 노인은 사냥을 그만둔 지 오래되었다. 오늘은 이옥을 위하여 접어 두었던 사냥을 하는 특별한 날이었다. 골짜기를 타고 들어가다 말에서 내려 활을 챙겨 들었다. 허리에는 칼을 하나씩 찼다. 노인과 꽃지가 짝을 이루고 이옥은 다른 편을 택해서 말을 타고 올라갔다. 산은 따로 타고 올라가지만, 골짜기가 끝나는 곳에서 만나기로 했다. 멧돼지 똥과 늑대의 똥이 발견되었다. 곳곳에는 토끼 똥도 발견되었다.

멧돼지의 발자국을 찾아 올라가는 노인의 눈매는 날카로웠다. 노인과 꽃지는 손짓으로 말을 대신하며 멧돼지가 있는 곳을 조여 들어갔다. 노인의 판단은 예리했다. 꽃지도 아버지를 따라 자주 다녀

이제는 아버지 못지 않은 판단력을 가졌다. 콧등을 스치는 바람이 날카로웠다.

노인이 멈칫 몸을 낮추며 꽃지에게 서라는 손짓을 보내왔다. 시야에 멧돼지가 들어왔다는 표시였다. 멧돼지는 냄새를 잘 맡아 사람의 출현을 금세 알아채곤 했다. 그리고 저돌적으로 사람에게 달려들기도 해 조심해야 했다. 노인은 화살을 꺼내 걸었다. 그와 동시에 활시위를 당기더니 화살을 날렸다. 정확하게 멧돼지의 목 부분을 맞혔다. 목을 맞춰 숨통을 끊어 놓는 것이 가장 쉽게 죽이는 방법이기도 했고 그 자리에서 즉사해야 이차로 쫓아가야 하는 번거로움도 없었다. 멧돼지는 몇 번 날뛰더니 그 자리에 쓰러졌다. 노인의 활 솜씨는 일품이었다. 꽃지는 아버지가 실패할 경우 쏘려고 화살을 걸었던 것을 다시 집어넣었다. 그리고 멧돼지가 쓰러진 곳으로 노인을 따라 달려갔다.

"오라버니!"

꽃지가 이옥을 찾았다.

조금 떨어진 곳에서 이옥이 바로 달려왔다.

"벌써 끝내셨군요."

"그래. 운이 좋았네."

그리 큰 놈은 아니었지만 제법 무게가 나가는 놈이었다.

15

안우 장군의 죽음에 세상과 등지다

중심을 사람에게 두고 삶에 임하게. 그러면 갈 길이 보일 걸세

이옥은 몸과 마음이 이곳에 적응되어 가고 있었다. 산촌은 겨울에는 더없이 적막했다. 사람을 구경할 수 없었다. 사람 속에서 살아온 이옥이었다. 군율에 따라 움직이는 생활에 젖어있었다. 함께 훈련하고 뛰고 달리고 궁술을 익혔다. 아침 기상에서부터 저녁 잠자리에 들기까지 모든 일이 꽉 짜여 시간표에 의해 움직이는 생활이었는데 이곳의 생활은 모든 시간이 정지한 듯 조용했다.

정해진 시간에 일어나고 정해진 시간에 식사하고 정해진 훈련을 받았다. 밤이 오면 경계 근무에 들어갔다. 취침 시간도 정해져 있었다. 이옥이 이곳에 와서는 모든 것이 달라졌다. 누구의 간섭도 의무사항도 없었다. 알아서 일어나고 알아서 하고 싶은 일을 해야 했다.

꽂지와 물을 긷고 가끔 말을 씻기기도 했다. 때론 말을 타고 달렸다.

너무나 신나는 일이었다. 아무런 목적도 없이 말을 타고 꽃지와 달리는 일은 살아있음을 확인하는 통쾌한 일이었다. 꽃지는 말도 잘 탔다. 거의 수준급이었다. 꽃지와 말을 타고 달리면 이옥도 최선을 다해야 겨우 앞질러 갈 수 있었다. 말을 달리면 꽃지의 머리카락은 바람을 타고 날렸다. 말을 타고 한참을 달리다 숨을 고르느라 천천히 벌판을 걸었다.

"오라버니."

"응."

"개경은 어때요?"

"뭐가?"

"사람이 아주 많다면서요?"

"많지. 그것도 아주 많아."

"저도 그곳에 가보고 싶어요."

"그렇구나. 한 번도 못 가보았구나."

"네. 집도 아주 많다면서요. 궁궐도 보고 싶어요."

"그럼. 내가 개경으로 데려다줄게."

"정말요?"

"그럼. 정말이지. 그곳에서 일자리를 구해서 살면 어떨까?"

"너무 좋아요."

꽃지는 너무 좋아서 손뼉을 치며 웃음을 얼굴 가득 담았다.

"그럼. 아버지는 어떻게 하지요?"

좋아서 얼굴이 환해졌다가 금세 어두워졌다.

"아버지도 같이 가시면 되지."

"아버지는 안 가실 거예요."

"왜?"

"언젠가 사람들이 찾아왔던 적이 있었어요. 궁벽한 곳에서 살지 말고 큰 곳으로 나가자고요."

"그런데?"

이옥은 그 이유가 궁금했다.

"안 가셨지요."

"왜?"

"약초나 캐면서 한적하게 사는 것이 꿈이라고 하셨어요."

"오셨던 분들은 어떤 분들인데?"

"전쟁에 함께 참전하셨던 분들이라고 하셨어요."

"그럼. 무관이셨단 말인가?"

"확실히는 모르겠는데, 아버지는 무관이셨나 봐요. 거기에 대해서는 좀체 말씀하지 않으시지요."

"활도 그때 쏘셨나 보군."

"예. 그럴 거예요."

"자. 이제 돌아가자."

"그래요. 너무 많이 왔어요. 저하고 달리기 시합을 할까요?"

"좋지. 자, 출발!"

둘은 전속력으로 달렸다. 말발굽 소리가 벌판을 진동했다.

이옥이 보름을 예정하고 있던 것이 벌써 이십여 일이 지나가고 있었다. 이옥은 출병했던 일이 점점 궁금해졌다. 그렇다고 나가기도 어려웠다. 상황이 어떻게 진행되고 있는지를 확인할 길이 없었다.

상황에 따라 역적이 되기도 하고, 충신이 될 수도 있는 상황이었다. 예측할 수 없는 상황이 전개될 수 있었다.

집으로 향해 꽃지와 달리는 기분이 여간 흐뭇하지 않았다. 차가운 바람이 거칠게 두 사람을 훑고 지나갔다. 마른 들판을 달려 먼지가 뽀얗게 일어났다. 두 사람이 달려가는 길을 가로질러 가는 말이 있었다. 달리던 말이 두 말이 질주하는 모습을 보고는 서서 기다렸다. 서 있는 말에 가까워져 보니 이옥이 아는 사람이었다. 중랑장 성사빈이었다.

두 사람은 서로를 알아보고는 다가갔다.

"여기 계셨군요?"

반기며 성사빈이 다가왔다.

"그래 여기까지 어쩐 일인가?"

이옥도 반가움에 다가갔다.

꽃지는 지나가며,

"이따 봐요."

소리치고는 집으로 달려갔다.

"그래, 곧 갈게."

이옥은 꽃지에게 손을 흔들어 답하고는 성사빈에게 다가갔다. 손을 내밀었다. 성사빈의 손아귀를 쥐는 힘이 강하게 느껴졌다. 강한 유대감을 나타내는 힘으로 느껴졌다.

성사빈의 얼굴은 초췌했다. 얼굴은 야위었고 까맣게 그을어 있었다. 홍건적이 점령하고 있는 개경수복 전투에서도 이렇게 초췌하지 않았었다. 불길한 예감이 들었다.

"안색이 왜 그리 안 좋은가?"

"그럴 일이 있었습니다."

"무슨 일인가?"

"도저히 일어날 수 없는 일이 일어났습니다. 서로 죽이고 죽이는 살육의 현장에서 겨우 살아 돌아왔습니다."

"도대체 무슨 일인가?"

"총병관 정세운을 잡으러 가기 위해 출병하지 않았습니까?"

"그랬지."

"안우 장군의 명령으로 정세운을 그 자리에서 사살했습니다."

이옥은 아무 말 없이 듣고만 있었다.

"저희는 무슨 영문도 모르고 명령에 따랐을 뿐입니다. 어명이라고 했으니 의혹도 없었고요."

성사빈은 이야기를 하면서 얼굴이 일그러졌다. 다시 떠올리고 싶지 않은 듯했다. 만감이 교차하고 있는 것을 한눈에 알아볼 수 있었다.

"김용의 술책인지, 주상의 마음인지 알 길이 없지만, 상황이 이상하게 만들어지고 있습니다."

"어떻게?"

"안우 장군이 돌아가셨습니다."

"아니, 그게 무슨 말인가?"

"저도 도대체 어찌 돌아가고 있는 것인지 알 길이 없습니다."

"그게 무슨 말인가 현장에 있지 않았는가?"

"있었지요. 안우 장군이 김용에게 당했습니다."

이해가 되지 않는 부분이었다. 성사빈이 세상이 이상하게 되어가고 있다는 말에서 눈치 챌 수 있었지만 정확한 상황파악은 어려웠다. 더구나 이해 가지 않는 부분은 김용이 보내온 주상의 뜻이라는 친서대로 안우 장군과 이방실, 김득배 장군이 정세운을 처단하였는데, 바로 그 김용이 안우 장군을 죽이다니. 알 수가 없었다. 안우 장군은 비교적 정치색이 적은 무장이었다. 안우 장군은 전장에서만 살아왔고 이번 개경수복 전투에서 가장 큰 상을 받아야 할 사람이었다. 총병관 정세운이 있지만, 직접 전장에서 싸운 것은 아니었고 안우 장군은 현장 지휘관이었다. 그런 안우 장군을 죽이다니 정말 알 수 없는 일이었다. 김용이 어명이라며 정세운을 죽이라고 해서 그 일을 수행한 사람을 다시 죽이는 일이 발생하다니. 어이없는 일이었다.

"좀 더 자세히 말해 보아라."

이옥은 머리 회전을 하려 했지만, 답이 보이지 않았다.

"저도 여기 살아온 것만 해도 천운입니다. 그리고 지금도 그때 상황을 생각하면 치가 떨립니다."

"…"

"저희는 안우 장군의 지시에 따라 정세운을 처단했습니다. 한데 이상한 것은 주상전하로부터 사면령이 떨어진 것입니다."

"사면령이라니?"

"총병관 정세운에 대한 사면령이지요."

"어명을 수행했던 것이 아니냐?"

"맞습니다. 어명으로 알고 정세운을 처단한 것이었지요."

"… 한데?"

"이상하게도 우리가 도착하기 직전에 전하로부터 사면령이 떨어졌습니다."

"그렇다면 정세운을 죽인 것을 감추려는 의도가 아닐까?"

"그것도 이해할 수가 없습니다."

설명하는 사람이 상황을 정확히 파악하고 있지 못하니 말을 전해 듣는 이옥은 더 답답했다. 이러한 일이 일어나고 있는 핵심을 파악할 수가 없었다. 이옥은 더욱 궁금했다.

"그럼 또 무엇이란 말이냐? 알고 있는 것을 다 이야기 해 보거라."

"그리고 더욱 해괴한 것은 총병관 정세운을 처단하고 전하를 배알하러 가는 중에 안우 장군을 비롯한 삼원수에게 의복과 술이 하사되었습니다."

"그야. 승전에 대한 치하나 정세운을 처단한 것에 대한 치하가 아니겠느냐?"

"일의 전개상 이해가 안 가는 부분이 있습니다."

"그렇다면 안우 장군의 죽음에 전하의 뜻이 담겨있다는 말이 아니더냐?"

"그렇습니다."

성사빈은 그때가 생각이 나서 견디기 힘든지 뜸을 들이다 말했다.

"저희는 명령에 따를 뿐이었고 수행하는 입장이어서 깊은 내막까지는 모르겠지만 이상한 느낌을 여러 곳에서 감지할 수 있었습니다. 우선 전하께서 임시로 머무는 행궁으로 오라는 명을 받고 가던 길에 시중 유탁이 마중을 나왔습니다. 경상도 함창현이었지요. 하사한 술을 마시는데 시중 유탁이 삼원수에게 무릎을 꿇고는 술을 올렸습니다. 그리고 삼원수에게 술을 서서 받아 마실 것을 요청했습니다.

그러면서 눈물을 흘렸습니다."

이옥은 이해가 가지 않았다. 나라를 구한 사람이라는 뜻으로 서서 마시게 했다고는 하지만 주상이 직접 내리는 술을 서서 마시게 할 수는 없는 것이다. 직접 왕이 따라주면서 고마운 마음에 그리할 수는 있지만, 대리인인 시중 유탁으로서는 감히 행할 수 없는 일이었다. 더구나 왕권의 회복에 대한 관심과 노력이 큰 이때, 잘못했다가는 도전으로 받아들여져 목숨을 잃을 수도 있는 일이었다. 왕이 하사한 술을 신하 된 사람에게 따르면서 무릎을 꿇고 따랐다는 것도 있을 수 없는 일이었다. 신하가 왕이 하사한 술을 서서 마신다는 것은 더구나 있을 수 없는 일이었다.

"그때는 몰랐는데 지금은 어렴풋이 이해가 갑니다. 서서 마시라고 한 것이나 눈물의 의미가 그렇습니다."

이옥은 말을 끊지 않고 들었다.

"저희가 삼원수, 안우 장군과 이방실, 김득배 장군을 모시고 행궁에 도착하자 그들이 안내했습니다. 저희는 따라가는 입장이었고. 중문을 들어서자 김용의 지시에 의해 명령이 떨어졌습니다. '안우의 머리를 내리치라!'"

"…!"

순간 이옥은 섬뜩한 기분이 들었다. 이야기를 전해 들으면서도 몸에 소름이 끼쳤다.

성사빈도 그때를 이야기하며 몸을 부르르 떨었다.

"김용 수하의 장수들이 안우 장군의 주위를 둘러쌌습니다. 우리는 졸지에 당한 일이고 무기는 전하를 만나러 가는 길이라 모두 내려놓고 갔습니다. 안우 장군은 그렇게 당하셨습니다."

이옥은 말을 잃었다. 어떤 말도 할 수가 없었다.

"안우 장군은 평소의 그답게 아주 태연하게 받아들였습니다. 그 급박한 상황에서도 주머니에 든 것을 두드리며 주머니 속의 문서를 주상 전하께 전해 드린 후에 떳떳이 죽음을 받아들이겠다고 하셨습니다. 그러나 무시하였고 바로 철퇴를 맞았습니다. 순간 아수라장이 되었고 저희는 어떻게 그 자리를 빠져나왔는지 알 수가 없습니다."

무어라 말할 수 없는 슬픔이 밀려왔다. 사내 중의 사내라는 안우 장군이 그렇게 가다니. 나라를 살린 사람을 그렇게 죽음으로 몰다니. 이유가 어찌 되었든 나라를 구한 사람들을 죽이는 세력의 의도는 무엇인가. 가슴이 답답했다. 안우 장군이 죽음 직전에 주머니에 있는 것을 왕에게 전하고 죽겠다는 것은 정세운을 처단하라는 밀령을 담은 친서를 왕에게 전달하고자 한 것이었다. 안우 장군이 죽임을 당한 곳은 왕이 있는 바로 거처 입구였다. 중문을 지났으니 하나의 문만 지나면 바로 왕이 있었다. 왕이 모를 리 없을 것이다. 더구나 소리만 쳐도 들리는 가까운 곳에서 사살할 수 있다는 것은 왕의 명령이 아니라면 있을 수 없는 일이었다. 더구나 승전의 장수를 죽인다는 것은 역모에 해당할 죄를 짓고 있는 것이었다. 죽이고 죽이는 참극의 현장이었다.

"그리고 더 참을 수 없는 건 그때 뒤처져 있다가 살아난 이방실과 김득배 장군을 잡는 자에게는 두 계급을 특진시켜 준다는 포고문이 여기저기 붙었다는 것입니다."

그렇다면 이 모든 일은 왕의 계획에서 나왔다는 말인가. 나라가 바람 앞의 등불 같은 처지에 있는 것을 목숨 걸고 싸워 위기에서 구해놓은 사람들을 죽이는 이유가 무엇일까. 헤아리기 힘들었다. 성사빈이 그때는 몰랐는데 지금은 어렴풋이 이해가 간다는 말이 떠올랐다. 왕이 보낸 시중 유탁이 왕이 하사한 술을 삼원수가 서서 받으라 한 것은 나라를 구한 고마움을 진정으로 표현한 것이었고, 그의 눈물은 이들의 죽음을 알고 안타까운 마음에 흘린 눈물이란 말인가. 시중이라면 이 나라에서 왕을 제외한 다음의 권력자가 아닌가. 그리고 왕과 가장 가까이서 정사를 논의하는 사람이 아니던가. 왕의 직접적인 지시를 받고 술과 의복을 들고 맞이하러 온 것이었다. 직접 따라주고 옷을 하사해도 될 것을 굳이 시중을 통해 전한 이유는 무엇인가.

나라를 구한 삼원수를 자신이 직접 처단하는 것은 옳지 않았고, 백성과 다른 신하들 앞에 두려운 일이었을 것이다. 그리고 인간적인 도리로 고마움은 전하고 싶었을 것이다. 그것을 시중에게 간곡히 부탁해서 무릎을 꿇고 삼원수에게 술을 따르도록 했고, 옷도 전해주었을 것이었다. 고마운 삼원수를 죽이는 마음도 갈등이 있었을 것이다. 이렇게 생각하자 이옥은 안우 장군의 죽음과 전후에 있었던 일들이 아귀가 맞는 것 같았다. 사람의 길은 어느 길이 가장 정당한 길인가. 어느 것이 옳고 어느 것이 틀린단 말인가. 이럴 때 자신은 어찌해야 하는가 막막하기만 했다.

이옥은 노인의 말이 떠올랐다. '백성의 뜻과 군주의 뜻이 다르다면 어찌해야 합니까?'라는 물음에 '군주는 쓰임일 뿐이지'라고 답했었다. 백성이 주체로서 존재하니 왕은 백성들을 위한 쓰임일 뿐이라고 했다.

지금 이 나라는 원나라로부터 백 년에 가까운 지배를 받으며 살아왔다. 이제 겨우 원의 간섭을 뿌리쳤고 홍건적을 물리쳤다. 왕권을 찾아서 나라의 기틀을 다시 마련하는 중대한 기로에 놓여 있었다. 나라를 살린 공신과 함께 가기에는 왕권이 도전을 받는다고 생각한 것인가. 그래서 가장 측근에 두었던 정세운을 죽이도록 삼원수를 부추기고, 삼원수를 죽이고 나서는 일을 추진한 사람을 죽이지 않을까. 이 일을 행동으로 추진한 사람은 김용이었다. 그렇다면 이 비밀을 알고 있는 김용도 곧 죽임을 당할 것인가.

이옥은 골똘히 생각하다가 머리를 흔들었다. 아찔했다. 끝없는 죽음의 연결고리가 떠올랐다. 지금 왕의 측근에서 개혁을 추진하는 데 앞장서고 있는 아버지 이춘부가 떠올랐다. 죽음을 각오하고 개혁에 매진하겠다고 한 아버지였지만 이렇게 죽는 것은 부질없는 죽음이었다. 여기까지 생각이 이르자 이옥은 머리를 흔들며 딴생각을 하려 했다.

꽃지가 기다리다 못해 말을 타고 달려왔다.

"무슨 일이 있으세요?"

"아니. 그냥 좀 …"

이옥이 말을 더듬었다.

"집으로 오세요."

꽃지가 말의 방향을 틀면서 말했다.

"가자. 같이 가서 밥을 먹고 나서 다시 생각해보자."

이옥의 요청에 성사빈은 아무 말 없이 따라나섰다.

성사빈은 풀이 죽은 사람처럼 어깨는 늘어졌고 눈동자가 조금 풀렸다. 어찌 보면 넋 나간 사람 같았다. 사지에서 돌아온 사람으로서 맥이 풀린 것도 있었지만 돌아가는 상황에 대해 놀라움이 더 컸다. 충성이라 생각하고 한 일이 죽음을 부르는 일이 되었다. 죽음만이 아니라 역적으로 몰릴 수도 있는 상황이었다. 어찌 이럴 수가 있단 말인가. 옷을 벗고 이 세상과 아무런 연이 닿지 않는 곳으로 사라지고 싶었다.

이옥은 밥을 먹고 난 후 노인에게 다 털어놓았다. 누군가에게 털어놓을 이야기가 아니었지만, 이 상황을 헤쳐나가려면 노인의 도움이 필요할 것 같았다. 남다른 혜안을 가지고 있는 노인에게 길을 묻고 싶었다.

노인은 듣고만 있었다. 중간에 다른 질문도 하지 않았다. 한 많은 사람이 이야기를 풀어놓듯이 이옥은 이야기했다. 왕에 대한 원망도 있었고 세상에 대한 분노도 있었다. 다 버리고 싶었고, 다 바꿀 수 있다면 이 세상을 뒤집어 버리고도 싶었다. 젊음이 부글부글 끓었다.

"가슴에 불을 지르지 말게. 가슴에 불을 지르고 살면 세상을 바라보는 눈이나 가는 길이 갈피를 잡지 못하지. 불이 붙었는데, 세상을 제대로 바라볼 수 있겠나?"

"…?"

두 사람은 아무 말 없이 들었다.

"두 사람의 마음 다 이해하네. 세상은 불합리하게 만들어져 있고 불합리한 것들로 구성되어 있네. 예를 들면 사람의 마음을 보게. 사람이 곧 하늘이라고 하지만 얼마나 불합리한 존재이고 흔들리는 미완의 존재인가를 확인하게 되지. 나 자신의 마음 안에서도 내분이 생기네. 한 사람을 미치게 사랑하다가도 죽일 만큼 미워하기도 하지. 아닌가?"

대답은 물론 두 사람은 미동도 없이 들었다.

지금 자신들이 처한 상황이 워낙 긴박한 상황이었고, 인생을 걸고 넘어야 할 중대한 변화의 기점에 있었다. 죽음으로 몰릴 수도 있었고 역적으로 몰려 자신의 인생뿐만 아니라 집안 모두의 멸족으로 연결될 수도 있었다. 역적의 집안은 집안 모두가 몰살되어야 하는 것을 잘 알고 있었다.

"사랑하고 미워하거나 또는 배려하거나 이용하거나, 모두 하나의 마음 안에 있다는 것이지. 복잡하고 다기한 마음의 파편들을 조절하고 다스리는 것이 인생이라는 것이네. 너른 들판이 독초와 약초를 함께 기르는 마음을 이해해야 하네."

'너른 들판이 독초와 약초를 함께 기르는 마음'이라는 말에서 울림이 있었다. 그랬다. 다 이해할 수가 없었지만 큰 철학이 들어있는 말이었다.

"사람을 욕할 것이 아니라 불합리한 구조로 만들어진 사람을 안쓰러워해야 하는지도 모르지. 그것이 사람인 나 자신의 모습이니 말이네."

상을 들고 나가 설거지를 마친 꽃지가 들어왔다. 꽃지의 손에는 숭늉이 들어있었다.

"드세요."

꽃지는 진지한 분위기와는 아무 상관없이 아주 경쾌했다.

"들게."

노인이 숭늉을 들면서 두 사람에게 권했다. 두 사람도 숭늉을 들었다.

"저에게는 피부로 다가오지 않습니다. 나라를 위해서 목숨을 걸고 싸웠습니다. 결과는 참혹한 죽음과 쫓기는 신세와 다름없는 현실을 만났습니다."

성사빈이 따지듯 말했다.

"이해하네. 자네의 충성은 왕을 향하였네. 나는 사람이라는 존재에 대해 말했네. 왕과 신하와 백성이 다 같이 다르지 않은 사람이지. 귀천이 없는 그저 사람이라는 것에 중심을 두어보게. 그러면 불합리한 세상이 이해될 걸세. 그리고 그 축에서 인생의 길을 열어 가면 되네."

"너무 뜬구름 같습니다."

"길은 내가 만들어줄 수가 없네. 자네의 길은 자네가 만들어야 하지. 하지만 중심이 흔들리지 않으면 인생도 흔들리지 않네."

성사빈의 뜬구름 같다는 말에 노인은 다시 말했다.

"그러면 지금 저희는 어찌해야 합니까?"

이옥이 좀 더 구체적으로 방향을 정해줄 것을 요구했다.

"나는 세상을 버린 사람이네. 자네들은 세상을 안고 싶은 사람들 아닌가. 생각해보게. 세상을 선택했으면 흔들리는 세상을 끌어안아야 하는 것 아닌가. 그리고 흔들림을 힘들어하지 말고 즐겨야 하는 것이지."

"지금 이 난국을 즐기라는 말씀이십니까?"

성사빈의 목소리가 조금 커졌다.

"그러면 비관해야 한단 말인가. 세상은 본시 어긋나고 틀렸다고 생각되는 일들로 만들어진 것인데…"

이옥과 성사빈은 더욱 할 말이 없었다.

잘못되어지는 것이 정상인 세상을 살아가면서, 잘되어지는 것을 바라면 되겠는가라고 질책하는 듯한 말이었다. 세상을 받아들이고 살라는 말이었다.

"그럼 어찌해야 합니까?"

이옥이 의미를 알면서도 방책을 물었다.

"근본을 사람에 두라고 하지 않았는가? 사람을 위한 길이 무엇이고, 더 많은 사람을 위한 길이 무엇인가를 찾으면 되는 것이네. 무엇보다 남을 사랑하기 전에 자신을 사랑해야 하네."

"이기적이어도 좋다는 말씀이십니까?"

"그렇지. 이기적이어야지. 그리고 자신을 진정으로 사랑하는 이기적인 사람은 자신이 남에게서 손가락질을 당하도록 방치하지 않네."

노인의 말은 길었지만 단호했다.

이옥은 '왕은 쓰임, 즉 용用일 뿐'이라는 말이 떠올랐다. 이 이야기를 하기 위해서 노인은 그리 길게 말했나 싶었다. 왕을 보기보다 백성을 보라는 말을 간접적으로 말하고 있었다. 그리고 그 길로 가라는 말을 넌지시 던지고 있었다.

이옥과 달리 성사빈은 무언가 미진한 것을 느꼈다. 하지만 자꾸 따지듯이 물어볼 수가 없었다. 성사빈은 보다 구체적인 처방을 기다리고 있었다. 하지만 노인은 입을 닫아버렸다. 노인은 어느 순간 말을 끊으면 화제에 대해서 더 언급하지 않았다.

“할 이야기는 이만큼으로 끝내고 마음을 정할 때까지는 당분간 이곳에서 쉬어가게.”

이옥과 성사빈은 방에서 나왔다.

“어찌하겠는가?”

이옥이 성사빈에게 말했다.

“장군께서는 어찌하실 겁니까?”

성사빈은 마음의 갈피를 잡지 못한 듯 이옥에게 되물었다.

“나는 여기 머무르면서 생각해보겠다.”

“저는 군영지를 찾아가거나 병부를 찾아가 정식으로 사직서를 제출하겠습니다.”

“군직을 떠나겠단 말이냐?

“그렇게 하겠습니다. 고향으로 내려가 부모님을 모시며 조용히 살겠습니다.”

이옥은 막을 수도, 권할 수도 없었다.

“저는 지금 바로 떠나겠습니다.”

“그럼. 내 부탁 하나 들어주게. 내 사직서도 제출해 주게.”

“아니 장군께서도 그만두시게요?”

이옥은 말없이 조용히 고개를 끄덕였다.

이옥은 진정으로 세상으로부터 멀어지고 싶었다. 그리고 노인처럼 조용히 살고 싶은 마음이 강해졌다. 도리어 아버지가 걱정되었다. 나라를 새로이 건국하는 마음으로 몸을 바치겠다고 한 아버지에게 어떤 위험이 찾아올지도 모른다는 생각을 하니 마음이 답답했다.

“장군께서는 이번 일과는 무관하신 분인데 굳이 사직까지 할 필요가 있겠습니까?"

이옥은 잠시 아버지 생각을 하다가 성사빈의 말에 정신이 들었다.

"음, 쉬고 싶네. 내가 평소 존경하던 안우 장군마저 비명에 돌아가시고 이번에 나라를 위하여 싸운 장군들이 이처럼 죽임을 당하는 것을 보니 허망하기만 하네."

성사빈도 더 말을 하지 못했다.

"저는 바로 떠나겠습니다."

"후일을 기약할 수 없으나 큰길을 가게."

이옥은 성사빈의 안녕을 빌었다. 그리고 가는 길에 아버지 이춘부에게 자신은 잘 있다는 안부를 부탁했다. 하지만 마음이 편하지 않았다.

최영과 만나다

16
살육은 꼬리에 꼬리를 물고

인생은 이틀 빼고 모두 과정뿐이다
태어난 날과 죽는 날을 제외하면

신돈은 자신을 그리도 미워하고 공공연히 신돈을 죽여야 나라가 바로 선다고 하던 재상 정세운이 비운이 갔다는 말을 전해 들었다. 이승경도 갔다는 이야기를 들었다. 정세운과 이승경에 대해 미운 마음보다는 측은함이 앞섰다. 왕은 정세운과 김용을 교대로 등용시켜 경쟁심을 부추겼다. 충성심을 시험해보기도 했고, 자존심을 건드리기도 했다. 그들은 왕의 뜻대로 움직여주었다. 왕에게 충성을 보이기 위해 혈안이었던 두 사람 중 한 사람이 죽었다.

자신도 왕과 함께 손을 잡고 백성을 위해 할 수 있는 일이 무엇인가를 고민하고 있지만 언제 미움을 사 죽임을 당할지 모른다는 생각을 했다. 그렇지만 신돈은 당당했다. 한목숨 거두어서 그 밀알이 백성을 편하게 하는 일이라면 얼마든지 할 수 있으리라 생각했다. 만민이 평등한 세상을 열고 싶었다. 태어난 신분이 사람의 귀천을 좌우하고, 권력의 유무가 존귀함과 비천함으로 나누어지는 현실을 타파하고 싶었다. 그러기 위해서는 힘이 필요했다.

지존의 위치에 있는 왕은 신돈이 꿈꾸는 세상을 실현하기 위한 방편이었다. 세상의 불합리와 하층민의 아픔을 누구보다도 몸으로 겪어온 자신이었다.

신돈이 머물러 있는 곳으로 소문을 듣고 임박이 찾아왔다. 임박은 과거에 급제한 유학자였다. 유학자답지 않게 병법에도 능통했다. 세상을 개혁하고자 하는 신돈을 따랐던 인물이다.

"삼원수가 죽임을 당했습니다."

삼원수가 죽임을 당했다는 이야기를 듣고는 신돈은 하늘을 보고 통탄했다.

"하늘의 길을 사람이 막는구나. 누구랍니까?"

그들을 죽인 사람을 묻는 것이었다.

"재상 김용이라고 합니다."

"김용이라고?"

신돈은 혼자 중얼거렸다.

정세운을 삼원수가 죽이고, 삼원수는 김용이 죽이고, 그럼 다음은. 신돈은 다음 죽음은 누구일까 생각했다.

왕의 의심은 끝이 없었다. 끝은 왕의 생전에는 오지 않을 것이다. 죽음이 죽음을 부르는 상황은 계속 될 것이다. 그렇다면 나는 무엇이란 말인가. 신돈 자신을 생각했다. 막걸리를 한 잔 다 들이켜고는 하늘을 바라보았다. 구름이 둥실 떠 흘러가고 있었다. 바람에 몸을 맡기고 살아가고 있는 자신이지만 구국에 몸을 담고자 하지 않았는가.

“나도 또한 정세운과 삼원수의 모습과 다르지 않겠구나.”

신돈은 자신도 모르게 자기의 처지를 생각하다가 밖으로 말을 내뱉었다.

“무엇이 정세운, 삼원수와 같다는 것입니까?”

“내 처지가 그렇다는 것이지요.”

“예?”

“무얼 그리 놀라나? 사람이 죽는 것은 자연스러운 이치인데, 어떻게 죽느냐가 무엇이 중요한가. 어떻게 살아가느냐가 중요한 것이지. 삶이 맑으면 죽음이 어떠한 모습이든 주저할 일이 아니네.”

“그렇지만 어찌 죽음을 가벼이 여길 수 있습니까?”

“나는 죽음을 가벼이 여긴다는 말을 하지 않았지요. 인생에 이틀 빼면 나머지가 과정 아니던가? 그러니 산 날에 충실해지자는 것뿐이지.”

“이틀이라면, 탄생한 날과 죽는 날을 말씀하시는 것입니까?”

“그렇네. 과정이 생의 전부라고 할 수 있으니 하루하루가 중요한 것이지. 인생에서 결과는 없는 것이고.”

“결과가 없다니요? 목적한 바를 이루는 것이 결과지요.”

임박은 입신양명이 주축이 되는 유학자였다. 뜻을 세우고 뜻을 이루어 세상에 이롭게 하고자 하는 전형적인 유학자였다.

“요즘 형국을 보면 두렵네. 살얼음판을 걷는 것만 같지.”

“내가 보아도 답답합니다. 충신과 간신이 함께 사라지고 있는 요즘 형국은 방향을 잃어버린, 돛을 떼어버린 배 같기만 합니다."

정의가 무너지고 있었다. 나라를 위해 충성을 다한 사람이 죽어가고 있었다. 어떻게 살아야 하는지를 나라는 제시하지 못하고 있었다. 신돈이 생각하고 있는 왕권의 회복도 이러한 죽음의 연결고리를 만들고자 하는 것은 아니었다. 이것은 광기라고 생각했다.

신돈은 세상의 흐름을 잘 알고 있었다. 권력이 주어지지 않은 상황에서는 아무리 좋은 정책이나 뜻이 있더라도 이루어지지 않는 것을 알았다. 자신에 대해 비판적인 시선이 많은 것을 누구보다도 감지하고 있었다. 특히 신분 사회에서 신돈의 신분은 미천하기 이를 데 없었다. 사람이 먼저여야 하고 그 위에 덧씌워진 것이 신분이었지만 사람을 평가할 때 신분이 먼저였다. 그러한 세상과 한판 붙어볼 마음의 준비가 되어 있었다. 어떠한 난관이 오더라도, 그길로 가다가 죽임을 당할 지라도 기어이 가고자 했다.

"이 나라를 바꾸어야 한다는 신념은 예전이나 지금이나 같네. 하지만 지금은 때가 아니지. 조금 더 기다려야 할 걸세. 사람들을 더 알아봐 주게. 잠시 후에 주상전하를 만날 예정이니."

"지금도 주상께는 사람이 필요할 때입니다. 이런 어려운 난국에 노를 잡아주셔야 합니다."

"아닐세. 상황이 영 좋지 않네. 의식이 확고하면서도 적을 만들지 않을 사람이 필요하네. 지금은 사방이 적이지. 우리를 어떻게 하면 죽일 수 있을까를 생각하는 사람들로 둘러 싸여있는 형국일세."

신돈은 임박에게 조정과 나라가 돌아가는 이야기를 전해 듣고는 다시 길을 나섰다. 지금 입궐하면 혼란스러움을 더욱 가중할 것 같았다. 죽고 죽이는 와중에 들어가 할 일이 없었다. 왕은 자신만의 통로를 통하여 사람들을 정리하고 있을 것이라 신돈의 건의를 받아들이기가 어려울 것이다. 그리고 무엇보다 정세운과 삼원수의 죽음을 자신의 소행이 아니라고 할 것이다. 신돈은 왕의 마음을 헤아리고 있었다.

왕은 홍건적의 난을 피해 안동으로 내려가 아직도 개경의 궁으로 돌아가지 못하고 있었다. 거기에다 죽고 죽이는 살육의 현장이 벌어졌다. 왕이 이승경과 정세운이 신돈을 죽이려 한다는 것을 알고는 피해 있을 것을 권해 세상을 떠돌고 있었지만, 이제는 이승경과 정세운이 다 죽었다. 그럼에도 신돈을 입궐을 미뤘다.

어찌할 수 없을 때는 빙 돌아가는 것이 상책이었다. 떠도는 중에 왕이 죽었다는 말을 들었다. 사실이 아닌 말들이 세상을 떠돌았다. 다시 길을 나섰다. 신돈은 혼자 탄식했다. 흥왕사에서 변란을 당해 죽었다고 했다. 왕의 침실까지 들어가 왕을 살해했다고 했다. 줄을 대어 자세히 확인해보니 왕이 살해되지는 않았다. 세상은 유언비어가 난무했다. 알지 못할 소식이 생겨나고 사라졌다. 왕을 죽이려는 음모도 진행되고 있었다. 왕을 살해하려는 흥왕사 변란에 연루되어 김용이 죽었다. 김용이 처단되기 전에 흥왕사의 변란으로 죽은 사람은 홍언박과 유숙이었다. 홍언박은 왕의 외척이었다. 유숙은 왕이 연경에 있을 때 왕을 모신 외척이었다. 둘은 권세가 막강했다. 외척으로 권력을 쥔 권신이었다. 오랜 기간 왕의 지근거리에서 보좌했고 힘을 과시해왔다. 정세운과 삼원수가 군부의 지도자로서 무신의 핵심이었다면, 홍언박과 유숙은 조정에서 권력을 잡은 문신의 지도자였다. 정세운이 죽었으니 다음 차례는 홍언박과 유숙이었고, 왕의 마음을 헤아린 홍언박과 유숙을 김용이 죽였다. 왕은 다시 김용을 죽였다.

"또 한 사람이 갔구나."

신돈은 혼자 중얼거렸다.

신돈은 자연스러운 흐름이라고 생각했다. 권력이란 양날의 칼이어서 정적을 죽이면 다시 정적에 의해 당하는 것이 세상의 이치였다. 김용은 왕의 마음을 누구보다도 잘 읽어냈다. 그리고 실행에 옮겼다. 하지만 왕의 비밀을 너무 많이 알고 있었다. 왕은 왕의 수족이 되어주는 김용이 필요했지만 그런 김용이 두렵기도 했다. 반기를 들면 언제 화살이 되어 날아올지 몰랐다. 김용은 희생양인 셈이었다.

신돈은 김용이 죽었어도 왕을 만나러 가지 않았다. 왕의 측근에 있는 사람 중에는 살아남는 사람이 없는 듯이 보였다. 정세운과 김용은 왕의 오른팔과 왼팔이었다. 그런 사람이 제거되었다. 김용과 정세운은 왕의 충견이었다. 든든한 후원자가 아니라 왕이 가려운 데를 긁어주는 충복이었다.

신돈은 정황을 누구보다도 꿰차고 있었다. 권력관계를 이해하고 있었다. 그러면서도 상황을 무시한 채 변방에서 바라보고 있었다. 신돈은 이번 흥왕사의 변란을 되짚어 보았다.

왕에게는 이제 사람이 없어 보였다. 문관과 무관의 권력 정점에 있는 사람들은 모두 제거되었다. 자신의 주위에 힘을 쓸 만한 사람은 거의 제거되었다. 왕이 말을 하기도 전에 일을 처리해주던 사람들은 사라졌다. 이제 왕은 허전했다. 하지만 왕이 신하를 믿지 못하는 상황에서 죽음의 연결고리는 끊이지 않고 계속될 것이다.

인심이 거칠어졌다. 장수들과 군졸들의 사기는 떨어졌고 왕에 대한 충성심이 눈에 띄게 달라졌다. 이춘부는 변함없이 주어진 임무에만 열중했다. 어느 정파에도 속하려 하지 않았다. 백성이 잘살게 하기 위한, 그리고 나라가 강성하기 위한 방향으로 진행해 나갔다. 세상이 흔들려도 혼돈 속에 있어도 한결같이 개혁을 위한 길을 갔다.

신돈은 겉으로 떠돌다 오랜 만에 이춘부를 찾아갔다.

"아직 살아계셨군요?"

신돈이 세태를 빙자해 이춘부에게 농을 던졌다.

"하하하, 명이 긴가 봅니다."

이춘부가 크게 웃으며 한마디 던졌다.

"글쎄 말입니다. 명이 긴가 봅니다. 세상이 혼탁하다고 세상을 떠나 살면 혼탁한 세상을 고칠 수가 없지요. 스스로 더러운 땅에 발을 담그고자 한 우리 소신은 여전한 게지요?"

신돈이 이춘부에게 그간의 경과를 넌지시 돌려서 물었다.

"말씀하시지 않았습니까? 사는 일이 중요하지 죽는 일이 무에 그리 중요하냐고?"

이춘부가 신돈이 일전에 했던 말을 떠올렸다.

"그랬지요. 인생이란 것이 사는 일 외에 다른 일이 있었던가요?"

신돈이 말을 받았다.

주고받는 말이 시원시원했다. 개혁에 뜻이 맞아 시작한 일인데 비 온다고, 눈 온다고 그만둘 일이 아니라는 것에 공감하고 있었다.

"이제 큰 담은 무너졌는데 왜 안 들어오십니까?"

이춘부가 개혁에 장애가 되던 정세운과 이승경이 죽은 것을 담에

빗대어 말했다. 조정안에서 공공연히 신돈을 죽여 버리겠다고 공언하던 두 사람이 사라졌음에도 신돈이 입궐하지 않는 것에 관해 물었다.

"죽기를 같이 하자 해 놓고 혼자 도망쳐 나와 있는 형국이 되었습니다."

"이제는 들어오시지요. 이제 전하께서도 의지할 데가 없습니다."

"제가 없어도 잘 해내고 계시던데요."

"가던 길은 계속 가고 있습니다. 다만 속도가 느려졌습니다."

신돈은 호방했다. 틀이 크고 밀어붙이는 추진력이 뛰어났다. 그만큼 적을 만들어내기도 했다. 이춘부는 신돈과는 성격이 달랐다. 무색무취한듯하면서도 자신의 색깔을 가지고 일을 추진했다. 이춘부의 장점은 무엇보다 사람 관계가 부드러웠다. 적을 만들지 않으면서 설득해나갔다. 신돈과 이춘부, 두 사람은 남다른 조화를 이루어 냈었다.

17

생명의 은인 성아를 만나다

사내란 오직 자신 외에 기댈 언덕이 없느니라

개경으로 돌아온 성아는 마음에 한 사람이 자꾸 떠올랐다. 훤칠한 키에 사내다운 눈매가 시원했던 사내였다. 이옥이 화살을 다리에 맞고 피를 흘리다 지쳐 쓰러져 있는 것을 노인에게 인도하고 나올 때는 경황이 없어서 몰랐다. 사람을 자세히 볼 수 있는 상황이 아니었었다. 그런데 개경을 떠나는 피난길에 성문 근처에서 만난 사람은 의젓하고 당당한 사람이었다. 전혀 그 사람이라고 생각하지 못했다. 성아는 그 사람을 구해준 자신이 대견스럽기까지 했다.

"뭘 그리 생각해?"

같이 일하던 순옥이었다.

"응. 아니야. 그냥."

"그냥이 아닌 것 같은데."

성아가 말없이 웃었다.

봄은 벌써 꽃을 피워내고 있었다. 산수유가 곱게 피었다. 노란 꽃을 피워 물고는 말간 햇볕을 쬐고 있었다. 바람결이 부드러웠다. 바람이 실어오는 소식마다 꽃소식이었다. 꽃이 핀 자리마다 향기를 내뿜어 춘색이 가득했다. 봄기운에 젖으면 생명이 싹을 텄다. 봄은 신비했다. 죽음에서 생명으로의 길을 열어주는 전령이었다.

"고향에 가고 싶지 않니?"

성아가 산수유를 바라보며 순옥에게 말했다.

"가고 싶지. 어머니와 아버지도 보고 싶고, 동생들도 보고 싶다."

금세 고향을 떠올리고는 하늘을 바라보는 눈빛에 그리움이 가득했다.

"너는 그래도 지난겨울에 갔었잖니?"

"그런데도 또 가고 싶어. 어머니의 품에서 깊은 잠을 자고 싶어."

"나도 그래."

궁에 한 번 들어오면 출입이 자유롭지 못했다. 궁에서 생활하는 여자들은 거의 다 그랬다. 왕비마저도 궁에 들어오면 밖으로 나가는 일이 어려웠다. 궁 안의 여인들에게는 담장 너머의 세계가 늘 그리움이었다. 문이 열려있을 때 문밖의 풍경을 바라보며 아득한 그리움을 느끼는 것은 궁 안의 여인네들이 가지고 사는 숙명 같은 것이었다. 그래도 의녀들은 나은 편이었다. 출입이 비교적 자유로운 편이다. 원하면 출퇴근도 가능했다.

들판을 달려보고 싶었다. 산에 올라 소리치고 싶었다. 궁 안은 늘 조심스럽고 행동의 제약이 많았다. 꽃이 피어나고 날씨가 따뜻해지는 봄이면 더욱 마음이 심란해졌다. 고향을 떠나있는 성아에게 봄은 더욱 마음을 들뜨게 했다.

춘정이 무르익는 봄이면 새들의 지저귐이 달랐다. 힘차고 맑았다. 짝을 지어 집을 짓고 희롱하며 하늘을 나는 모습에서 생명의 기쁨이 넘쳐났다. 내의원 사람들은 모처럼 평화로운 시간을 즐기고 있었다. 궁중에서 어느 곳보다도 일이 많았고, 한가로운 시간을 즐기기가 쉽지 않았다. 피난을 하고, 돌아오는 길에 많은 고생을 했다. 이제 돌아와서 정리하고 안정을 찾아 모처럼 시간을 내 봄을 즐기고 있었다.

"손님이 찾아왔던데."

의원이 지나가다 성아를 보고는 전해주었다.

"손님이요? 저를 찾아올 사람이 딱히 없는데."

"혹시 알아. 낭군님이라도 오셨는지."

"없는 낭군님이 알아서 찾아온다면 얼마나 좋을까?"

성아의 말에 성아와 순옥이가 까르르 웃었다.

궁중은 아무나 들어올 수가 없는 곳이었다. 자신의 가족이라도 내의원까지 찾아와서 만날 수는 없었다. 내의원은 궁중에서도 안쪽에 자리 잡고 있었다. 성아는 누굴까 궁금했다.

"여기예요."

성아가 문을 나서자 건장한 사내가 기다리고 있었다. 성아가 사내에게로 다가갔다. 언뜻 생각나지 않았다. 이옥의 웃음에 성아는 그제야 자신을 찾아온 주인공의 정체를 알았다. 성아가 묵례로 인사를 했다.

봄기운이 파르르 떨었다. 나뭇가지마다 물이 오르고 있었다. 새로운 계절은 활기찼다.

"기억나세요?"

"네. 성문에서…"

"저를 구해주신 것은 생각나십니까?"

"어렴풋이 생각이 나요."

"고마움의 인사를 이제야 하게 되었습니다. 죄송합니다."

"저도 그때는 경황이 없어서 잘 모르겠습니다. 제가 간단한 처방은 했지만, 상황이 좋지 않았었는데…"

성아는 이제야 그때 생각을 떠올리며 말했다.

"그곳의 노인께서 잘 보살펴 주어서 살아났습니다. 제 생명을 구해주신 분들이지요."

"후일 알았지만 그분이 대단하신 분이라고 들었습니다."

"저를 데려다준 집의 노인을 말씀하시는 겁니까?"

"예."

이옥이 무엇이 대단하신 것인가 궁금한 얼굴로 성아를 바라보았다.

"저도 자세히는 모르지만, 전설적인 분이라고 했습니다."

"…?"

이옥은 여전히 성아를 바라보기만 했다.

"높은 직책은 아니었지만, 전쟁을 승리로 이끄는데 절대적인 영향력을 발휘하곤 했다고 합니다."

"어떻게요?"

이옥은 꽃지에게도 듣지 못한 이야기를 성아에게서 듣고 있었다.

"두둑한 담력의 소유자로 적진 가까이 접근해 화살 한 방으로 적장을 명중시키고는 했답니다. 장수를 잃은 적군들은 전의를 상실하고 도망하기 바빴다고 합니다."

"저는 존함도 모르고 있습니다. 그런 것에 대해 전혀 말씀을 안 하시던데요."

"저도 마찬가지입니다. 저번에 일을 당하셨을 때 제가 그곳으로 모셔다드리고 나서 내의원에 들어왔지요. 얼마 후에 저희 오라버니로부터 들은 이야기지요. 이곳에 저희 오라버니가 들렀을 때 궁금해서 물어보았더니 잘 아시더군요. 무슨 전쟁이 있은 후에 적을 향한 칼이 내부로 향하는 것을 보고는 세상과 등지고 산으로 들어갔다고 합니다."

이옥은 감사의 뜻을 표하고자 들렀는데 이야기가 다른 곳으로 흘렀다. '아하, 그랬구나.' 자신의 현재 입장과 비슷한 일로 노인은 세상과 등을 돌리고 사는 것이었다.

"어떻게 은혜에 보답해야 할지 모르겠습니다."

이옥이 다시 화제를 돌렸다.

"저도 사실은 궁금했거든요. 화살을 맞은 자리가 곪으면 문제가 될 수 있는데 지금 보니 모두 나으셨나 봅니다."

"예. 다 나았습니다."

"제가 내의원에 있는 것은 어떻게 아셨습니까?"

"노인께서 말씀하셨습니다. 확실히는 모른다고 하셨지요. 이름은 확실하게 알아서 물어보았지요. 혹시 궁술대회 때 다친 저를 본 기억이 없으신가요?"

성아는 생각하다가,

"기억이 없습니다."

라고 아무렇지도 않은 양 말했다.

"저는 그때 처음으로 본 기억이 있습니다. 혹시나 하는 마음으로 늘 마음에 담고 있었습니다. 물어볼 상황이 아니었지만 나를 구해준 분이 누구일까 생각했지요."

"여기 있었구나."

순옥이 호기심이 가득한 얼굴로 성아를 찾았다.

"김 내의원이 찾던데…"

"응. 알았어."

순옥이 이옥의 얼굴과 몸을 훑어보고는 이내 새침한 모습으로 들어갔다.

"들어가 보아야겠습니다."

이옥은 순간 아쉬웠다.

"다음에 다시 찾아와도 되겠습니까? 고마움을 전하는 외에 어떠한 일도 할 수 없음이 아쉽습니다."

"아닙니다. 마음에 걱정이 있었는데, 건강하시니 다행입니다. 저는 들어가 봐야 합니다."

이옥은 성아를 만나고 돌아오는 길이 무언가 허전했다. 이 허전함은 무엇일까. 그러한 자신이 우스웠다. 성아를 만나고 나서 아버지 이춘부를 만나러 가야 한다는 생각을 잠시 잊었다. 멍하니 지나가던 이옥을 보고는 지나가던 김구용이 다가왔다. 자신이 다가와 거의 옆에 함께 걷고 있는 것도 깨닫지 못하고 걷고 있었다. 김구용은 장난스럽게 이옥 옆에 붙어서 걸었다. 김구용이 몸이 닿을 만큼 가까이 가서야 이옥은 사람이 자신 바로 옆에 있음을 알고는 놀랐다.

"무슨 생각에 그리 빠져있는 것이요?"

"예. 아, … 그냥 개인적인 일이 있어서 잠시 생각을 했습니다."

그제야 김구용임을 확인하고는 반가웠다.

"천하의 강궁도 봄에는 약해지는가 봅니다."

궁술대회 이후로 나라 사람들은 이옥을 보면 강궁이라고 불렀다. 이옥도 그 말이 좋았다.

"예. 잠시 딴 생각을 하느라 정신이 없었습니다. 미안합니다."

"미안하긴요. 이렇게 만나니 정말 반갑습니다."

"저번에 동생으로부터 안부 전한다는 말씀 듣고도 연락을 못 드렸네요."

"그러셨을 겁니다. 연락할 경황이 아니었지요. 홍건적의 난이 바로 일어났고, 궁중은 궁중대로 피난하고, 개경으로 돌아오는 길에 전하를 죽이려는 암살 계획이 있어 한바탕 소동을 겪는 등 정신이 없었지요. 참으로 혼란스러운 때입니다."

김구용은 이옥이 사직하고 아무 일도 하고 있지 않은 것을 모르는 눈치였다. 이옥은 굳이 알리고 싶지 않았다.

"근무처가 이곳이었습니까?"

"그렇습니다. 이색 어른을 모시고 있지요. 한데 어디로 가는 길이길래 이리로 가시지요?"

"아버지를 만나러 가는 길입니다."

"그러시군요. 이리로 가시면 안 되고 저 길로 가야 합니다. 아참, 동생 이예는 지방으로 자원해서 내려갔습니다. 말렸는데도 현장에서 뛰고 싶다는 본인의 의사가 완강해서 놔두었습니다. 일꾼을 놓친 기분입니다."

동생의 소식도 남을 통해서 들어야 했다. 이옥이 가던 길을 바르게 알려주고는 김구용은 사라졌다. 오랜만의 만남이 반가웠다.

이옥은 아버지를 찾아가는 마음이 무거웠다. 세상은 변하고 있었지만 이렇게 사는 것이 사람이 사는 길인가 싶었다. 사람답게 산다는 말이 얼마나 힘든 것인가 싶었다. 어디를 둘러보아도 믿을 만한 것은 없었다. 특히 벼슬을 하고 나서 만난 세상은 참으로 달랐다. 강자만이 살아남을 수 있는 곳이었다. 언제 뒤통수 맞을지 모르는 것이 세상이었다. 오히려 무식하고 천박하다는 이야기를 들으며 사는 사람들이 훨씬 따뜻하고 사람다운 사람을 만들어가고 있었다. 나라를 위하고, 세상을 위하여 산다는 사람들이 사는 모습은 사람다운 모습으로 살아가는 것이 아니었다. 정의를 부르짖는 사람들이 모여 있는 이곳이 무서웠다. 질시와 모함이 늘 사람들의 관계를 망가뜨리고 있었다. 안우 장군뿐 아니라 벌써 많은 사람이 그렇게 비명에 갔다. 적을 향한 칼과 화살이 바로 옆 사람에게 향하는 것을 보아야 했다. 충격은 컸다.

그래도 노인을 만난 것이 인생의 힘이 되었다. 그런 사람이 이 세상에 있다는 것이 마음의 언덕이었다. 그리고 꽃지에게도 고마웠다. 친동생 같고 티 없이 맑은 모습이 사람을 흐뭇하게 했다. 아버지를 만나기 위해 궁중 안에까지 들어와서도 이상하게 성아 생각으로 가득했다. 여태껏 겪어보지 못한 마음이었다.

이옥은 다시 내의원으로 달려가 성아를 만나고 싶었다.

"내가 왜 이럴까?"

걸어가던 길을 멈추어서 돌아섰다. 그리고는 내의원 쪽을 바라보았다. 자신도 모르게 한숨이 나왔다. 내의원 쪽에서 한 무리의 사람들이 자신 쪽으로 오고 있었다. 이옥은 발길을 재촉해서 사람들을 피해 다른 길로 잰걸음을 놀렸다. 왠지 오늘은 누구라도 사람을 피하고 싶었다.

"어찌 된 일이냐?"

"예. 그만 쉬고 싶었습니다."

이옥은 쉬고 싶다고 했지만, 마음 한편으로는 안타까움이 있었다. 이제 시작할 나이에 사직서를 내고 세상을 어떻게 살겠다는 것인가. 아버지 역시 그런 어려움을 가지고 있으면서 세상을 살고 계셨다. 얼마 전에는 자객까지 집에 들었다. 그런데도 꿋꿋하게 자리를 지키고 있었다.

"내 네 마음을 안다. 잘했다. 잘못하다간 우리 집도 무슨 일을 당할지 어찌 알겠느냐?"

"죄송합니다."

이옥은 달리 무어라고 할 말이 없었다. 어떤 변명도 어리석어 보였다. 이런 어려움을 나만 겪는 것이 아니었다. 언제 어디서 무슨 일이 터질지 모르는 것이 세상이었다. 세상 도처에는 함정이 기다리고 있었다. 아가리를 벌리고 누군가 빠져주기를 바라고 있었다. 이옥은 갑자기 자신이 초라해 보였다.

"얼마 전에는 주상을 암살하려는 사건이 있었다."

"누구였지요?"

"여러 가지로 미심쩍은 부분이 많아 누구라고 단정하기가 어렵다. 결국은 권력을 쥐락펴락하던 재상 김용이 죽었다. 흥왕사에서 일이 벌어졌는데, 이 난을 최영 장군이 진압했다."

이옥은 이 이야기를 듣는 순간 심한 자괴감이 들었다. 최영 장군은 흔들림 없이 자리를 지키며 나라의 안녕을 위하여 헌신하고 있지 않은가. 그리고 자신과 궁술대회에서 자웅을 겨루었던 이성계는 자신보다도 어리지만 계속 뛰어난 무공을 세우고 있지 않은가. 안우 장군도 죽임을 당하는 순간 당당하고 얼굴색 하나 변하지 않았다고 하지 않던가. 세상이 어떻게 돌아가든 내가 할 일은 따로 있는 것이었다. 세상으로부터의 도망은 비겁한 짓이었다.

"죄송합니다."

이옥은 달리 할 말이 없이 아버지에게 죄송했다.

"무엇이 죄송하단 말이냐?"

"갑자기 그런 생각이 들었습니다."

"아니다. 살아가는 일이 만만치 않은 건 겪어보아야 안다. 네가 지금 어려워하는 것도 당연하다. 살아남아야 한다는 생각이 드는 순간 어려움을 극복해야 하는 사람은 결국 자신이라는 것을 깨닫게 될 것이다. 사내란 오직 자신 외에 기댈 언덕이 없느니라."

'사내란 오직 자신 외에 기댈 언덕이 없다'는 말에 가슴이 쿵 하고 무너지는 기분이었다. 이옥은 다시 한번 아버지에게 매를 맞는 기분이었다. 어렸을 때 동생들과 싸우고 나서 아버지에게 회초리를 맞던 기분과 비슷했다. 형이 형다워야지 힘이 없는 동생과 똑같이 싸운다며 혼이 났었다. 그때도 부끄러웠었다. 형인데 어린 동생과 다르지 않은 자신을 발견했기 때문이었다.

"옥아. 당분간 네 뜻대로 편히 쉬어라."

"…"

"쉴 곳은 네가 정하면 될게고. 흙 한 줌 없는 바위틈에서도 나무는 자라더구나. 결국은 살아내야 하는 것이 인생 아니더냐. 어떻게 사느냐가 인생의 전부라고 할 수 있다. 그 숙제는 자신이 풀어야 하고."

"네. 명심하겠습니다. 저는 당분간 저를 구해준 분의 집에서 기거하고자 합니다."

"그래. 이야기는 전해 들었다. 그런데 고마움을 전해야 하지 않겠느냐? 그것은 자식을 구해준 사람에 대한 아버지의 도리이기도 하다."

"한 사람은 여인입니다. 내의원의 의녀로 있습니다. 그리고 한 분은 노인으로 세상과 등지고 살아가시는 분인데, 배울 것이 많은 분이십니다. 그리고 그분의 딸이 하나 있습니다. 그 집에 머무르며 인생을 배우고 싶습니다."

"알았다. 세상을 등지고 사는 분이라면 도움을 받으려 하지 않을 테고, 딸은 어디에 보내 세상을 배우도록 하게 해주는 것이 좋지 않겠느냐?"

"그렇게 해주시면 더없이 좋은 일이지요."

이옥은 생각지도 못했던 것까지 마음을 써주는 아버지가 고마웠다. 어두웠던 이옥의 얼굴이 환하게 펴졌다.

"그동안 마음의 짐이 되었겠구나."

"네. 그랬습니다. 그분들에게 고마움을 전할 방법이 없어 안타까웠습니다."

이옥은 자신의 마음을 헤아려 주는 아버지가 진정 고마웠다.

"있을 곳을 이야기 해다오. 내가 곡식이라도 보내주마."

"네. 고맙습니다."

"그래. 깊은 산골에 들어가 있다고 해도 세상의 끈은 놓지 말아라. 서신이라도 주고받으며 인연을 만들어나가거라. 사람에겐 뿌리가 아니라 두 발이 있느니라. 발은 행동하라는 계시 같은 것이다."

아버지의 당부는 완곡하면서도 깊이가 있었다.

"언젠가는 너도 세상을 위해 일해야 한다. 사람의 도리다. 죽음의 모습이 떳떳하려면 삶이 당당해야 가능한 것이다."

이옥은 아버지를 만나고 나오는 마음이 한결 가벼웠다. 꽃지가 의녀로 들어갈 수 있는 길을 알아보아 달라고 부탁까지 하고 나오는 마음이 훈훈했다. 무슨 큰일이라도 한 것 같은 기분이었다. 아버지를 만나러 갈 때와는 영 다른 기분이었다. 산란했던 마음이 편안해졌다. 마음 한편이 쓸쓸한 것도 있었다. 혼란한 세상의 중심에서 나라를 바로 세워보려 태풍의 한 가운데에 서 있는 아버지가 자랑스럽기도 하고 안타깝기도 했다.

18

길 없는 곳에서 길을 찾다

모든 병에는 다 그에 맞는 약초가 있기 마련이지

홍건적의 침입과 흥왕사의 변란을 치르고 나서 다시 개경으로 들어와 어느 정도 안정을 찾자 왕은 다시 개혁에 박차를 가하기 시작했다. 종묘사직을 살리는 방법이기도 했고, 나라의 기틀을 다시 세우는 길이기도 했다.

하지만 그것도 잠시였다. 다시 고려 사직에 먹구름이 끼기 시작했다. 기황후의 반격이 시작되었다. 기황후는 고려의 왕에게 오빠와 조카들을 잃었다. 고려는 심한 반목과 분열을 피할 수가 없었다. 한 집안에서도 친원파와 고려의 독립을 위한 독립파로 나누어졌다. 그만큼 고려는 원의 지배를 장기간 받아 어느 구석 원의 권력이 침투하지 않은 곳이 드물었다. 기황후는 고려의 왕을 몰아내기 위하여 최유와 손을 잡고 군대를 일으키려 했다. 서북면 용주 사람인 최유는 노비 출신으로 재상에 오른 최안도의 아들이었다. 부친 최안도는 고려의 독립을 위하여 노력했다. 반면 아들 최유는 기황후의 앞잡이로 활약했다. 부자간의 전쟁이기도 했다.

고려는 하루도 편할 날이 없었다. 기황후를 등에 업고 집권을 노리는 덕흥군의 공격으로 다시 나라는 시끄러웠다. 전쟁은 내분이나 마찬가지였다. 백성들도 누가 왕이 되든 배부르게 살게만 해주면 좋겠다는 생각을 가지게 되었다. 덕흥군은 충숙왕의 배다른 동생이니 왕의 숙부였다. 덕흥군은 승려 생활을 하다가 충정왕이 지금의 왕에게 쫓겨날 때 생명의 위협을 느끼고 원나라로 망명해 있었다.

아버지를 만난 후 이옥은 결심했다. 혼탁한 세상에서 잠시 떠나 새로운 세상을 만나기로 했다. 공부하는 시간을 가지고 싶었다. 이옥은 노인에게로 찾아갔다. 같은 나라 안에 살지만 사는 방법과 분위기는 달랐다. 부귀와 영화가 벼슬에 있다고 했지만 그렇지 않았다. 살기 위해서 거의 동물적인 감각에 의지해야 할 때가 많았다. 특히 전투에서는 더 치열했다.

하지만 노인과 꽃지가 사는 이곳은 별천지였다. 봄에 뿌린 씨를 가꾸고 거두는 일이 생활의 많은 부분을 차지했다. 시간이 나면 틈틈이 약초를 캐러 산으로 들어갔다. 이옥은 아버지의 말을 떠올렸다. 결국은 어떻게 사느냐가 인생의 전부라고 할 수 있었다. 인생 숙제는 자신이 풀어야 한다는 말의 깊은 의미를 느끼고 있었다. 그리고 아버지 말대로 결국은 살아내야 하는 것이 인생이었다. 내가 할 일을, 여기에서 생활하면서 다시 길을 찾아보기로 했다. 군인의 길을 걸어왔다. 이제는 다른 세계를 만날 수 있을 것이란 기대가 컸다.

"아주 내려왔습니다."

"잘했네."

노인은 그 이상의 말이 없었다. 꽃지가 이옥이 오래 머물 거란 말에 반겼다. 온종일 있어도 말 한마디 안 하고 살 수 있는 곳이었다. 군영에서나 저잣거리에서는 사람들과의 관계에서 절묘한 중심을 찾아야 했지만, 이곳은 자신의 중심을 스스로 만들어가고 지켜야 하는 곳이었다. 스스로 일을 만들어 할 줄 알아야 농사를 짓고 살 수 있었다.

노인은 약초로 먹고 살았다. 밭농사라야 둘이 먹을 수 있을 만큼의 채소 정도와 고추 정도였고 논은 천수답으로 두 사람이 먹을 양에는 미치지 못했다. 노인의 생활 근거는 약초와 산나물을 뜯어서 말리고 장에 가져다 팔아 생활을 했다. 꽃지도 전문가다운 눈을 가지고 있었다. 아버지를 따라다녀 제법이었다. 이옥은 노인이 약초를 캐러 산으로 갈 때 데리고 가달라고 졸랐다.

노인이 이옥에게 걸망을 하나 건넸다. 옆에 있던 꽃지가 빙긋이 웃었다. 이옥이 어깨에 걸었다.

"잘 어울리냐?"

"네. 아주 딱 이여요."

두 사람은 동시에 웃음을 터뜨렸다.

"이제는 우리 집 식구가 되었군."

"네. 아들로 받아주시지요."

이옥은 농담처럼 말했지만, 속으로는 양아들로 받아 주었으면 하는 바람도 있었다. 제자 되기를 청했지만 받아주지 않은 노인에게 양아들로 받아들여달라고 해서 받아들여 줄 것 같지 않았다. 노인이 자신의 생명을 구해준 은인이기도 하지만 노인에게는 다른 사람이 가지지 못한 깊이와 신비로움이 있었다. 노인에게서 세상과 삶의 깊이를 더 배우고 싶었다.

노인은 아들로 받아달라는 농담조의 말에 아무 표정도 없이 성큼 앞서서 길을 나섰다. 이옥과 꽃지는 노인을 따라나섰다.

"산을 들고나시면서 느끼는 가장 큰 감회는 무엇입니까?"

"자네의 관심은 좀 별난 게 있어."

이옥의 물음에 답하는 대신에 이옥의 특별함에 대해 말했다.

"무엇이오?"

이옥이 반문하듯 물었다.

"남들은 무슨 약초냐, 어느 산이 가장 높냐. 아니면 어느 약초가 가장 비싸냐 같은 질문을 하는데, 근원을 향한 질문을 한다는 점이 다르단 말이네."

"어르신을 닮아가고 있나 봅니다."

"칭찬인가 아부인가?"

"어르신께 아부라니요!"

이옥은 노인의 말에 당황하는 표정이 역력했다.

노인은 이옥의 표정과는 상관없이 성큼성큼 걸어 나갔다.

"산은 언제부터 다니셨습니까?"

이옥이 따라 붙이며 물었다.

"옷을 벗고 나서부터 다녔으니 이십여 년이 된 듯하네."

"그전에는 그럼 무슨 일을 하셨게요?"

"취조하듯 묻지 말게. 조용히 살러 지금 이곳에 들어왔네."

"네."

이옥은 노인의 과거가 알고 싶었으나 노인은 대답을 피했다. 성아에게 들은 이야기가 떠올랐다. 하지만 구체적으로 묻지는 않았다.

"산은 중심을 놓지 않고 깊은 명상에 들 수 있는 분위기를 만들어주곤 하지. 큰 산은 숲도 크게 끌어안고 살더군."

"산은 약초를 기르잖아요."

"하지만 산은 독초도 기르지. 독초와 약초가 다른 것이 아니네. 어느 동물에게는 독초가 약초가 될 수도 있지. 사람에게는 구분이 있지만 큰 산에게는 다 품어 길러야 할 생명인 게지."

"…!"

매번 느끼지만, 노인의 말은 발 빠른 말이 달리는 듯했다. 성큼성큼 앞서가는 듯해서 하나를 놓치면 뒷말을 이해할 수가 없게 되곤 했다.

"오라버니, 뭘 그리 바짝 붙어 가시려고 그러세요."

-음 응, 내가 그랬나?

뒤따라오던 꽃지가 노인에게 바짝 다가서는 모습을 보고 핀잔을 주듯 말하자 이옥은 무안했다.

"약초는 어떤 곳에서 잘 자라나요?"

"자라는 곳이 저마다의 습성에 따라 다르지. 사람들은 양지 바른 곳을 찾지만 도리어 양지 바른 곳에서는 생명이 살지 못하지. 양지만 고집하면 사막이 되는 것과 같은 걸세. 행복과 편리만 찾으려 하면 그 순간 사람은 퇴보하게 되지."

노인의 걸음을 따라가기가 벅찼다. 산에서 살아온 사람은 산을 닮아 가는가 싶었다. 산짐승처럼 발걸음이 가벼웠다. 결국은 노인을 바짝 따라가는 것을 포기하고 꽂지와 보조를 같이했다.

"오라버니는 저하고 딱 맞는다니까요."

"글쎄 말이다. 본분을 알아야 하는데 너무 앞서가려 했나보다."

"아버지는 며칠씩 집을 나가 약초를 캐곤 하시지요. 길 때는 한 달씩 나가 계실 때도 있는걸요."

"혼자서 산에 한 달씩 계신단 말이야?"

"그럼요."

"그럼 꽂지는 무섭지 않아?"

"무섭긴요."

"혼자인데도?"

"그럼요. 거의 혼자 살아왔는걸요."

꽂지는 당연하다는 듯이 말했다.

"아버지는 말씀을 너무 잘하셔."

이옥이 꽂지에게 말했다.

"아버지는 누구에게 그리 말을 많이 하시는 편이 아니세요. 오라버니에게만 특별하신 거지요. 사냥한 것도 그렇고요. 아버지는 사냥을 원래 안 하시거든요."

"그래?"

"예. 아버지께서는 오라버니에게 무슨 기대 같은 것을 가지고 계신 듯해요."

"기대?"

"예. 기대지요. 그렇지 않고서야 다른 사람과 그렇게 다르게 대하실 리가 없지요."

"…?"

이옥은 달리 떠오르는 것이 없었다. 노인을 만나면 큰 비밀을 감추고 사는 사람이 아닌가 싶기도 했지만, 자신에게 특별히 다르게 대한다는 느낌을 받지는 않았다. 물론 이옥은 다른 사람을 대하는 노인을 본 적이 없으니 비교할 수 있는 입장이 아니었다. 꽃지의 생각이 정확하다고 할 수 있었다.

둘이 힘들게 걸어 올라가니 노인이 바위에 걸터앉아 두 사람을 기다리고 있었다. 이옥과 꽃지가 다가가 앉았다. 노인은 바위에 앉은 채로 먼 곳을 바라보고 있었다. 노인의 앉은 자세는 항상 허리를 곧게 세운 안정된 모습이었다. 아무리 보아도 생김새는 촌로였지만 만날수록 깊은 그 무엇을 발견할 수 있었다.

"약초에 대해서 기본적인 것을 말씀해 주시면 고맙겠습니다."

"모든 병에는 다 그에 맞는 약초가 있기 마련이네. 제대로 알지 못하고 제대로 구하지 못해서 그렇지."

"불치병이란 것도 있지 않습니까?"

"있지. 내가 보기엔 병에 맞는 약초를 구하지 못하기 때문이고, 믿고 지속해서 쓰지 않는 데에서 오는 것으로 생각하네."

"약초와 나물과는 다른 것입니까?"

"약초와 나물은 다르지만 결국은 하나로 만나게 되지."

"어떻게요?"

약초에 대해서는 무지에 가까운 이옥이었다. 처음으로 약초를 따러 산에 들어와 호기심도 많았다. 사실은 재미로 따라온 것이다.

"음식으로 못 고치는 병은 의사도 못 고친다는 말이 있지. 이는 결국 먹는 음식이 약초가 되고 체질을 바꾸어서 병을 고칠 수 있지. 그렇지만 약초는 직접적인 치료제인 반면 나물은 맛에 있어서 약초와는 달리 사람의 입맛을 당기게 하는 풀이라고 할 수 있네. 음식을 체질에 맞게 먹으면 어떤 병도 고칠 수 있고 막을 수도 있다고 할 수 있지."

궁술에 관해 설명할 때처럼 노인의 설명은 막힘이 없었다.

"약초는 산에서만 나나요?"

"그건 아니지. 산이 가장 여러 종류로 많고 다양하지만, 들에도 있고, 논둑에도 있네. 바다에서 나는 것들도 있지."

"바다라고 말씀하셨습니까?"

"그럼 바다도 있지. 갯벌에서 자라는 신비의 약초도 있고."

"갯벌이요?"

노인의 말에 이번에는 이옥보다 꽃지가 더 관심 있어 했다.

"소금기를 먹고 자라는 풀이라네."

"소금기를 먹고 자란다고요?"

꽃지가 다시 물었다.

"그렇지. 보통 소금기가 들어있으면 풀은 죽네. 하지만 염초는 소금기를 먹고 살아 약초 전체에서 짠맛이 나. 퉁퉁마디라고도 하며, 산호를 닮았다 하여 산호초라고도 하네. 서해안 갯벌에 자생하고. 채취시기에 따라 약간씩의 차이가 있지만, 주로 가을에 전체를 채취해 깨끗이 씻은 다음 햇볕에 말려 사용해야 하네. 숙변 제거를 도와

변비에 효과가 좋고. 차보다는 환으로 아침, 저녁 식전에 꾸준히 먹으면 변비는 물론 숙변으로 인한 기미, 주근깨 치료에 많은 도움을 주기도 한다네. 관절염, 고혈압. 저혈압. 요통에도 효과가 있고, 면역기능 강화에도 효능이 있지."

노인은 이옥과 꽃지에게 차근차근 설명해 주었다.

"저 같은 여자들에게만 좋은 약초도 있나요?"

"있지. 나도 배움의 길에서 벗어나지 못하고 끝없이 공부해야 하지만 배울수록 신비하단다. 여자들에게 좋은 것들도 많다. 피부가 꽃처럼 고와지는 천문동. 냉증을 치료하고 살결이 고와지는 야생 들 복숭아 그리고 모든 산후병의 명약인 생강나무 같은 것들이 있어."

"들 복숭아는 저도 아는데 여자만을 위한 약초가 그렇게 많아요?"

"그럼 많지. 병의 종류만큼 약초의 종류도 많은 셈이지. 지긋지긋한 생리통에는 노박덩굴 열매. 냉증과 숙변 없애는 냉초와 두릅나무 껍질. 골다공증, 기미, 주근깨 없애는 접골목. 허리병 관절통에는 위령선 같은 것들이 있지. 그리고 살과 부기를 빼며 온갖 부인병에 좋은 지치. 대하증과 장염에 좋은 쇠비름도 있고."

"와, 끝이 없으시군요."

이옥은 노인의 전문성에 놀랐다.

"아니네. 이게 내가 아는 여자에게 좋은 것들의 대부분일세. 이 정도는 약초에 관심 있는 사람이라면 누구나 아는 상식이지."

노인은 대수롭지 않게 넘겼다. 툭툭 던지듯 앞서가는 말투였다가도 꽃지에게 설명을 해 줄 때나 일을 시킬 때는 자상한 할아버지 같은 느낌이었다. 부녀 사이보다는 할아버지와 손녀딸 같은 느낌을 주었다. 이옥은 그런 점이 궁금했다.

이옥은 슬며시 한 마디 던졌다.

"할아버지가 손녀딸을 가르쳐주는 듯합니다."

이옥은 두 사람의 관계가 무슨 사연이라도 있는가 싶었다. 노인이 꽃지를 바라볼 때면 측은한 자식을 바라보는 듯한 눈길을 발견하고는 했었다.

"그렇게 보이는가?"

"예."

"이 아이를 낳고는 얘 어미가 바로 세상을 떴지. 나는 세상을 뜬 것도 몰랐다네. 후일 집에 돌아와 보니 벌써 장사도 치른 후였지."

"…!"

이옥은 순간 잘못했구나 싶었다. 아픈 상처를 건드린 듯 미안했다.

"군인이란, 사람을 죽이는 직업을 선택한 사람이지. 죽이지 않으면 반대로 죽어야 하는 운명의 소유자들이지. 생과 사가 오가는 현장에서 겨우 살아서 돌아왔는데, 집에 와보니 이 아이 혼자 있는 것을 보는 아비의 마음이 어떠했겠나? 그나마 보살펴준 이웃이 있어 다행이었지. 그런 사람마저 없었다면 어찌 되었겠나?"

"…"

"그 후로 바로 군직을 그만두었지. 다른 이유도 있었지만, 사람이란 결국은 자신을 위한 길로 가게 되어있는 것이네. 나는 직책이 있는 사람이었기에 가능했지만, 군역을 지고 있는 사람들에겐 그런 자유도 없지. 그때부터 나는 다른 인생을 선택했네. 나라와 군주라는 관계에 대해서도 생각하게 되었고, 나의 삶에 대해서도 다시 생각하게 되었지."

노인은 끝까지 내부의 적으로 인해 사직했다는 성아에게 들은 이야기에 대해서는 말하지 않았다.

이옥과 꽃지는 노인의 말에 귀를 기울였다.

"어떤 사람은 나이 들어서도 군역을 벗어나지 못하고 사는 사람이 많네. 세상은 나를 위하여 돌아가는 것이 아니었네."

노인의 얼굴에는 창백한 기운이 돌았다. 처음으로 보는 모습이었다.

"죄송합니다. 괜한 말을 제가 해서…"

"아니네. 늘 죄지은 기분이었지. 아 아이에겐. 실은 변명이었는지도 모르지."

"…?"

이옥은 변명이라는 말에서 노인이 하고 싶은 말을 이제 하려는 것임을 알았다.

"자신의 상관을 죽여야 하는 상황을 아는가?"

이옥은 순간 감전된 사람처럼 노인을 쳐다보았다. 놀란 눈으로 노인을 바라보자 노인이 오히려 정색을 했다.

"아니, 왜 그러는가?"

"아닙니다. 그냥…"

이옥은 순간 안우 장군이 떠올랐다. 자신이 한때는 닮고 싶었던 사내 중의 사내였다. 의리도 있었고 용맹도 지녔다. 부하들을 아끼면서도 상관에 대해서는 할 말도 했다. 그런 그가 명령에 따라 상관에게 칼을 겨누었고 결국은 살해당했다. 누가 누구를 믿고 누가 누구를 죽일 수 있는가. 명령과 복종의 관계는 어디까지 유효한 것인가. 나라를 위한다는 명분은 왕과 국가 사이에서 어떻게 절충해야 하는가. 순간 많은 생각의 조각들이 떠돌아 혼란스러웠다. 노인이 이야기했던 충에 대한 생각도 함께 떠올랐다. 왕에게 충성하는 것이 나라를 위한 충성이라고 당연하게 생각하고 살았던 사람에게는 충격적인 일이었다.

"아픈 현실이 사람을 키운다고 하지만 그것을 몸으로 받아야 하는 사람은 불행할지도 모르지. 나는 비로소 새로운 인생을 시작했고, 지금의 삶이 나를 사람이란 이름에 걸맞은 길로 안내해 주었네."

이옥은 노인의 말에 뒤통수를 한 대 얻어맞은 기분이었다. 지금 자신은 마음 한편에 패배자라는 느낌을 지울 수가 없었다. 스스로 선택한 일이었지만 내가 걸어야 할 길이 없어서 잠시 도피한 기분이었다. 그런데 노인은 사람이란 이름에 걸맞은 길을 가고 있다고 하지 않는가. 나는 언제 그런 자신감이 충만한 길을 걸을 수 있을까 낙망스러웠다.

"뭘 그리 생각하나?"

이옥은 잠시 생각에 잠겨있었다.

"예. 아닙니다."

이옥은 정신을 차렸다.

"이제 그만 약초를 캐보자고."

노인은 하던 이야기를 멈추고 일어섰다. 더 듣고 싶었는데 그만 자신이 딴생각을 잠시 하는 바람에 노인이 이야기를 거둔 것이 아쉬웠다.

"이제 여기서부터 약초를 캐면 되네. 우선은 둘이 짝을 이루어서 약초를 캐게. 꽂지는 잘 알려주고."

"예."

노인은 이옥에게 약초에 대해 잘 알려주라는 당부까지 했다.

이옥과 꽂지는 오누이처럼 같이 숲속으로 들어갔다.

"왜 나물은 뜯는다고 하고, 약초는 캔다고 하지?"

이옥이 꽂지를 따라가며 물었다.

"글쎄요. 나물은 연한 잎을 주로 뜯고 뿌리는 먹지 않는데, 약초는 뿌리까지 캐야 하기 때문 아닌가 싶은데, 저는 잘 모르겠네요."

"약초는 언제부터 캐러 다녔지?"

"아버지가 집을 비우고 산에를 가시니 혼자 심심하잖아요. 그래서 따라다녔지요. 조금씩 배운 것이 이제는 제법 알게 되었고요."

"그럼 남자들에게 좋은 약초도 있겠네?"

"그럼요. 어떤 용도로 쓰느냐가 문제이지요. 아버지만큼은 몰라도 몇 가지는 알지요. 중풍, 고혈압, 두통을 고쳐주는 천마. 불면증, 신경쇠약에 특효약 산해박. 부작용 없는 천연 강장제 야관문과 삼지구엽초. 머리카락 검게 하고 대머리 다스리는 한련초 같은 것들이 있지요."

"그럼 아버지께서 말씀하신 것들도 상당수를 알고 있겠네."

"그럼요. 내가 모르는 것을 말씀해달라고 한 건데, 아마 오라버니 들으라고 나열해서 설명하신 것 같은데요."

"그래!"

이옥은 밝게 웃었다.

"이 세상에 필요 없는 것들은 없는 것 같아요. 필요성을 알아내지 못한 것이 아닌가 싶어요."

"가만 보니까 말투가 아버지를 그대로 닮은 것 같아."

"그렇겠지요. 제가 듣고 보고 배운 것이 거의 아버지를 통해서였거든요. 책도 아버지가 보던 책을 보았고, 한자 공부를 하면서 들은 것도 아버지의 이야기가 거의 다였지요. 이렇게 우리 집에서 아버지 말고 오랫동안 만난 사람은 오라버니가 처음이에요."

"외롭지 않아?"

"무언가 그리운 것이 있지요. 그것이 외로움인지는 잘 모르겠지만 사람이 그리울 때가 있어요."

"큰 데로 나가고 싶지 않아?"

"왜요. 어쩌다 아버지 따라 장에 가면 신기한 물건도 많고 얼마나 신나는데요. 사람이 많은 것도 신기하기만 하고요."

꽃지의 얼굴에 화색이 돌았다.

"그럼. 우리 장에 가볼까?"

"정말요!"

"그럼. 정말이지."

"우와, 정말 좋아요. 가 본지가 오래 되었어요. 겨울에는 멀고 험해서 가기도 어렵고 봄이면 가는데 저번에 아버지 혼자 나갔다 오셨거든요."

"그럼 내일 가자."

"좋아요."

꽃지의 목소리가 밝아졌다.

19

최영을 잡아들여라!

자기 자신이 세상의 중심이지만
그 중심을 찾아야 하는 것은 또한 자신의 몫

왕도 개경으로 환도 한지 오래 되었다. 신돈은 개경으로 발길을 향하고 있었다. 가능한 많은 사람을 만나고 많은 이야기를 들었다. 왕이 있는 곳을 향하고 있었지만, 신돈은 왕에게로 가까이 다가가지는 않고 변방에 있었다. 왕이 필요로 해서 부르기 전까지는 찾아가지 않을 작정이었다. 자신을 살해하려는 세력은 아직도 있었다. 직접 드러내놓고 죽이려 하던 재상 정세운과 고위재상 이승경이 죽었지만 그들 말고도 많았다. 특히 유학자 중에서는 신돈에 대해 반감을 품는 사람들이 많았다. 언제든 칼날이 자기를 표적으로 날아올 것을 누구보다도 잘 알고 있었다. 이미 사라져간 사람들이 많았다. 왕을 가까운 곳에서 모시는 영광과 함께 결국은 정변의 제물로 사라져간 인물들이었다. 이들 중에는 진정한 충신과 간신이 함께 있었다.

왕을 탄생시킨 친위정권의 핵심인사들이 사라졌고, 군부를 장악했던 장군들도 죽임을 당했다. 문과 무를 망라하는 인물들이 대거 사라졌다. 왕과 가까이 있다는 것은 결국은 사라져갈 수 있다는 것을 의미했다. 권력을 틀어쥐는 강자로 등극함과 함께 새로운 권력에 도전받아야 하는 수세적인 입장이 되어야 했다. 그리고 얼마 못 가서 제거되었다. 권력의 순환이 급격했고, 빠른 순환만큼 권력의 자리에 있는 사람은 정적을 두려워했다. 자신 외에는 누구도 믿을 수 없는 모함과 감시의 눈길이 있었다. 나라를 이러한 질시의 함정으로 몰아넣은 책임은 누구보다도 왕에게 있었다. 신하를 믿지 못하는 마음에서 비롯된 것이었지만 왕의 성장 배경에 모함과 배신이 자리하고 있어서 더욱 의심을 부채질했다. 조카의 자리를 빼앗은 것이나 다름없는 등극이었기 때문이었다. 자신의 자리를 빼앗길 것을 두려워하고 있었고, 소심한 성격은 누구도 믿지 못했다.

지존의 자리에 있는 왕은 왕의 자리가 한시도 바람 쉴 날이 없는 자리라고 생각했다. 누구도 믿을 수 없게 만든 장본인이면서도 스스로가 좌불안석이었다. 자신의 마음을 먼저 알고 궂은일을 처리해주던 신하들이 떠나가고 나서 왕은 외로웠다. 갈수록 커가는 외로움을 노국공주에게 의존했다.

그런 왕에게 노국공주의 임신은 활력을 가지게 했다. 노국공주는 고려의 왕후면서도 원나라의 신분을 그대로 쓰는 것을 좋아했다. 신하들도 백성들도 제삼자로 지칭할 때는 노국공주라 칭했다. 노국공주는 왕과 육체적인 관계는 소원했다. 정신적으로는 왕이 노국공주를 의지했지만, 원나라의 기질로 활달한 노국공주를 여성으로 가까이하지는 않았다. 노국공주는 결혼한 지 15년이 되어서야 어렵게 임신을 했다. 후사가 없던 궁에 경사였다. 노국공주는 물론 왕은 누구보다도 반가워했다. 자신의 왕통을 이을 후사를 가질 수 있다는 것은 위안이며 힘이기도 했다.

좋은 일에는 나쁜 일도 끼어들기 마련이라고 하지 않았던가. 노국공주의 회임은 경사스러운 일이었지만 산달이 되어서도 진통만 계속되었다. 자궁이 제대로 열리지 않았다. 왕은 절과 사당에 기도하도록 지시했고, 노국공주의 순산을 위하여 할 수 있는 모든 조치를 다 했다. 왕 스스로 분향하고 간절히 기도했다. 노국공주의 곁을 잠시도 떠나지 않았다. 왕은 진정으로 노국공주를 사랑했다. 그리고 자신의 자식을 가지고 싶어 했다.

하지만 노국공주는 왕이 지켜보는 가운데 산통으로 몸부림치다가 세상을 떴다. 배 속의 아기도 세상을 보지 못했다. 기도와 할 수 있는 모든 방법을 동원했음에도 진정으로 이 세상에서 사랑했고 믿었던 한 사람을 보내야 하는 왕은 비통했다. 왕은 세상을 다 잃은 듯했다. 그토록 열정을 가지고 추진했던 일들도 미루어 놓고는 방치했다. 노국공주의 사망과 함께 세상을 등진 사람 같았다. 왕은 슬피 울었다.

왕은 정성을 다해 장례를 치렀다. 노국공주의 장례를 치르기 위해 무려 17개의 관청을 만들었다. 왕은 죽은 노국공주를 산 사람처럼 대했다. 제사를 지내고 음식을 올렸다. 심지어 산 사람처럼 대화를 나누기도 했다. 미친 사람 같았다. 왕은 허망했다. 이제는 의지할 데 없는 고아처럼 보였다. 한 여인에 대한 사랑이 이처럼 간절할 수 있는가 싶었다. 왕은 자신의 능을 노국공주 옆에 미리 마련해

놓기까지 했다. 사람들은 안타까워하면서도 이해할 수 없었다.

왕은 수시로 능을 찾아가 머무르거나 울었다. 살아있을 때 제대로 해주지 못한 것을 자탄하기도 했다. 신돈은 왕이 부르기 전에는 찾아가지 않겠다고 했지만, 마음을 바꾸었다. 정사는 제대로 이루어지는 것이 없었다. 한때는 원에 대적해서 독립을 꾀했고, 개혁을 통해 미래를 내다보는 정치를 했었다. 하지만 노국공주의 죽음과 함께 손을 놓아 버렸다. 이러다간 나라가 거덜 날 것 같았다. 신돈은 궁으로 찾아들었다. 슬픔에 젖은 왕을 찾아가자 왕은 반가워 맨발로 뛰어나왔다.

"제가 이렇게 어려움에 처해 있는데 어디를 떠돌았단 말이요?"

"바람을 닮아보려 했지만 바람이 되기에는 부족했습니다."

"무슨 말씀을 그리하는 것이오. 스승을 죽이려는 자들로부터 잠시 피신해 있으라는 의미였는데 이미 그들도 이 세상에 없습니다. 짐은 노국공주의 죽음으로 슬픔에 견딜힘이 없는데 제 곁에 없으니 얼마나 쓸쓸했는지 아시오."

"죄송합니다. 민의 뜻을 알고 싶었습니다. 그리고 저 자신이 생각했던 바와 백성의 마음을 읽고 싶었습니다."

"그러셨군요. 이제는 제 곁을 떠나지 말고 머물러 주세요."

왕은 진정으로 외로웠다. 그리고 신돈이 고마웠다. 주위에 편하게 마음 하나 둘 곳 없어 외로웠던 차에 신돈의 출현은 더없이 반가웠다. 왕이 자신을 낮추는 '저'라는 표현을 쓰는 경우는 없었다. 왕은 주위 눈치 보지 않고 신돈을 스승으로 모셨다.

"그러겠습니다. 이제는 떠나지 않고 마음을 헤아려 보필하겠습니다."

"정말 고맙습니다. 내가 살고, 스승이 사는 길이 있습니다. 그 길은 오직 하나입니다. 나를 도와 나라를 일으켜 세우는 일입니다. 나는 이제 국사에서 손을 떼려 합니다. 아주 중요한 일만 제게 상의하시고 재량껏 처리해 주시면 됩니다. 곧 조정 대신들을 불러 공포하겠습니다."

왕은 지쳐있었고, 마음을 놓고 사는 사람 같았다. 많은 시간 함께할 수 있는 상황도 아니었고, 스스로 몸을 가누는 것도 힘들어했다.

"오늘은 이만 물러가 보겠습니다. 얼굴이 많이 상하셨습니다."

"내 얼굴이야 무엇이 그리 중요하겠습니까. 내 노국공주를 먼저 보낸 것이 가슴 아픕니다. 지금에야 스승께 감사함을 전합니다. 떠나고 나서 얼마나 허전했는지 모릅니다. 제 언덕이 되어주세요. 저는 스승의 언덕이 되어드리겠습니다. 스승의 사는 길이 제가 사는 길이고, 제가 사는 길이 스승께서 사는 길입니다."

"고맙습니다. 소승은 미력한 힘이나마 다하겠습니다."

"고맙습니다."

신돈은 물러 나오면서 마음이 착잡했다. 일을 할 수 있는 힘을 물려받았다기보다 한 사람의 슬픔에 측은한 느낌이 들었다. 고맙다는 말을 몇 번이나 하는 왕은 지쳐 보였다. 예전의 추진력 있던 강한 모습을 잃어버렸다.

어전회의에 참석하기 위하여 이춘부는 아침밥을 서둘러 먹고는 궁으로 향했다. 그리고 어제 찾아왔던 신돈을 생각했다. 저녁 늦게 찾아온 신돈은 승려라기에는 상식을 뛰어넘는 차림이었다. 머리는 길어 치렁치렁했다. 옷은 해지고 몇 번을 꿰매서 누더기 차림이었다. 파격적인 모습을 하고 있지만 눈은 날카롭고 빛났다. 개경을 떠난 이후에 더욱 세상에 대한 개벽을 꿈꾸고 있었다. 달라지지 않은 것은 호탕한 성격에 막힘없는 언사였다.

신돈은 이춘부를 만나 간곡하게 부탁했다. 죽음을 각오하고 다시 개혁에 임하겠다고 하는 눈빛이 유난히 강했다. 그러면서 이 나라를 살리는 일에 적극 도와 달라며 죽음을 각오하지 않고는 이 일을 할 수 없을 것임을 강조했다. 이춘부는 어전회의로 가는 발걸음이 무거웠다.

모처럼 제정신을 차린 왕은 자리에 앉기 전에 의자를 하나 가져다 자신의 옆에 두도록 했다. 신하들이 어리둥절해 했다. 왕과 같은 높이에 앉는 것은 용납할 수 없는 일이었다. 아무리 왕의 스승이라고 해도 그것은 있을 수 없는 일이었다.

"스승께서는 이 자리에 앉으시지요."

신돈은 망설였다. 사석에서야 편하게 대하는 것이 고마웠고 받아들일 수 있었지만, 지금은 공식적인 자리였다. 마음이 내키지 않았다.

"이리 오시라니까요. 무엇들 하느냐, 스승을 이리로 모시거라."

신돈은 마지못해 끌려 나오는 것처럼 올라와 앉았다.

"내 경들에게 할 말이 있어 불렀습니다."

왕은 차분하게 말을 꺼냈다.

"여기 스승을 이 자리에 모신 것은 예전에 짐의 일을 도와주던 것에 대한 고마움과 더불어 다시 일을 해 주실 것을 부탁드리고자 모셨습니다. 스승이 하는 일이 짐이 하는 일이라 생각해주시기 바랍니다. 그리고 짐은 당분간 정사에서 손을 떼고자 합니다. 물론 중요한 일은 참관하겠지만 대부분의 일은 스승께 맡기고자 합니다."

대신들은 서로 얼굴을 쳐다보며 말을 하지 못하고 있었다.

"뜻밖이라고 생각할 수도 있겠지만 승려의 신분으로 있으면서도 세상에 대한 이해와 깊이가 남다른 만큼 스승에게 적극적으로 협조하여 주기 바랍니다."

왕의 발언은 간곡하고도 애절하기까지 했다. 하지만 불교를 국교로 하고 있음에도 유학자들이 많았다. 유학자들은 신돈에 대한 거부감을 가지고 있었다. 더구나 승려도 아닌 속세의 사람도 아닌 행색과 행동에 강한 불신을 가지고 있었다. 하지만 이춘부는 달랐다. 이 일을 처리하는 데는 신분이나 소속을 가지지 않은 신돈이 적격인 면이 있었다. 나라를 살릴 방법과 혁신적인 생각을 현실에 옮겨 놓을 수 있는 인물로 신돈만한 인물도 없다고 생각했다. 파당으로 갈라진 나라를 사심 없이 이끌어나가기 위해서는 초당파적인 파격이 필요했다.

신돈을 반대하는 사람들 누구 하나 왕의 발언에 나서서 반대하지 못했다. 왕이 두려웠다. 언제 어떤 상황에서 어떻게 변할지 모르는 것이 왕의 마음이었다. 잘못하면 죽음의 길로 갈 수도 있었다. 오늘 아주 차분하고 정상적으로 정사를 보고 있지만, 왕은 비정상적인 정신 상태였다. 언제 돌변할지 몰랐다. 그런 왕에게 거부의 의사를 표현할 사람은 없었다. 하지만 속으로는 기회를 노리고 있는 사람들이 있었다. 기회가 주어지면 기어이 저 중놈을 없애버리겠다는 마음을 가진 사람들이 있었다.

"앞으로 조정의 대소사에 대해서 결재는 스승께서 할 것입니다."

왕의 마지막 말은 단호하고도 차갑게 끊어서 말했다.

왕은 홍건적과의 전쟁, 흥왕사의 변란, 덕흥군과의 전쟁을 겪으면서 더욱 신돈을 필요로 했다. 모두 힘겨운 일들이었다. 자신의 생명이 위협받는 일들이었다. 홍건적의 침입은 20여만 명이라는 수가 말해주듯 감당하기 어려운 전쟁이었고, 흥왕사의 변란은 왕을 가장해 이불 속에 누웠던 환관이 죽임을 당하는 위급한 상황이었다. 그리고 덕흥군과의 전쟁은 기황후를 뒤에 두고 고려의 왕을 바꾸기 위하여 전쟁을 일으킨 사건이었다. 마음 편하게 지낼 수 있는 날이 없었다. 그럴 때마다 마음을 열고 의지할 신돈이 그리웠다. 자신이 신돈의 피살을 면하게 하기 위해 피신해서 있으라고 했지만 힘들고 외로울 때마다 신돈이 그리웠다. 그리고 노국공주의 죽음으로 이제 지칠 대로 지쳐있는 왕에게는 신돈이 구세주였다.

김보와 이춘부를 첨의부의 고위재상인 찬성사에 임명하고 임군보와 김란을 밀직사의 재상에 임명했다. 개혁에 뜻을 같이하는 사람들이었다. 정무는 시중 유탁과 이인임이 맡았고, 궁중의 주요업무는 임군보와 목인길이 관장했다. 김란은 신돈의 사람이었고, 목인길은 왕의 사람이었다. 의심 많은 왕답게 목인길은 신돈을 견제하는 역할을 위해 배치했다.

신돈은 재상의 최고위직인 영도첨의領都僉議로 첨의 혹은 영상이라 불렸다. 신돈은 직위를 초월한 사람이었다. 왕권의 대행자였다. 누구도 그를 넘어설 수가 없었다. 왕을 제외한 절대강자였다.

이춘부는 개혁을 위한 작업에 다시 착수했다. 그동안 주요정책의 방향을 정했다면 이번에는 구체적이고 조직적인 실천방안을 마련했다. 이춘부는 정치적인 사건에 거의 개입하지 않았다. 정사란 것이 개혁과 연관되지 않은 것이 없었고, 가장 정치적인 일들이었지만 사람 간의 일에는 초연하려 했다. 누구를 두둔하고 누구를 배척하는 일에 무심하려 했다. 일 자체만으로 이야기하려 했고 설득하려 했다.

이색은 확고한 개혁목표를 가지고 있었다. 무엇보다 이춘부와 이색은 초록은 동색이라고 커다란 견해차이 없이 잘 맞았다. 이춘부는 재상으로 발탁되어 발군의 역량을 발휘했다. 이색은 왕의 최측근에서 보좌해온 온건파였다. 두 사람 다 온건파였지만 개혁의 내용은 나라를 흔들만한 것들이었다.

"제 자리에 돌려놓는 것이 이리도 힘이 들지는 몰랐습니다."

"그러게 말입니다."

이춘부의 의견에 이색은 동조했다.

"이번에 시험으로 시행한 내용은 잘 되어가고 있습니까?"

"잘 되어가긴요. 반대는 예상했지만 보다 조직적입니다. 반대 상소가 올라오고 일부는 노비가 되는 요건을 완화해야 한다고 주장하고 있습니다. 집단적인 반발 조짐조차 보이고 있습니다."

"그렇겠지요. 기득권을 가진 사람들이 쉽게 양보할 리가 없겠지요."

"그것도 문제지만 일을 추진하고 있는 사람에 대한 자질론을 계속 문제 삼고 있습니다."

내용의 정당성에 대해서 반발하기 어려운 입장에 있는 사람들은 신돈의 자질에 대해 문제 삼았다. 문제점을 왜곡시키고 다른 방향으로 전개하려는 의도였다.

"들리는 말로는 비밀결사대를 만들고 있다는 말도 나오고 있습니다."

이색이 세상의 기류를 이야기했다.

"비밀 결사대라니요?"

"영상과 일파들을 몰살시키기 위한 결사대라고 합니다."

영상은 신돈이었다.

"바로 우리를 두고 만든 결사대군요."

"그렇지요. 우리를 죽이기 위한 결사대인 게지요."

"이 재상께서는 경험이 있으시지요? 저번에 자객이 들었던 적이 있었잖습니까?"

"그랬지요. 이번에는 또 누가 자객을 보낼지 모르니 조심하십시오."

"그래야지요. 죽는 거야 언제든 상관없지만 하고자 하는 일의 마무리를 보고 죽었으면 싶습니다."

"그렇습니다. 죽고 사는 일이야 하늘의 뜻이라고 하지 않습니까. 진정 우리가 하는 일을 많은 사람이 이해하고 받아 주리라 믿습니다."

정국은 날카로운 칼날처럼 살기를 띄워가고 있었다. 왕은 신돈의 집을 종종 찾았다. 권력은 신돈에게로 급하게 집중되고 있었다. 왕은 신돈의 복식과 의전 절차 그리고 호위 병력을 왕에 준하도록 했다. 신돈이 머무는 곳에는 근위병이 백여 명에 달했다. 왕의 이러한 배려는 의도적이었다. 신돈의 권력 기반이 완성되어야만 왕이 구상하고 있는 정국 구상을 만들어낼 수 있기 때문이었다.

왕은 아무런 뒤가 없는 신돈과 달리 군권을 쥐고 있는 장수들을 두려워했다. 그들이 들고일어나면 어찌할 수 없다는 피해망상증이 있었다. 백성들도 장수들에게 열광했다. 나라를 구한 은인이었고 그들이 나라의 기둥이었다. 강한 병력을 가진 장수들이 죽어갔다. 그럼에도 백성들의 영웅인 사람은 남아있었다. 최영 장군이었다. 왕은 최영을 보면 질투심이 불같이 일어났다.

신돈은 최영의 위험을 은근히 방조하고 있었다. 신돈은 부처와 왕의 밑에서는 누구나 평등한 세상을 만드는 것이 꿈이었다. 최영이 외침으로부터 고려를 구한 영웅이지만 하층민을 신분의 굴레에서 구해낼 수는 없었다. 궁핍과 학대로부터 구해낼 수도 없었다. 신돈으로서는 사실 왕마저도 넘을 수 있다면 넘고 싶었다. 모두가 평등한 세상을 위해서라면 영웅의 희생마저도 받아들일 수 있었다. 신돈은 왕의 마음을 읽었다. 그리고 최영을 치고 싶어 하는 왕의 마음을 알고 있었다.

"고려의 군대는 최영이 것이 아니야. 짐의 것이야. … 최영은 너무 컸어!"

왕은 혼자 중얼거렸다. 그러다가 이내 소리쳤다.

"최영은 방자한 놈이야!"

결국 최영이 나라에 한 일에 비하면 아무것도 아닌 사소한 문제를 가지고 최영을 잡아들였다.

최영은 홍건적과의 전쟁, 흥왕사의 변란, 덕흥군과의 전쟁에서 나라를 구하고 왕을 구한 일등 공신이었다. 가장 앞서서 나아갔고, 왕을 위해서 어떤 어려움도 마다하지 않고 달려왔다.

최영과 이귀수가 잡혀 왔다. 최영과 이귀수에게 가해지는 고문의 강도는 컸다. 이귀수는 덕흥군과의 전쟁 때 왕의 편에서 최영과 함께 싸운 사람이었다. 억울했다. 하지만 국문하는 자의 살기는 높았다. 살과 피가 튀었다. 뼈가 으스러졌다. 죄목은 불충이었다. 불충이라면 충성스럽지 못하다는 것이었다. 어느 나라의 왕이, 목숨을 걸고 나라를 위해 싸운 신하에게 질투를 느낄까. 최영에게 쏟아지는 고통은 적의 화살이 몸에 박혔을 때보다도 아팠다. 홍건적과의 전쟁, 흥왕사의 변란, 덕흥군과의 전쟁뿐만 아니라 조일신 정변의 진압, 원나라의 요청에 의한 전투참여, 왜구와의 전투 등 고려와 왕의 위험이 있는 곳에는 최영이 있었다. 나라와 종묘사직을 위해 헌신한 인생이었다. 최영은 억울했다. 최영은 삶에 대한 회의가 컸다. 죽기를 두려워 않으면서 나라를 지키고 왕을 위하여 산 날들이 허무했다.

"왕을 위하여, 백성을 위하여 온몸을 바쳐온 나에게 돌아온 대가가 이것이라니."

최영은 앞서 비명에 죽어간 사람들이 떠올랐다. 조일신, 정세운, 이승경, 안우, 이방실, 김득배, 홍언박, 김용의 얼굴이 떠올랐다. 나도 그들처럼 죽어가는구나 싶었다.

"그들이 소모품이었듯이 나도 소모품으로서의 역할이 끝나가는구나."

최영은 자탄에 빠졌다.

"아, 내 살아있음이 부끄럽다. 차라리 빨리 죽여다오."

국문하는 상장군 이득림을 향해 절규했다.

백성들은 최영의 국문 소식을 듣고 전율했다. 고려의 산하가 뒤숭

숭했다. 사람들이 모이면 저마다 한마디씩 했다. 눈치를 보면서 잘못 이야기했다가는 잡혀갈지 모르는 상황에서도 소문은 퍼져나갔다. 최영은 고려의 상징적인 인물이었다. 전공을 세운 공로로 왕에게서 토지와 노비를 하사받았지만 검소하게 생활했고 백성들의 사랑을 누구보다도 많이 받고 있었다. 최영이 가는 곳이면 따라다니던 승리의 함성이 꺼져가고 있었다. 하지만 왕은 미쳐가고 있었다. 정상이 아니었다. 왕비의 사망 이후 거의 폐인이 되고 가고 있었다.

최영의 머릿속에서는 회한이 넘쳐났다.

“내가 언제 토지와 노비를 달란 적이 있었던가. 공을 인정해 달라고 요청을 한 적이 있었던가. 왕이 내게 공을 인정하여 공신이라 칭했고, 땅과 노비를 주지 않았던가. 그런 내가 무엇을 잘못했다고, 이런 문초를 당해야만 하는가.”

최영은 눈을 감았다. 온갖 상념이 머릿속에서 떠올랐다. 왕의 입장에서 이해하려 했지만 이해되지 않았다.

20

무예도장을 열다

자신을 사랑하는 것만이 중심에 뿌리를 내린다

"이제 이곳 생활에 적응이 되어 가는가?"

"예. 저도 이제는 한몫하고 있지 않습니까?"

기분이 좋아져서는 나무를 지고 내려오는 이옥의 웃음이 밝았다. 노인이 따라 웃었다.

지난 일을 잊어버리고 잘 적응해 가고 있었다. 노인의 넉넉한 사유의 폭과 새로운 세계를 접하면서 안우 장군의 일도 치유되어갔다. 노인이 이옥을 바로 서게 하고 세상을 이해해 가는데 한 역할을 하고 있었다. 그리고 말동무로 꽃지가 있어 산골생활이 제법 몸에 익어갔다.

"오늘, 장에 간다고?"

"예. 꽃지하고 함께 장 구경 좀 하려고요."

"그렇게 하게나. 꽃지에게 너무 바람 넣지 말고."

"바람은요. 저보다 세상이치에 대해 더 많이 아는걸요."

이옥에게는 여유가 생겼다. 처음에 이곳에 왔을 때는 무언가 경직되고 쫓기는 모습이었으나 이제는 그러한 모습을 찾아볼 수가 없었다. 아주 드물게 식은땀을 흘리며 잠꼬대하기는 했지만, 이제는 보기 힘들었다. 그만큼 자신감과 의욕을 가지게 되었다. 농담 같은 말도 했다.

"오라버니는 어떤 때는 어린아이 같아요."

"어린아이 같은 게 아니라 원래 내가 어린아이 수준이지."

"맞아요. 딱 그 수준이에요. 웃는 모습도 어린아이 같고요."

"나는 이곳에 와서 인생을 다시 사는 것 같아."

"뭐가요?"

꽃지의 눈이 토끼 눈 같았다.

"사내답게 사는 것이 군인이라고 생각했는데, 시골에서 이렇게 유유자적하게 사는 것이 더 사내다운 일이라는 걸 배우고 있어. 진정 홀로 선다는 것의 의미를 터득하고 있지."

"아버지께서 말씀하셨어요. 자신을 사랑하는 것만이 중심에 뿌리를 내리게 한다고요."

"무슨 뜻이지?"

"머물거나 이동하거나 상관없이 자신의 중심을 가지고 살아야 한다고 하셨어요. 그리고 그 중심을 가지게 되었을 때 그곳에 뿌리를 내릴 수 있는 마음이 생긴다는 것이지요."

"이제는 꽃지에게 내가 배우는구나."

"아니에요. 아버지가 말씀하신 걸 그대로 한걸요."

"그렇지 않아. 받아들이지 못하면 이야기를 전달할 수도 없지. 이제는 꽃지도 어른이구나."

"어른이긴요. 아직 스물도 안 되었는데."

"적은 나이가 아니지 이팔청춘도 넘긴 나이면서. 빨리 시집간 사람은 아이도 낳았겠다."

"아이, 놀리긴요."

꽃지의 볼이 붉어졌다.

장을 가기 위해 주먹밥을 만들어 보자기에 싸고, 내다 팔 약초를 지게에 실었다. 그리고 장을 향해 걸어가는 두 사람의 발길은 가벼웠다. 완전하게 시골 청년이었다.

"정말 남매 같구나. 잘 다녀오게."

노인이 두 사람을 보며 말을 던지고는 뒷간으로 사라졌다.

"소풍 가는 기분이네."

"정말 기운이 쑥쑥 나는걸요."

산을 오르고 내를 건널 때마다 쉬면서 노래하면서 때론 폴짝거리며 갔다. 장은 제법 멀었다. 산 열매를 따먹기도 하고, 나뭇잎을 꿰어 모자를 만들기도 했다. 풀피리를 만들어 불기도 했다.

"언제 이런 걸 배웠어."

나뭇잎을 꿰어 모자를 만들어주자 이옥의 얼굴이 환해졌다.

"한여름에 머리가 뜨겁잖아요. 이걸 해서 쓰면 시원해져요. 그리고 간단하고요."

"예쁜데. 고마워."

이옥에게 나뭇잎으로 만든 모자가 잘 어울렸다.

"아주 잘 어울리는데요."

"그래. 이번에는 내가 만들어줄게."

이옥은 나뭇잎을 따서 꽃지가 하던 대로 나뭇가지로 꿰어서 모자를 만들었다. 생각처럼 예쁘게 만들어지지 않았다.

"생각 같지 않은데."

"처음엔 다 그래요. 한 장씩 겹쳐서 동그랗게 되도록 이렇게 나뭇가지로 끼우면 돼요."

꽃지가 시범을 보였다. 꽃지는 멋지게 모자를 만들었다. 이옥이 만든 것은 무언가 엉성했다.

"참, 신기하네. 아주 쉬워 보이는데… 혼자 하니 잘 안되네."

이옥은 고개를 갸웃거렸다.

장은 북적거렸다. 여름철의 풍성한 채소와 과일이 쌓여있었고, 푸줏간에는 고기들이 걸려있었다. 길거리에는 바구니와 소쿠리가 쌓여있고 대장간에는 땀을 흘리며 함마를 내리치는 대장장이의 힘찬 모습과 연장들이 진열되어 있었다. 어디나 활력이 넘쳤다. 사람 사는 기분이 절로 들었다. 하루에 한 사람도 보기 어려운 조용한 곳에서 생활하다 모처럼 장에 오니 분위기에 들떴다. 두 사람도 덩달아 신이 났다.

"개경은 이곳보다 더 크지요?"

"그럼. 몇 배는 되지."

"집들도 많고요?"

"응."

꽃지에게 바람을 많이 넣지 말라는 노인의 말이 생각나 설명을 하지 않고 대답만 했다. 꽃지의 눈망울이 초롱초롱했다. 생기가 도는 것을 한눈에 볼 수 있었다. 풍물 장수의 재기 넘치는 이야기와 놀이도 구경하고 엿장수의 가위치기도 오늘따라 신이 났다. 북적거리는 길을 가다가 이옥이 슬며시 한 사람 옆으로 다가갔다. 그리고는 노인의 주머니에서 돈을 훔치는 소매치기의 손을 잡았다. 깜짝 놀라 돌아보는 녀석의 손을 꺾었다. 길을 가던 사람들의 시선이 집중됐다. 돈을 잃을 뻔했던 사람은 놀라 이옥을 쳐다보았다. 이옥은 시선을 돌려 모른체 했다. 이옥은 눈짓을 한 번 하고는 소매치기를 놔 주었다. 겁을 먹고 도망치는 소매치기를 바라보고는 이옥이 빙긋이 웃었다.

"어떻게 보았대요?"

"어떻게 보기는 눈으로 보았지."

"무섭지도 않아요? 해코지할 텐데."

"무섭기는 기로 제압하면 다시는 덤벼들지 못하지."

"어떻게요?"

"그냥 빙긋이 웃어주면 된다니까."

"이런 엉터리!"

꽃지가 이옥을 귀엽게 때렸다.

"우리 맛있는 거 먹을까?"

"음, 장국 먹어요."

"장국, 좋지. 음 어디로 갈까?"

"그건 나에게 맡겨요."

꽃지가 엽전을 발등에 떨어뜨려 굴러가는 방향을 바라보며,

"이쪽이요."

너무나 자신 있게 말했다.

소머리 국밥집은 사람들로 가득했다. 푸짐하게 뚝배기에 가득 담아 주었다. 산골에서는 고기를 먹기 쉽지 않았다. 사냥이라도 하면 고기 맛을 볼 수 있었으나 노인은 사냥하지 않았다. 시끌시끌한 가운데 장국을 먹는 두 사람은 즐거웠다. 옆 사람이 듣건 말건 모두가 큰 소리로 떠드는 것 같았다.

"최영 장군이 유배당했다는군."

"그럴 리가. 고려의 영웅을 누가 유배를 보낸단 말인가?"

"아니야. 진짜라니까. 국문을 당해서 반은 죽은 목숨으로 유배당했다는군."

"어디서 그런 실없는 이야기를 하고 다니는가?"

"이 사람이 진짜라니까! 국문하던 이득림과 오계남도 두려워했다고 하던데."

이득림이라면 현재 상장군으로 있고, 오계남은 순군의 관원이었다. 구체적으로 이름을 거명할 정도면 확실하다고 보아야 할 것이었다.

"그건 새삼스러운 일이 아니지요. 세상 사람이 모두 한 마디씩 하는 실정인데, 모르는 사람이 더 이상하지요. 상을 못 줄망정 국문에 귀양까지 보내는 건 너무했어."

옆에서 장국을 먹고 있던 사람이 목소리를 높였다.

아니라고 우기던 사람이 머쓱해 했다. 이옥은 아차 싶었다. 최영 장군까지 내쫓다니. 무엇을 잘못했다고 국문까지 한단 말인가. 최영 장군은 이옥이 존경하는 인물 중의 한 사람이었다. 무인이면서도 시문에 밝았다. 한 번 나아가기를 정하면 후퇴가 없는 용맹함이 있었지만 일단 결단을 내리기까지에는 진중함이 있는 인물이었다. 그래서 최영 장군의 결정을 병사들이 믿고 따랐다. 안우 장군 수하에 있으면서도 최영 장군을 흠모했었다. 최영 장군은 일관된 모습을 보였다. 그리고 철저하게 군인이기를 자처했다. 파당에 관여하지 않았다. 무장으로 남기를 바랐다.

이옥은 순간 밥맛을 잃었다.

"오라버니. 왜 그러세요? 맛있게 드시더니."

꽃지는 최영 장군에 대한 이야기에 별 관심이 없었다.

"아니야. 맛있게 먹어. 갑자기 속이 좀 안 좋아서."

정세운을 처단하라는 왕의 친서가 떠올랐다. 안우 장군은 왕명이라며 군사를 이끌고 달려가 정세운을 처단하고 나서 바로 김용에게 당했다. 그 김용은 귀양을 갔다가 죽임을 당했다. 그리고 다시 최영 장군이 귀양을 갔다. 최영 장군의 최후가 온 것인가. 순간 정신이 바짝 났다. 최영 장군이 유배지에서 그냥 죽는다면 이 나라는 온전한 나라인가. 광기는 언제 끝날 것인가. 거친 풍랑에 휩싸인 듯한 나라에서 나의 역할은 무엇이란 말인가. 이옥의 머릿속에서 거친 파도가 밀려왔다, 밀려갔다.

세상이 거칠다고 지금처럼 물러나 있는 것이 정당한 것인가. 최영 장군도, 안우 장군도 그 거친 파도 속에서 살았고 당당해 보였다. 지금 아버지도 풍랑 속에 있었다. 바다는 끝없이 파도를 만들어내고 파도로 제 몸을 정화해 나갔다. 사람에게 고난이 오는 것도 파도와 같은 것인가 싶었다.

"오라버니 오늘은 이상해요."

"내가 생각해도 내가 이상하다."

"무슨 일이 있어요?"

"아니야. 나 자신의 모습이 초라해 보여서 그래."

"갑자기 그런 생각은 왜 했어요?"

"최영 장군이 죽을지도 모른대."

"최영 장군이 누군데?"

"최영 장군도 몰라?"

"예. 처음 듣는데."

이옥은 갑자기 할 말을 잃었다.

최영 장군을 모르는 사람도 있구나. 그리고 그것이 너무나 자연스러운 일이라는 생각이 들었다. 꽃지가 만나는 사람은 노인이 거의 다였다. 노인이 세상 이야기를 해 주지 않으면 알 수가 없었다. 노인이 꽃지에게 전쟁 이야기를 하고 싶지는 않을 것이다. 하극상에 대한 이야기를 언뜻 비칠 때 그러한 느낌을 받았다.

"꽃지야."

너무도 다정하게 불러 꽃지가 눈을 동그랗게 떴다.

"개경에 가지 않을래?"

꽃지가 이옥의 갑작스런 개경 이야기에 다음 말을 기다렸다.

"세상을 알아야 제대로 살아갈 수 있거든. 아버지야 이곳에서 괜찮겠지만, 꽃지는 더 큰 곳에서 세상을 보며 살아야 해."

"그렇지만, 그게 어디 될 수 있는 일인가요?"

"얼마든지 가능하지."

"가능하다고요?"

꽃지의 눈이 빛났다.

"내가 해볼게."

꽃지는 환한 표정이면서도 이옥의 말에 무어라 답을 하지 못했다. 생각해 보지 않은 일이었다. 막연하게 사람들이 많은 곳에서 일했으면 하는 마음이 있었지만 정말로 막연한 생각이었다. 꽃지는 한껏 상기되어 있었다. 꽃지는 시장판에 가져온 것들을 펼쳐놓았다. 소리치며 파는 모양이 몸에 익어 보였다. 이옥도 다시 장판 분위기에 신이 나서 덩달아 소리를 쳤다.

"대단하다."

"뭐가요?"

"장사하는 모양이."

"그래요?"

꽃지는 좌판보다도 개경에 대한 이야기가 더 마음에 있었다. 세상이 갑자기 넓어 보였다. 하늘도 덩달아 높아 보였다. 꽃지는 마음만으로도 붕 뜬 기분이었다. 이 큰길을 따라가면 어디일까. 소달구지가 자국을 남기고 멀어져간 길을 따라가면 어떤 사람들이 사는 마을이 나올까. 저 산 너머에도 내 꿈이 펼쳐질 수 있을까. 꽃지는 이옥의 말에 갑자기 세상이 달라 보였다. 더 큰 세상이 기다리고 있는 듯한 기분이었다.

"좋았냐?"

"네. 정말 좋았어요."

집에 돌아온 딸에게 노인이 물었다.

꽂지의 목소리가 밝았다.

"뭐가 그리도 좋았느냐?"

"오라버니가 소매치기를 잡았어요."

"소매치기를?"

"예. 한 번에 꼼짝도 못 하게 한걸요."

"그리고?"

"저를 개경으로 보내준다고 했어요."

노인의 시선이 이옥에게로 향했다. 바람을 넣지 말라고 당부를 했음에도 꽂지의 목소리에는 개경에 대해 동경이 담겨 있었다.

"보다 큰 곳에서 사는 것이 필요하지 않을까 싶습니다."

"…"

"자라고 있는 꽂지에게 개경은 기회가 될 듯싶습니다."

"꿈만 키우고 나서 감당 못 할까 싶어 그러네."

"그럴 리 없습니다. 똑똑한 아이인걸요. 날개를 달아주고 싶습니다."

노인의 대응이 예상보다 부드러워 이옥은 내심 안심했다.

노인은 말없이 장작을 패러 갔다. 노인의 장작 패는 소리가 예전 같지 않았다. 딸이 커서 이제 둥지를 떠나려는 것을 생각하고는 마음이 편하지 않은 모양이었다. 두 사람만이 사는 이곳에서 한 사람이 떠난다는 것은 빈자리가 컸다. 엄마 사랑 없이 커온 딸이 안쓰럽기도 했지만, 이제는 이별을 준비해야 하는 때가 왔다.

노인은 한참 동안 장작을 패고 나서 얼굴에 흐르는 땀을 씻으며 돌아왔다. 꽃지는 개경에 간다는 말을 더 꺼내지 않았다. 아버지의 표정을 읽은 것이다. 아버지 혼자 이곳에 두고 떠나야 한다는 걸 순간 느꼈다. 철없이 이야기한 자신이 부끄러웠다. 그러면서도 그곳을 가보고 싶었다. 많은 사람이 살고, 이곳에서는 보지 못한 것들이 많다는 그곳, 그곳에 가고 싶었다. 마음만 먹으면 다 될 것 같은 기분이었다. 아주 크고 높은 궁궐도 보고, 세상의 모든 것들이 다 모여 있다는 그곳에서 내가 하고 싶은 일을 찾아 꿈을 이룬다는 생각을 하니 마음만으로도 벅찼다.

"자네는 어찌할 셈인가?"

이옥은 그렇지 않아도 노인에게 상담하고 싶었다.

"생각 중입니다. 그렇지 않아도 여쭈어보고 싶었습니다."

"얼마 동안이야 괜찮지만, 이곳에서 오래 머무르는 것이 그리 좋은 일은 아니네."

"예. 그렇게 생각하고 있습니다."

"세상은 한 번도 순탄하게 돌아간 적이 없었네. 산다는 건 어디에서도 벅차지. 하지만 사람은 욕망의 크기만큼 행동하게 되어있네."

"저는 아직 때가 이르다 싶습니다."

"젊음은 가지고 있을 때는 번거롭지만 잃고 나서는 그리워지는 것이지. 젊음이 가진 열정으로 만들어낼 수 있는 것은 때가 있네. 그 순간이 지나면 이루기 힘들거든."

"항상 젊어 보이시는데요."

"그렇지 않네. 다만 마음을 열어놓고 살뿐이네."

"무엇을 말씀하시는 건지요?"

"어떤 것이 맞는다고 고집하는 순간 새로운 것을 받아들일 수가 없게 되네. 내 생각이 맞는다고 우기는 순간, 호수로 들어오는 물이 막히게 되는 것과 같지. 어떤 원리나 이론도 정답은 아니네. 더구나 사람이 살아가는 일은 그렇네. 무엇보다 상황 논리가 우선일 수 있네."

"상황 논리라니요?"

"법이나 도덕적인 잣대로는 옳고 그름이 명백하겠지만 깊은 곳을 들여다보면 저마다의 사연이 옳다는 것이지."

"자네가 이곳에 있는 걸 알면 사람들은 사내답지 못하다거나, 세상에 졌다고 하겠지."

"…!"

"나도 날개가 꺾여서 이곳에 들어온 사람으로서 자네의 마음을 아네. 하지만 일어서야 하네. 내가 생각해 본 바로는 도장을 열어보는 것이 어떤가 싶네."

"도장이요?"

이옥은 너무 뜻밖이었다. 예상치 않은 갑작스러운 제안이었다. 전혀 생각해 보지 않은 일이었다. 그것도 이야기 도중 불쑥 도장 이야기를 해 당황스러웠다.

"무예 도장을 차리는 것이지. 궁술을 비롯한 칼이나 창 같은 것을 다루는 도장을 차려 후진양성을 하는 것이 어떤가 싶네. 자네는 어딘가 마음 한편이 무르지."

"…?"

무르다는 말이 언뜻 이해가 가지 않았다.

"인간적이란 말이네. 무장은 따뜻한 마음으로는 성공을 이루기 어렵네. 때론 차갑고 잔인하단 말을 들을 수 있어야 세상에서 일어설 수가 있지. 더구나 지금 같이 죽고 죽이는 혼란의 와중에서는 더욱더 그렇네. 하지만 자네는 그러한 욕망이 직접 부딪히는 일보다는 한숨 비켜 선 곳에서 숨을 고르며 때를 기다리는 편이 낫네."

"무술 도장을 차리는 것이 가능할까요?"

"가능하지."

당연하다는 듯한 말에 이옥은 힘을 얻었다.

"도장을 여는 것이야 본인이 할 일이지만 도와줄 사람을 찾아보게. 혼자 해도 무난하겠지만 같이 생활했거나 아는 사람 가운데에서 찾아보게."

이옥은 순간 군직을 버리고 떠난 성사빈이 떠올랐다. 창과 칼을 잘 쓰기로 알려진 사람이었다. 사람이 강직하고 꾸밈이 없었다. 믿을 수 있는 사람이었다.

"제가 할 일을 찾아주셨습니다. 무슨 일을 해야 할까 생각하고 있었습니다."

이옥은 노인에게 고마웠다. 벽에 부딪힌 듯한 느낌을 받고는 했었다. 활로를 찾은 느낌이었다. 노인의 말대로 자신의 어딘가에 여린 구석이 있는 것은 아닌가 싶었다.

무예도장을 열다

21
무예 도장을 차리다

결국은 누군가가 짊어져야 하는 것이 역사다

나라는 여전히 시끄러웠다. 최영 장군이 귀양을 갔다는 것도 잊혀 가고 있었다. 사람이 살아가기에 이 세상은 비옥한 땅이 아니었다. 작은 강토에서 나는 부족한 곡식을 나누어서 살아야 했다. 하지만 그 나눔도 여의치 않았다. 독식하려는 사람과 빼앗기는 사람 사이에 싸움이 있었다. 치열하지 않으면 살아남기 어려웠다.

힘없고 가난한 사람에게 땅을 돌려주고 힘을 실어주려는 의도는 힘을 가진 자에게 무시당했다. 기득권층의 반대에도 신돈이 추진하고 있는 개혁은 가파르게 진행되어 갔다. 왕은 여전히 죽은 노국공주에 빠져서 헤어나지 못하고 있었다. 왕의 중요한 일정은 죽은 노국공주를 만나는 일이었다. 어떤 때는 노국공주가 바로 옆에 있는 것처럼 이야기하고는 했다. 왕이 찾는 곳은 노국공주와 관계있는 곳이 대부분이었다. 공주의 묘가 있는 정릉, 공주를 위한 기도 사찰인 운암사 그리고 영정을 수시로 찾았다. 왕은 노국공주에 대해 병적이었다. 그리고 간절했다.

자연스럽게 국정은 신돈이 도맡아 했다. 보다 적극적이고 빠르게 개혁을 진행하고 있었다. 신돈이 앞에서 끌어가고 이춘부를 비롯한 개혁세력이 몰고 가는 개혁은 여러 가지로 벅찼다. 반대도 반대였지만 지지기반이 약했다. 백성들은 전폭적인 환호를 했지만 개혁의 상대는 강자였다. 신돈은 누가 뭐라고 해도 신분이 승려였다. 그리고 기득권층들은 유교적인 사고를 가진 사람들이었다. 둘은 달랐다.

불교는 신분이 없는 평등을 지향하고 있지만, 유교를 신봉하는 유학자들은 신분이 확실하고 남녀가 유별한 세상을 꿈꿨다. 서로 다른 얼굴을 가지고 같은 수레에 타고 있었다. 두 개의 수레바퀴가 나란히 잘 굴러가야만 앞으로 진행할 수 있는데 두 바퀴가 다른 방향을 향하고 있어 제대로 굴러가지 않았다. 불협화음이 생겼다. 신돈에게 호의적인 사람들도 속으로는 반대하는 사람들이 많았다.

신돈의 이상은 위험한 꿈이었다. 평등을 지향하는 것에 왕을 제외한 것이라는 한계선을 그었지만 결국은 그 화살이 겨눈 것이 어디를 향할 것인가는 예상 못 할 것이 아니었다. 모두가 평등한데 한 사람만 지존으로 남아있을 수 있을까. 위험한 곡예 같은 것이었다. 현재 권력을 쥐고 있는 기득권층에서의 반발이 컸다. 현재의 권력은 백성을 볼모로 해서 얻는 부였고, 권력이었다. 누구도 자신의 기득권을 내려놓으려 하지 않았다.

"아버지는 괜찮으세요?"

"괜찮을 리가 있겠느냐. 탑을 쌓고 있는데 나 살겠다고 돌 하나를 빼면 탑은 무너진다. 누군가는 이 세상의 고난을 짊어져야 하는 것 아니겠냐?"

"그것이 아버지여야 한다는 이유는 없지 않습니까?"

"네 말도 맞다. 그렇지만 상황이 그리 간단하지 않다. 세상은 원래 정의롭지 못하다. 결국은 누군가가 짊어져야 하는 것이 역사란다. 내가 빠진다고 역사가 굴러가지 않는 것이 아니다. 세상에는 어머니를 잃고 자라나는 아이도 있다. 어머니가 없어도 아이는 자란다. 그렇지만 아이에게 어머니는 있어야 한다. 내가 아니어도 세상은 돌아가지만 내가 조금 더 바른 세상을 만들어 간다고 생각하면 내 인생이 희생이어도 좋으리라 생각한다. 스님도 마찬가지일 게다. 내가 아니어도 되지만 더 나은 세상을 위한 노력을 내가 하고 싶다."

스님은 신돈이었다. 신돈에게는 왕으로부터 물려받은 첨의 또는 영상이라는 직책이 있었지만 편하게 스님이라고 불렀다. 아들 이옥에게 이야기하는 이춘부의 목소리는 낮고 의미심장했다.

"같은 민족끼리 죽고 죽이는 일이 두렵습니다. 서로 미워하고 모함하는 일이 끊이지 않고 있습니다."

"내 안다. 네가 모시던 안우 장군이 그렇게 억울하고 비명에 가고, 최영 장군이 국문을 당하고 귀양까지 가는 현실을 보고 좌절했을 것이다. 사람이란 존재에 대해 회의도 가졌으리라 믿는다. 하지만 그것이 사람의 얼굴이니라."

"그것이 사람의 얼굴이라고요?"

"그렇다. 사람은, 아니 살아있는 생명은 자신을 보호하려는 본능이란 것이 있다. 자기 보호 본능의 핵심이 무엇이라고 생각하느냐?"

"…?"

"나를 먼저 이롭게 하려는 마음, 즉 이기심이니라. 사람의 가장 깊은 곳에 자리한 것은 이기심이다."

"…!"

"그렇게, 생명을 가진 것들의 살아가는 터전이 힘들다는 것이다. 이기심을 가지지 않으면 살아남을 수 없다는 것이다. 그럼에도 사람이 살아갈 만한 세상을 만들어내고 있는 것이 대견스럽지 않느냐? 부족하지만 도우려는 사람이 있고, 가족이라는 울타리를 만들어 서로 의지하려 한다. 이기심을 근원으로 가진 인간이 말이다."

이옥은 반론을 제기하지 못했다. 자신이 부끄러웠다. 아버지와 이렇게 깊이 있는 이야기를 나눈 기억이 거의 없었다. 아버지를 다시 보았다.

"그래. 간일은 어떻게 되었더냐?"

아버지는 화제를 바꾸었다.

"자리를 알아보고 왔습니다."

"마음에는 들더냐?"

"예."

이옥이 도장을 차리겠다는 말에 이춘부는 적극적으로 협력해 주었다. 의욕을 잃고 방황하지 않을까 심려하던 차에 도장을 차리겠다는 이옥의 말이 반가웠다. 그리고 지금의 상황으로 봐서 아들이 복귀하는 것은 불안했었다. 언제 어디서 정변이 일어날지 모르는 일이었다. 누가 적이고 아군인지를 가리기가 어려울 만큼 혼란스러웠다. 왕에 대한 반발이 높아가고 있었고, 신돈과 자신이 이끌어 가고 있는 개혁에 반대하는 세력이 언제 들고일어날지 모르는 형국이었다. 지금은 어디에 있어도 안전하지 못했다. 권력의 다툼이 없는 곳에서 자신을 수련하고 후진을 양성하는 일을 하겠다는 이옥의 결정이 잘한 일이라고 생각했다. 무엇보다 의욕을 찾은 것이 바람직하였다.

"혼자 할 생각이냐? 어려움이 있으면 말 하거라."

"네. 중랑장으로 있었던 성사빈이라는 사람과 같이 하려 합니다."

"믿을 만한 사람이냐?"

"같이 생활했던 사람인데 믿음이 가는 사람입니다."

"그럼 그렇게 하거라. 그리고 네가 저번에 부탁했던 일은 이야기해 놨다."

"자리 좀 알아 봐 달라고 부탁드린 것 말씀하시는 겁니까?"

"그래. 초보자 자리는 가끔 뽑는다고 하더라. 약초에 대한 물음 몇 가지 물어보는 정도라고 하니 그리 어렵지는 않을 게다."

이옥은 도장을 차리는 일보다도 꽃지 일자리가 났다고 하니 더없이 기뻤다. 마음 같아서는 당장 달려가 기쁜 소식을 전하고 싶었다. 자신이 모처럼 생명의 은인인 두 사람에게 작으나마 한 가지를 해 준 것 같았다. 가슴이 훈훈해지기까지 했다. 이옥은 노인에게 많은 것을 얻었다. 세상을 바라보는 시선을 제대로 가르쳐 주기도 했지만, 다시 의욕을 찾도록 도와준 것이 고마웠다. 꽃지는 이미 친동생 같았다. 꽃지의 환한 얼굴이 떠올랐다. 노인도 사실은 꽃지가 큰 곳에 나가서 제 갈 길을 찾아가는 것을 바라고 있었지만 달리 방도가 없었다. 바람을 넣지 말라고 당부한 것을 이옥은 눈치채고 있었다. 이옥은 꽃지가 노인과 단둘이 산속에서 생활하는 것이 안타까웠다. 마침 아버지가 자리를 구해주어 다행이었다.

이옥은 도장을 마련하기 위해 기본적인 틀을 만들었다. 도장을 나라에서 운영하는 훈련도감이나 병영이 있었지만 개인이 전문적으로 가르치는 곳은 없었다. 궁술이나 말타기, 창술, 검술 등을 가르치는 도장을 만들고 싶었다. 궁술과 승마는 이옥 자신이 가르쳐도 되지만 창술과 검술은 성사빈에게 맡기고 싶었다. 성사빈은 내로라하는 검술과 창술의 달인이었다. 이옥은 도장 자리부터 마련하고 나서 성사빈에게 서신을 띄웠다.

그리고 다시 노인에게로 달려갔다. 이제는 고향 같은 기분이 들었다. 몇 번의 방문으로 정이 들었다.

"오라버니, 간 일은 잘 됐어요?"

"그럼. 잘 됐지."

이옥의 목소리가 아주 밝고 명랑했다.

"아버지는 어디 가셨나?"

"말 운동 시킨다고 나가셨어요. 저기 오시네요."

노인은 말을 타고 이옥과 꽃지가 있는 곳으로 달려오고 있었다. 노인답지 않게 말을 타고 달리는 모습이 당당했다. 긴 머리카락과 옷자락이 바람에 날리는 모습이 마치 도인 같았다. 마른 체구에 강한 느낌의 눈매. 흐트러짐 없는 행동이 노인을 가볍게 볼 수 없게 했다.

"이제 우리 식구가 되었군."

"네. 자식으로 받아주시지요."

"이미 자식인 걸 어쩌나."

대하는 마음이 한결 부드러워졌다. 들판에 파랗게 일어선 풀들이 눈을 시원하게 했다. 허리를 틀며 다가오는 길을 남기고는 죄 풀밭이었다. 풀밭에 뒹굴고 싶은 마음이 들었다.

"간 일은 잘되었나?"

도장을 만들겠다고 한 일을 두고 하는 말이었다.

"잘 되었습니다. 준비 단계이기는 하지만 도장을 차릴 곳도 보고 왔고요."

"다행이네. 이제는 바쁘겠군."

"예. 그럴듯합니다. 시간이 되시면 가끔 오셔서 지도해 주시지요."

"내가 이 나이에 무슨 지도를 하겠는가. 이제는 조용히 내 생을 정리해야지."

"아직도 건강하신데요?"

"세월은 소리 없이 사람을 삭게 만들지. 또 살아온 만큼 삭아야 하는 게고."

"지금 말을 타고 오시는 모습만 봐도 아직 한창이신데요."

"그렇게 봐 주어서 고맙네. 그런 의미에서 오늘은 말을 타고 달려볼까?"

"좋습니다."

"꽃지야, 너도 같이 달려 보자꾸나."

노인이 꽃지에게 말 경주를 할 것을 제의했다.

"어디까지 가지요?"

"강가까지 가 보자고. 모처럼 강도 구경하고."

"좋습니다."

벌판을 세 필의 말이 달려나가는 모습은 한 장의 그림 같았다. 힘차게 초원을 달렸다. 들판은 모처럼 활기를 찾은 듯했다. 세상과 등을 지고 살아가던 노인도 두 사람의 젊은 사람이 보좌해 한층 활달했다. 말발굽 소리가 세상을 흔들어 깨우고 있었다. 열린 세계가 세 사람의 질주에 더욱더 넓게 펼쳐지고 있었다.

세 필의 말은 서로 앞서고 뒤서기를 하며 서로 양보 없이 달렸다. 거친 바람이 더욱 활력을 주었다. 살아있음이 동력 같았다. 심장박동이 거칠게 호흡을 압박하는 듯했지만 도리어 쾌감이 솟았다. 달리다 보니 승부욕이 작동했다.

강이 보이기 시작했다. 한참을 달려 말도 거친 숨을 몰아쉬고 있었다. 결국 노인은 뒤처지기 시작했고 이옥과 꽃지가 마지막 질주를 하고 있었다. 목까지 차오르는 숨을 참으며 더욱 달렸다. 스물이 안 된 꽃지의 질주는 자유를 향하여 내달리는 야생마 같았다. 이옥은 가장 혈기가 넘치는 청년이었다. 누구에게도 양보하고 싶지 않았다. 젊음의 괜한 자존심이었지만 힘을 다해 달렸다. 엇비슷하게 달려 나가던 이옥이 힐끔 꽃지를 바라보았다. 꽃지도 결코 뒤지지 않게 달렸다. 꽃지의 눈빛에는 승리에 대한 욕심이 보였다. 이옥은 빛나는 꽃지의 눈빛을 보았다. 그러나 이옥도 결코 양보할 수가 없었다.

강은 멀지 않았다. 파란 강물이 아주 조용하면서도 유장하게 흘러가고 있었다. 강물은 끝없이 물길을 내어 들판의 풀과 나무를 기르고 있었다. 사람은 반복되는 오늘이란 시간으로 세상을 만들어가고 있었다. 생명에게는 끝없는 시간이 생명수였다. 시간의 수평선을 따라

걷는 것이 인생이었다. 강가를 향하여 달려가는 세 사람은 시간으로 개인의 역사를 써 내려가고 있는 것이었다.

강물은 흘러가고 있었다. 달려가는 세 사람이 스쳐 보내는 바람 사이로 시간도 흘러가고 있었다. 멀리서 보면 생은 저마다의 길을 만들어가고 있었다. 깊고 아름다웠다. 그리고 고요해 보였다. 그러나 다가가면 말발굽 소리가 요란한 현장이었다. 말발굽에 튀는 돌과 흙이 허공으로 날렸다. 그것이 삶이었다. 삶은 끝없이 깊어질 수도 있고, 한없이 가벼울 수도 있는 것이다. 한없이 거칠 수도 있지만 내내 정적을 만들어낼 수도 있었다. 결국은 선택이었다. 세 사람의 길은 독립적이었지만 시간이란 하나의 연결고리에 의해 엮이고 있었다.

이옥이 간발의 차이로 먼저 도착했다. 꽃지는 거의 말의 머리만큼 뒤이어 들어왔다. 도착과 함께 거친 숨이 두 사람을 흔들었다. 이옥이 먼저 꽃지를 보고 피식 웃었다. 꽃지도 따라 웃었다.

"승부욕이 사람을 달리게 하는구나."

뒤처져 달려온 노인의 말에 이옥과 꽃지가 서로 얼굴을 바라보며 다시 웃었다.

강은 깊어진 그대로 흐르고 있었고 강기슭에는 갈대와 같은 풀들이 푸르렀다. 새들이 날아와 물가를 종종거리기도 하고 어떤 새들은 강물 위에서 유영하고 있었다. 한가로운 풍경이었다. 평화롭고 적막한 이곳과는 달리 어느 곳에서는 치열한 싸움이 있다는 것을 떠올리고는 이옥은 생각했다. 삶은 어디까지가 정당한 것인가? 안우 장군의 일로 사직하고 도장을 시작했지만 어디까지가 세상에 대한 참여이고, 어디까지가 도피인가? 세상이 힘이 든다고, 세상이 비정하다고, 세상을 등지고 살아야 하는 것이 정당한 것인가? 다시 아버지의 얼굴이 떠올랐다. '사내에게 기댈 언덕은 자신밖에 없다'는 말이 울려왔다.

"뭔 생각을 그리하나?"

"예?"

"뭔 생각에 그렇게 골똘하냐고 물었네."

"예, 아닙니다. 그냥."

이옥은 얼버무렸다.

"정말 아름답네요. 모처럼 나오니 마음도 시원해요."

꽃지는 상쾌한 얼굴로 강을 따라 광활하게 펼쳐진 풍경을 바라보았다. 숨이 찼지만, 마음은 상쾌했다. 불어오는 바람이 이마의 땀을 식혀주었다. 모두 편안한 마음으로 마음껏 달려보기는 오랜만이었다. 경주할 일이 없었던 노인과 꽃지는 더욱 시원한 느낌이 들었다.

"저 강물을 보게. 흐르는 일 하나로 얼마나 많은 생명을 기르는가를. 사람도 나 자신이 살아있는 일 하나로 세상에 득이 된다면 얼마나 아름다운 일인가."

"사람이 사는 일이 아름다울 수 있을까요?"

"그렇지. 아름다운 일이지. 사람은 할 일이 있어서 태어난 것이라 믿네. 그 일을 알아내 마무리하는 일이 생을 제대로 사는 것이 아닌가 생각하곤 하네."

"자신의 할 일을 알아내는 방법이 있습니까?"

"있지. 정확하게 이야기할 수는 없지만, 마음을 가라앉히고 깊은 침묵 속에서 마음의 방향을 바라보게. 마음이 흘러가는 방향이 보일 것일세."

"…!"

"시간이 될 때 한 번 해보게. 한 번으로 잘 안 되면 몇 번 해보게. 그리하면 흐름이 보이네."

사람은 할 일이 있어서 태어난 것이라는 말이 가슴에 내려앉았다. 설령 그렇지 않더라도 내 마음이 진정하고자 하는 일이 무엇인가를 확인하고 싶었다.

"아버지. 저도 무언가를 해보고 싶어요."

꽃지가 노인과 이옥, 두 사람 사이의 짧은 침묵을 깼다.

"그래. 좋은 생각이다. 이제는 네 갈 길을 생각할 때가 되었구나. 길을 찾아보자."

노인은 다른 말없이 편안하게 말했다.

"제가 도장을 차려 후진을 양성하겠다고 했더니 아버지께서 아주 흡족해하셨습니다. 경전을 공부하는 것도 중요하지만 무술을 가르치고 연마하는 것이 이 시대에 더 필요한 일이라고 하셨습니다. 그리고 제가 꽃지 자리를 부탁드렸었는데 이야기가 되었답니다. 면접만 보면 쉽게 통과하리라 생각됩니다. 의녀 자리인데, 약초를 다루는 자리라고 합니다."

"정말요!"

꽃지의 얼굴이 밝아졌다. 그리고는 아버지를 한번 바라보았다.

"고맙네. 그렇게 해보게."

꽃지가 철없이 좋아하는 모습을 보고 노인은 애써 태연한 척했다.

얼굴에 마음을 담지 않으려 했지만, 순간 스쳐 가는 눈빛이 쓸쓸했다. 이제는 떠나보내야 할 때가 왔음을 인정해야 했다.

세 사람은 말에서 내려 강을 따라 걸었다. 한 가족 같았다. 더없이 평화로웠다. 세 사람은 한 길을 따라 아주 편안한 마음으로 걷고 있었지만 다른 꿈을 꾸고 있었다. 노인은 꽃지를 떠나보내고 홀로 남을 준비를 해야 했고, 꽃지는 아버지를 혼자 두고 떠나는 마음이 걸리기는 했지만, 개경에 대한 생각으로 마음이 설레었다. 이옥은 이옥대로 도장을 차려 여태까지의 방법과는 다른 길로 세상에 한 역할을 하리라 다짐했다.

22

귀양 간 최영 장군을 찾아가다

늑대와 호랑이가 같은 굴에 산다면

"최영 장군을 만나러 가겠습니다."

이춘부는 말이 없었다. 정면을 응시한 채 앉아있었다.

"왜 말씀이 없으십니까?"

여전히 이춘부는 말이 없었다. 침묵이 흘렀다.

아들 이옥이 최영 장군을 만나러 가겠다는 것은 모험이었다. 이춘부의 마음 한편에 최영 장군을 생각하면 안타까운 점이 있었다. 세상은 옳은 일이라고 실행할 수 있는 것이 아니었다. 더욱 민감한 시기에 잘못하면 바로 죽음과 연결될 수 있었다. 한 사람의 죽음이 아니라 멸문, 즉 집안 전체가 죽임을 당하는 화를 입을 수도 있었다. 왕의 미움을 사서 귀양을 간 사람을 찾아가는 것은 위험하고도 화를 자초하는 행동이었다. 한때는 온 나라의 칭송과 경배를 받은 최영 장군이었다. 그런 최영 장군이 계림윤鷄林尹으로 좌천되었고 이어 모진 국문을 받고는 훈작을 박탈당하고 유배되었다. 재산까지 몰수되었다. 특별한 죄목이 없는 불충이라는 이름으로 한 나라를 살린 영웅의 운명이 이렇게 나뭇잎처럼 가볍게 고려의 산하에 떨어져 있었다.

"그리하거라."

침묵이 있는 후에 이춘부의 입에서 허락이 떨어졌다. 짧은 시간이었지만 많은 생각이 오갔다. 이춘부는 아들의 요청을 받아들였다.

"옥아, 듣거라. 늑대와 호랑이가 같은 굴에 산다고 하면, 늑대는 호랑이를 화나게 하는 것이 아니다."

이춘부는 아들에게 우화적인 이야기로 자신의 마음을 대신했다.

"그럼 어찌해야 합니까?"

"비굴하지는 말아야 하지만, 그 안에서 생존의 길을 찾아야 한다. 최영 장군도 마찬가지로 그러한 세상의 원리를 알기에 지금 그 자리에서 숨죽이고 때를 기다리는 것이다."

"때를 기다리다니요?"

"그것에 대한 해석은 네 몫이 아니더냐?"

이춘부는 단호하게 말했다.

이옥은 달렸다. 아버지도 어렵게 결단한 것을 누구보다 잘 안다. 나라를 위하여, 평생 목숨을 걸고 살아온 한 사람이 그렇게 유배를 당한 것은 잘못된 것이다. 잘못된 일임을 알면서도 누구 하나 말하기 어려운 형국이었다. 이를 지적하면 바로 엄중하고도 잔혹한 처벌이 기다리고 있었다. 왕의 측근들이 그렇게 죽어갔고, 살아남은 자들도 언제 어떠한 모습으로 죽음을 맞을지 모르는 형국이었다. 정당한 절차에 의한 처형이 아닌 비공식적인 형태로 이루어졌다. 그에 동조하는 몇몇에 의해 정국은 만들어지고 있었다. 그들도 결국은 비슷한 방법에 의해 처단되었다. 난국이었다. 누구도 서로를 믿지 못하고 감시하면서 상대의 허점을 노리고 있었다. 정국의 상황과는 별도로 이춘부와 신돈의 개혁 작업은 계속되고 있었다. 살얼음판 같은 정국이었다.

이러한 시국에 최영을 직접 찾아가는 일은 어떠한 파장을 가져오게 될지 모르는 일이었다. 그렇더라도 이옥은 최영 장군을 만나고 싶었다. 어떻게 도움을 줄 수도 없음을 알고 있었다. 하지만 마음이 재촉하고 있었다. 가야 한다고.

이 시대에 공직에 있다는 것은 불 속으로 뛰어드는 불나방 같은 것이다. 왕과 가까운 곳에서 권력을 쥐고 있는 사람의 경우는 더욱더 그러했다. 그럼에도 권력의 주변에는 사람들이 모여들었다. 권력은 그만큼 사람들을 끌어들이는 마력이 있었다.

이옥은 마음이 복잡했다. 진정한 사람의 길은 무엇인가. 바른 삶이란 어떤 것을 이야기하는가. 노인의 말처럼 충이 중심된 마음이라면, 중심은 어디에서 찾아야 하는가. 백성인가, 왕인가, 아니면 나 자신에서 찾아야 하는가. 왕에 대한 충이 진정한 충이 아니라면 왕에 반하는 충은 어찌할 것인가. 백성이 먼저여야 한다는 것은 왕이 정의가 아니라는 것을 의미했다. 백성이 힘들어진다면 왕도 바꿀 수 있어야 한다. 안우 장군과 같은 왕에 대한 충성은 결국은 죽음의 길이었다.

나의 길은 어느 길이란 말인가. 진정한 충은 내가 세상의 중심이 되어서 그것에 따라 충실하게 살아야 하는 것을 말했다. 하지만 그것 또한 위험천만한 일이다. 세상에 대한 도전이다. 나 하나의 죽음으로 연결되는 것이 아니라 내 가족과 내 이웃에게도 재앙이 뒤따르게 되는 구조로 세상은 엮여있었다. 연대책임이었다. 개인의 돌출행동이나 왕권에 도전하는 그 무엇도 할 수 없도록 만들어져 있었다. 만약 내게 부당한 강압이 온다면 어찌해야 할까. 최영 장군의 경우처럼 나라를 위하여 전투 중 발에 창을 맞고도 끝까지 싸워 승리를 끌어낸 사람에게 귀양이 내려졌다면 어찌해야 하는가. 백성들이 받들고 고마워하는 최영은 반발 한 번 하지 못하고 귀양 가 있다. 만약 내가 최영의 입장이라면 어찌했을까.

아버지의 말이 떠올랐다. '늑대와 호랑이가 같은 굴에 산다고 하면 늑대는 호랑이를 화나게 하는 것이 아니다.'라는 말. 머릿속에서는 혼란스러운 생각으로 복잡하면서도 이옥은 말을 달렸다.

최영 장군은 초라한 초가집에 머물러 있었다. 초가집은 모양을 갖춘 집이 아니라 초라했다. 고려의 병사들을 호령하던 장수가 초막에 갇혀 사는 것을 보니 참담했다.

"아니, 자네는 활을 잘 쏘던 이춘부 재상의 자제가 아닌가?"

이옥이 자신을 먼저 소개하자 최영이 반기며 말했다.

"그래. 맞다! 그날 활쏘기에서 일등을 해 강궁이란 이름을 얻은 사람!"

"그렇습니다."

"한데 이곳은 어인 일인가?"

"평소 존경하는 마음을 가지고 있다가 이곳에 계신 것을 알고는 찾아뵙고 싶었습니다."

"일단 들어오게."

최영의 표정은 변하지 않았다. 웃음도, 냉대하는 얼굴도 아닌 편안한 얼굴이었다.

좁은 방에 앉았다. 바깥 날씨가 화창해 초막 안은 더욱더 어둡게 느껴졌다. 이옥은 최영 장군에게 엎드려 절을 했다. 최영 장군은 얼떨결에 절을 받았다.

"진정 어인 일인가?"

다시 최영이 이옥이 찾아온 이유를 물었다. 목소리는 부드러웠다.

"안타까운 마음을 참을 수 없어 찾아왔습니다."

"허어. 그런 말을 함부로 하는 것이 아닐세."

"!"

"할 말이 없네. 이제는 마음도 비워졌네. 바람이 불어 지나갔고 새로운 바람이 불겠지."

"새로운 바람이라니요?"

"나뭇잎이 떨어져도 나무의 뿌리는 살아야 봄이 오면 또 새로운 가지에 잎이 돋겠지. 나는 이 나라에서 필요한 가지였고 나뭇잎이었지, 뿌리가 될 수는 없는 일이네. 뿌리가 제 능력을 다 못한다고 없앨 수는 없는 것이라네."

흰 수염이 길게 자라 얼굴을 덮고 있었다. 어딘지 모를 그늘이 보였다. 마음이 비워졌다고 했지만, 마음의 방 어딘가에는 그늘이 자리 잡고 있었다.

"뿌리는 무엇을 말합니까?"

"왕조지."

"그럼 백성은 무엇입니까?"

"나는 무인이라네. 내 의무와 권리는 전쟁에서 나오네. 승리하기 위해서 나는 존재할 뿐이지."

최영 장군은 말을 돌려 답했다. 최영은 신중한 사람이었다. 그리고 입이 무거웠다. 필요 이상의 말은 자제했다. 이옥은 더 묻지 않았다. 위험하기 이를 데 없는 물음이었다. 그리고 답을 하기도 난감한 것이었다. 부질없는 것이기도 했다.

"저는 안우 장군 휘하에 있다가 참변을 당하신 것을 보고는 그만 사직했습니다."

이옥의 말에 최영은 말없이 듣고 있었다.

"한동안 충격으로 방황을 했습니다. 저는 지금도 퇴직을 하고 물러난 일이 잘한 것인지를 알 수가 없습니다."

"안우 장군. 남자 중의 남자였네. 사내답게 큰마음을 가진 분이셨지. 나도 존경한 분이라네. 생각해 보게. 내가 이 세상에 태어나지 않았어도 이 세상은 돌아가게 되어있네. 하지만 내가 이 세상에 태어나 내 역할을 한다면 세상은 조금 더 잘 돌아가겠지. 자네가 마당을 안 쓸어도 세상은 달라질 게 없네. 하지만 마당을 쓴 그만큼 세상은 깨끗해질 걸세."

아버지 이춘부의 이야기와 흡사했다. 지금 이런 난국에 몸을 담은 사람들의 마음이구나 싶었다.

"그럼 다시 왕실에서 부른다면 들어가실 겁니까?"

최영 장군은 잠시 눈을 감고 생각했다.

"다시 내 일을 할 걸세. 다시 말하지만 승리하기 위해서 나는 존재할 뿐이지. 나의 승리는 이 나라가 필요로 하는 일을 하는 것이라 생각하네. 나를 버리는 사람이 있더라도 승리는 내가 할 일이라 생각하기 때문이지."

'나를 버리는 사람이 있더라도 승리는 내가 할 일이라 생각한다.'는 말에는 처연함이 들어있었다. 그 이상의 생각은 의미 없다는 말처럼 들렸다.

이옥은 천하의 최영 장군과 단둘이 마주 앉아 담화를 나누는 것이 가슴 뿌듯했다. 그리고 다시 부르면 돌아가 할 일을 하겠다는 말이 충격이었다.

"원망은 없으십니까?"

"어찌 원망이 없었겠나?"

최영은 회한으로 한 동안 한 곳을 응시하며 말이 없었다.

"내가 내 방식으로 세상을 살았고, 나를 힘들게 한 사람은 다른 방식으로 사는 사람이었으니 문제가 생긴 것일세. 역사는 진실의 편이기를 바랄 뿐이지."

"모두가 알고 있고, 분개하고 있습니다."

"그럴 필요 없는 일이네."

"…?"

"겨울이 없다면 봄이 무슨 의미가 있겠는가, 마찬가지라네. 내 인생에도 겨울이 들이닥친 게지. 나는 견디어야 하는 게고."

이옥은 벽에 글이 하나 적혀있는 것을 발견했다. 손바닥만 한 글자 네 글자가 적혀있었다. 견금여석見金如石. 황금 보기를 돌같이 하라는 뜻이었다. 이옥의 눈이 그곳에 머물자 최영이 빙긋이 웃었다.

“내 선친께서 돌아가실 무렵 나를 앉혀 놓고 하신 말씀이시네. 선친의 유언이라고 생각하고 있는 말이네. 내가 열여섯 살 때지 아마…”

최영은 지난날들의 기억들이 스쳐 지나가는 듯 눈을 감고 잠시 있었다.

“오래된 일이군. 선친이 돌아가시기 얼마 전에 나를 앉혀놓고는 말씀하셨지. 황금을 보기를 돌같이 하라고. 힘든 세상일수록 황금이 독이 될 수 있으니 멀리하라고. 내 혁대에도 선친의 그 말씀을 새기고 다닌다네.”

최영이 혁대에 적힌 글씨를 보여주었다. 견금여석見金如石이라고 뚜렷이 적혀 있었다.

최영은 재물에 관심을 가지지 않았으며 거처하는 집도 소박하였고 그곳에 만족하고 살았다. 지위가 장군이었고 오랫동안 병권을 장악했지만 뇌물과 청탁을 받지 않아 사람들이 그 청백함에 탄복했다. 이옥도 최영에 대한 이야기를 여러 번 들었다. 최영은 한번 믿은 사람을 끝까지 믿고, 한번 결정한 사안에 대해서는 뒤돌아보지 않는 우직함을 가진 사람이었다. 그런 최영 장군도 세상으로부터 자유롭지 못했다. 시기와 질투는 아무도 말리지 못했다. 만인이 아니라고 해도 힘을 가진 사람이 미워하면 밀려날 수밖에 없는 것이 세상이었다.

“건강은 어떠십니까?”

“내 나이에 건강이 나쁠 나이는 아니지만, 몸이 좋지만은 않네.

이번 일의 후유증이 있네."

국문의 모진 고초를 겪었던 최영이었다. 부서지는 몸보다도 마음이 더 찢어질 듯했지만 결국은 다 받아들여야 하는 것이었다.

"이곳 생활이 힘들지는 않으시고요?"

"모처럼 내 생에 대해 되돌아보고 있네. 나 한 사람 곧은 마음이면 되리라 생각했지만, 세상은 그리 간단하지 않다는 걸 보았지. 눈물로 아픔이 씻어지는 것도 아니었고, 고함을 친다고 세상이 들어주는 것도 아니었지. 전장보다 무서운 곳은 사람이 모여 있는 곳이었네."

사람이 모여 있는 곳은 개경을 두고 하는 말이었다. 그곳에는 모함과 질시가 있었다.

최영은 낮고 편안한 목소리로 천천히 말을 이었다.

"세상을 다스리기 위해서는 나를 잘 다스려야 한다는 것을 이번에 보았지. 가장 큰 적은 나 자신이었고, 그다음에 이웃이었네. 지금 생각해 보니 가장 쉬운 적이 적이었네. 아무 생각 없이 쳐부수기만 하면 되는 손쉬운 적이었지."

"… 진짜 적은 자신이라는 말씀이시군요?"

최영의 말이 이해는 되었다. 하지만 의외였다. 가장 상대하기 쉬운 적이 전투나 전쟁 시 만나는 적이라는 말이었다.

"무장인 내가 이런 말을 하는 것이 적당한지는 모르겠네. 하지만 이곳에 있으면서 결론 내리게 된 것이지. 무슨 말이냐면…"

최영은 잠시 쉬었다 이야기를 계속했다.

"지금까지는 쉬운 적들만 상대해온 것을 알았네."

"…?"

"전장에서 만나는 적은 내가 죽지 않으면 죽여야 하는, 깨부수어야 하는 적이지. 대처방법이 단순하고 결과도 단순하지. 하지만 함께 살고 있는 사람들은 나와 적대적인 관계를 맺고 있더라도 원만하게 유지하면서 나를 지켜내야 하는 까다로운 적이었지. 옳고 그름과 함께 힘의 균형을 생각해야 하는 적이었지."

이옥은 아무 말 없이 듣기만 했다.

"가장 큰 적은 결국 나 자신이었는데, 이제야 깨닫게 되었다는 말이네. 이번 일이 있기 전에는 전쟁에서 만나는 적만이 진정한 적이라고 생각했는데 아니었네. 지금 나는 평온을 찾았네. 내 안에 적과 아군마저도 포용할 수도 있고, 다 적으로 만들 수도 있는 절대 권력을 가진 존재가 있었는데, 그것이 나 자신이었네. 이번에 깨달았네. 그리고 마음에서 용서가 되는 순간 마음의 평온을 찾았네. 용서는 나에게 자유를 주는 일이었지."

"도리어 제가 위안을 받고 있습니다."

이옥은 진심이었다.

한 나라의 존경을 받을 수 있는 일이 그냥 온 것이 아님을 알았다. 용서가 자유를 주었다는 말이 시련을 거치고 난 후 얻었다는 최영 장군의 말에 가슴이 더워졌다.

"그 먼 길을 찾아와 주는 사람이 있다는 것이 더없이 고맙고, 내가 살아온 세월이 헛되지 않았음을 자네가 일깨워주었네. 내게도 큰 위안이네."

장수를 칭할 때 흔히 지장, 덕장, 용장으로 나누었다. 최영은 용장으로 생각했는데 덕을 겸비한 장수였다. 용과 덕을 겸비한 진정한 장수였다. 이옥은 이번 최영을 찾아온 것이 잘한 일이라고 생각했다. 설령 이 일로 무슨 일을 당할지 몰라도 당당하겠다고 마음먹었다.

"그럼 자네는 무슨 일을 할 셈인가?"

"무술 도장을 차리려고 합니다."

"아주 좋은 생각이네. 너도나도 글공부에만 매달리는데 나라를 실질적으로 지켜내는 것은 무장의 역할이네. 문이 없이 무가 있을 수 없고, 무가 없이 문이 있기 힘든 것이 세상 이치지만 진정한 무술을 가르치는 곳이 드무니 자네가 한 번 일으켜 보게."

"네. 고맙습니다. 장군께서 그렇게 응원해 주시니 힘이 됩니다."

이옥은 위로를 하기 위해 최영을 만나러 갔다가 오히려 힘을 얻었다.

꽃지는 의녀로 들어갔다. 이옥은 꽃지가 의녀로 들어가자 자신을 구해주었던 의녀 성아가 더 생각났다. 하지만 만날 방도나 이유를 찾지를 못했다. 만나서 달리 할 말이 있는 것이 아니면서도 보고 싶었다. 궁 안을 들어가는 것도 어려웠다. 아버지 이춘부를 만나기 위한 빙자로 들어가는 것 말고는 어려웠다. 이래저래 만나고 싶은 마음은 간절했으나 속만 태우고 있었다. 도장을 차리느라 정신없이 돌아다니거나 뛸 때는 잊었다가도 한가한 시간이 되면 성아가 떠올랐다. 마음 한편에서 불쑥 불거지는 얼굴이었다.

도와달라고 서신을 보냈던 성사빈이 직접 찾아왔다.

"최영 장군을 만나고 오셨다면서요?"

"아니. 그걸 어찌 아나?"

"알래서 안 것이 아니라 집에 인사드리러 갔다가 우연히 들었습니다."

"다녀왔네."

"그곳에 가셨다는 이야기를 듣고는 이 시국에 어려운 걸음을 하시는구나 싶었습니다."

"그렇지 않았네. 도리어 위안을 받고 왔는걸."

"그건 또 무슨 말씀입니까?"

"나는 원망과 좌절을 하고 계실 줄 알았지. 그게 아니었네. 평온한 마음으로 오히려 당당하셨어."

"그래도 처음에는 그렇지 않았을걸요?"

"그렇겠지. 결국은 받아들여야 할 일이라면 받아들이는 것이 빠를수록 좋다는 걸 아셨겠지. 이제는 자유를 얻었다고 하셨네."

귀양 가 있는 사람에게 자유라는 말은 어울리지 않았다. 그건 또 무슨 말이냐는 성사빈의 표정이었다.

"용서되는 순간 마음이 자유로워졌다고 하셨네."

"아, 예. 안우 장군이나 최영 장군 모두 이 시대의 비극이지요."

"이제는 우리 할 일이나 하세."

화제를 돌렸지만 이옥은 내심 아버지가 걱정되었다. 나라를 다시 세우는 것 같은 큰일이 진행되고 있는 지금 그 핵심에 신돈과 아버지 이춘부가 있었다. 늘 마음에 걱정이 되었다. 어떤 상황이 닥칠지 몰랐다.

무술 도장은 종합도장 성격이었다. 궁술뿐만 아니라 검술, 격투기, 말타기 등을 모두 가르치는 도장으로 만들었다. 교외의 넓은 터를 고르고 그 위에 무술관을 지었다. 가능한 면적은 크게 만들었으나 건축물은 최소화해 비용이 들지 않는 방법을 택했다. 산과 내를 끼고 있어 훈련 후에 몸을 닦고 쉬기 쉽게 만들었다. 무술관과 집 몇 채가 전부였지만 마음이 흡족했다. 사람들이 하나둘 모여들었다. 건장한 청년들이었다. 한 힘 쓴다는 사람도 있었고, 말타기에 능한 사람도 있었다. 평소 알고 있던 사람들뿐 아니라 모르는 사람들이 찾아왔다. 무술관을 여는 일이 생각보다 많은 반향을 일으키고 있었다. 이 나라에는 제대로 무술을 가르치는 곳이 거의 없다고 할 수 있었다.

"좋은 소식 듣고 왔습니다."

"어이구. 이게 누구십니까? 김구용 형 아닙니까?"

"기억해 주시는군요."

"그럼 기억하고말고요. 그래 잘 지내십니까?"

"잘 지낸다고 하기에는 어려움이 있지만 잘 적응하고 있습니다. 얼마 안 있어 지방으로 갑니다."

"잘 된 것입니까?"

"좀 복잡한 정세로부터 떠나 있는 것은 고마운 일이지요. 지방관의 역할과 성안에서의 역할은 다른데, 저는 지방관을 자원했습니다."

"어디로 가시게요?"

"확실하지는 않지만, 강릉으로 가지 않을까 싶습니다."

"산 좋고 물 좋은 곳 아닙니까? 혹여 제가 가면 좋은 풍광 안내 좀 해주시구려."

"그래야지요, 이곳에서는 시간도 그렇고 마음이 여유롭지 못해서 대포 한잔을 못 했습니다."

"그야. 제 잘못이지요."

이야기가 무르익는데 성사빈이 손님이 찾아왔다고 전했다.

문 쪽으로 고개를 돌리자 한 사람이 들어왔다. 구면이었다.

"아이구. 이게 누구십니까? 오늘은 제가 복 받는 날인가 봅니다. 어려운 발걸음들을 해 주시고."

뜻밖이었다. 이성계의 방문은 생각하지 못했다. 이성계는 가까운 곳에 있지도 않았다. 이성계와 이성계의 아버지 이자춘은 고려 사람이라고 하기에는 아직도 서먹한 감이 있었다. 이옥이 도장을 열었다고 찾아오리라고는 생각하지 못했다.

"축하합니다. 이렇게 뜻있는 일을 시작하셨으니. 이제는 이 나라도 기틀을 잡으려나 봅니다."

이옥은 이성계의 방문이 반가웠다. 이성계는 사내다운 기질을 가진 진취적인 사람이었다. 삼십도 되지 않은 젊음으로 배짱과 패기가 있었다. 이성계는 개관 소식을 듣고 말 두 마리 선물로 가져왔다.

"방문도 고마운데 선물이라니요."

"괜찮은 말입니다. 지칠 줄도 모르고."

"고맙게 받겠습니다. 우리 말을 타고 몸을 풀어볼까요? 아직 이곳 무도장은 시험도 하지 않았습니다. 우리가 처음으로 달려는 것이지요. 곡예도 마음껏 부려보고요."

이옥이 제안했다. 각자의 말에 올라탔다. 이성계가 흔쾌히 먼저 앞섰다. 나이도 가장 어렸다. 김구용과 이옥이 따라나섰다. 이성계가 먼저 달렸다. 이성계는 말을 잘 탔다. 산악지대에서 살아서 거친 곳도 두려움 없이 달리는 기백을 가졌다. 말을 타고 하는 마상 곡예도

훌륭했다. 말의 옆구리에 붙었다가 두 발로 말 등에 올라 달리다가 떨어지듯 몸을 낮추어서는 배 밑에 붙기도 했다. 이성계의 묘기는 현란했다. 다음으로 김구용이 말을 달렸다. 김구용은 곡예보다는 달리기에 치중했다. 김구용은 거칠고 시원한 성격보다는 참신하고 문인다운 기질이 강한 사람이었다. 마지막으로 이옥이 말에 올라탔다. 이옥은 강약을 조절하며 말을 달리다가 엄청난 속도로 달리면서 말 등에 두 발을 얹고는 방향을 틀며 달리는 곡예를 보여주었다. 순간 말에서 떨어지듯이 내려와 말의 왼쪽에 붙었다.

"우와!"

김구용의 입에서 탄성이 나왔다.

다시 배 밑에 찰싹 달라붙어 달리기도 했다. 이성계와 막상막하였다. 누가 더 낫다고 하기엔 어려움이 있었다. 손에 땀을 쥐게 하는 곡예였다.

"역시 대단하십니다. 그때는 실력을 다 발휘하지 못했군요."

왕이 참관한 궁술대회 때 말타기에서 우승한 이성계가 이옥에게 말했다.

이옥은 그 당시 적에게 맞은 화살로 인한 상처가 다 낫지 않았을 때였다.

"그때는 경기에 참여하지 못했습니다."

"아하. 그랬군요."

세 사람은 모두 반가움으로 손을 잡았다.

"그냥 있어서는 안 되는 날인 듯합니다. 땀이라도 식힐 겸 탁주라도 한잔 하시지요."

"저야 좋습니다만…"

이성계가 김구용을 바라보았다. 같이 자리했으면 하는 눈치였다.

"저도 좋습니다. 고려의 호남아, 두 분을 만난 경사스러운 날을 그냥 보낼 수는 없지요."

김구용도 흔쾌히 덕담으로 받으며 응낙했다.

이옥이 자리를 안내해 주막으로 향했다.

"이 형은 고려에서 모르는 사람이 없을 정도입니다."

이옥이 이성계에게 말했다. 이성계는 이미 고려에서 제법 알려졌다.

"무슨 말씀입니까? 시끄러운 세상을 등지고 떠난 이 형을 멋지게 이야기하던데요."

이옥의 칭찬에 이성계가 이옥을 띄웠다. 같은 이 씨여서 서로 이형이라고 불렀다. 친구같이 편했다. 주제 없는 이야기는 봄의 흥취를 타고 바람처럼 자연스럽게 흘러갔다. 젊음의 패기가 넘치는 자리였다. 세 사람 모두 술이 거나하게 취했다. 기분이 좋았다. 이성계는 이제 떠오르는 별이었다. 홍건적의 침략 때 동북면에 있던 사병 이천여 명을 이끌고 와 홍건적을 무찌르는데 절대적인 공을 세웠다. 실질적으로는 이성계의 고려 입성 첫 신고식인 셈이었다. 그 첫 입성이 화려했다.

"그럼 이것이 이별주가 되는 겁니까?"

"그러고 보니 그렇게 되는군요."

김구용이 지방관으로 떠나게 될 것 같다는 말을 전해 들은 이성계가 잔을 들었다. 김구용이 말을 받으며 잔을 들었다. 모처럼 세 사람은 술자리에서 우의를 다졌다.

"오늘은 여러 가지 의미 있는 날이군요. 무술 도장을 연 이형과 떠나는 내가 그렇고, 이렇게 세 사람이 의기투합을 한 것이 경사스러운 날임이 틀림없군요."

김구용의 말이 술집에 넘쳐났다.

23

가진 자와 잃은 자

갈 길은 먼데, 산은 높다

"어찌 되었습니까?"

신돈답지 않게 목소리가 다급했다.

"예상보다 많은 상소가 올라오고 내용도 강한 것 일색이라고 합니다."

이춘부가 상소의 내용을 이야기했다.

특히 유학자들의 반대가 극심했다. 질서정연한 신분으로 이루어진 세상을 꿈꾸는 유학자들은 노비를 없앤다는 것에 강한 반발을 했다. 이번 상소는 포고령이 붙고 나서 더욱 많이 올라왔다.

포고령의 내용은 전국 거리에 붙었다.

근래 기강이 크게 무너져 탐욕이 풍속을 이루었다. 권력자의 집안이 나라의 안녕과 나라를 지키는 재정에 써야 할 논과 장정을 빼앗아 독점했다. 원래 주인에게 돌려주라고 명령했음에도 그대로 가지고 있거나 강제로 양민을 노예로 만들었다. 아전, 관청노예, 백성 가운데 국역을 피해 도망친 자를 끌어다가 숨겨놓고 대대적으로 농장을 운영해왔다. 백성을 병들게 하고 나라를 가난하게 하였다.

이제 도감을 설치해 불법으로 빼앗아 백성과 나라에 해를 끼친 잘못을 바로잡도록 하노라. 과오를 깨닫고 고치는 자는 죄를 묻지 않을 것이다. 발각된 자와 헛되이 호소하는 자는 단호히 처벌할 것이다.

개혁의 깃발을 들고 이를 받아들이지 않는 세력이나 사람은 강하고 엄한 처벌을 하겠다는 포고령에 반발했다. 곳곳에서 반발세력이 움직이기 시작했다. 세상은 이미 썩어 전민田民, 논과 밭 그리고 양민을 바로 잡지 않으면 나라의 기반을 다시 일으킬 수가 없었다. 일반 백성은 환호했고, 대다수가 공감하고 그렇게 실행되기를 바랐지만, 기득권자들은 저항했다.

신돈과 이춘부, 이색, 임박, 이인임 일행은 강압적으로 빼앗은 토지와 억울하게 노비가 된 사람을 가려내 바로 잡으려 했다. 토지와 노비의 소유가 합법한가를 판정하는 것이 변정이었다. 옳고 그름을 변별해서 판정하는 기구가 전민변정도감田民辨整都監이었다. 노비의 증가로 군역이나 노역에 참여할 사람이 현저하게 줄어들고 있었다.

심지어 전쟁이 발발해도 싸울 사람이 없었다. 노비는 군역을 질 수가 없게 되어있었다. 노비는 개인 재산 취급을 받았다. 그리고 토지도 마찬가지로 공을 세운 사람은 늘어났음에도 나누어줄 땅이 없었다.

개혁은 시대적인 요청도 있었지만, 신돈과 이춘부의 마음이 많이 반영된 것이었다. 대중구제를 하고 싶었다. 개혁은 꼭 필요했고 실행해야만 나라가 살 수 있었다. 개혁이 제대로만 된다면 나라 재정이 안정되고 왕권이 회복되어 정국은 안정될 것이었다. 하지만 난관은 많았다. 특히 노비를 풀어준다는 것은 양반 집안 대부분이 반대했다.

반대의 크기가 생각보다 크고 넓었다. 반대하는 사람들은 모두가 힘깨나 가진 사람들이었다. 권력과 재산을 가진 사람들이었다. 대부분 왕실과 관련이 있거나 지금 현직에 있는 사람이 대다수 관련되어 있었다. 그들도 그들 나름대로 이번 변정에 걸리면 정치적인 치명상과 더불어 재산이 몰수되어 집안이 몰락한다는 절박함이 있었다. 그래서 스스로 인정하는 사람에게는 죄를 묻지 않고 환수만 한다고 했지만, 누구도 그를 인정하고 싶지 않았다. 인정은 곧 잘못을 시인하는 것이었다. 그만큼 반발은 컸고 사생결단이었다.

고려는 신분이 크게 셋으로 구분되었다. 왕과 왕실은 절대지존 자리에 있었고, 나머지는 양반과 양민 그리고 최하위층으로 천민이 있었다. 불교국가였음에도 신분은 유교의 신분질서를 받아들였다.

무인 정권기와 원의 지배를 받으면서 신분질서가 많이 무너졌지만, 양민과 천민을 구분하는 양천제는 그대로 존속되었다. 나라 근간을 이루는 신분제를 송두리째 없애려는 야망을 품은 신돈은 어떤 어려움을 극복하고서라도 이루려고 했다.

"무엇보다 전하의 생각이 관건입니다. 흔들리지 않고 이 세상을 바꾸는 일에 힘이 되어주느냐, 힘을 가진 그들의 호소를 들어주느냐 하는 것입니다. 이 재상께서는 어떻게 생각하십니까?"

신돈이 상소가 무더기로 올라가고 있다는 말에 골똘히 생각하다가 물었다.

"저는 마음을 비웠습니다. 이미 개혁을 위한 수레는 출발했습니다. 멈추는 순간 더 큰 곤경에 빠지는 것은 백성입니다. 지금도 노비나 땅을 빼앗겼던 사람들이 도리어 보복을 당하는 일이 여기저기서 보고되고 있는데 땅 한 뼘 가져보지도 못하고 뺨 맞는 격이지요."

"맞아요. 개혁의 수레는 한 바퀴로 굴러갈 수 없는 것인데 걱정입니다. 한 바퀴는 주상전하의 힘이고, 한 바퀴는 우리들인 셈이지요."

개혁에 반대하는 상소에 대한 이야기를 전한 이춘부가 말했다.

신돈 주관하에 회의가 열렸다. 개혁에 주도적인 사람들만의 모임이었다. 신돈과 이춘부 이인임 그리고 이번 개혁안을 직접 만든 임박이 적극적이었다.

"지금 죽기 아니면 살기식입니다. 언제 어디서 화살을 맞을지 두렵습니다."

"맞습니다. 혁명적인 이 일을 마무리하는 데에는 끊임없는 반발과 모함이 있을 것입니다. 모두 조심하십시오."

임박의 말에 이인임이 동조했다.

"힘없는 사람들은 모두 새로운 세상이 열린다고 흥분되어 있는데, 힘을 가진 사람들은 난국이라며 모두 들고 일어서고 있습니다."

이춘부도 세태에 관해 이야기했다.

"정말 어려운 시기에 어려운 일을 맡아서 하고 계십니다. 사명감 없이는 이루어낼 수 없는 일입니다. 우리를 난적이라고 말하는 사람들까지 있습니다. 세상을 어지럽게 하는 적이라는 것이지요. 평등한 세상, 다 같이 나누며 사는 세상을 만드는 일이 어려운 일이라는 것을 이번에 깨달았습니다. 아무리 힘이 들어도 헤쳐나가야 합니다. 여러분들도 도감에 들어서면서 느끼셨을 겁니다. 얼마나 많은 사람이 환호하고 있는가를. 지금도 밖에 억울함을 호소하는 사람들이 줄을 지어 서 있습니다. 오늘은 여러분들이 직접 사람들을 만나 보세요. 실태가 어떤가를."

신돈이 힘을 주어 말했다.

정말 그랬다. 사람들이 도감으로 몰려들었다. 억울함을 호소하기 위해서였다. 사람들의 행렬은 길었다. 새벽부터 기다리던 사람들을 줄을 세워 순서를 기다리도록 했으나 줄은 좀체 줄지를 않았다. 한 자리를 차지하고 억울함을 알리기 위해 찾아온 사람들을 만났다. 관리들이 접수하고 그것을 보고 받았으나 현장을 좀 더 확인하기 위하여 작정하고 직접 사람들을 만났다.

"대대로 농사를 지어먹던 땅을 어느 날 난데없이 우리 땅이 아니라면서 내놓으라는 겁니다. 우리 같은 놈이 어디 힘이 있습니까? 기댈 데가 있습니까? 천 리를 마다치 않고 달려왔지요. 우리 식구 모두 굶어 죽습니다. 살려주십시오."

중년을 넘은 얼굴에 초췌한 사내가 입을 열기 시작하니 그칠 생각을 않고 하소연을 늘어놓았다. 자초지종을 차근차근 듣기에는 사설이 길었지만, 핵심을 빠뜨리면 물어가며 조사를 진행했다.

"저는요. 충청도 사는 먹쇠라고 하는데요. 주인이 서른 살 되면 혼사를 치러주고 종살이를 면해준다고 해서 면했는데 느닷없이 다시 들어와야 한다는 거예요. 이 몸이야 어디에서 살든 뭐든 못할 게 있겠습니까마는 내 자식들은 종살이를 시킬 수 없어서 찾아왔습니다. 지가 못산 사람다운 삶을 자식들은 살아봐야지요."

사연이 절절했다. 사람마다 사연도 다르고 호소하는 방법도 달랐다. 살려달라고 매달리는 사람이 있는가 하면 나라님만 믿는다는 사람도 있었다. 어떤 사람은 확답을 들어야만 간다며 자리에 주저앉는 사람까지 있었다. 그만큼 이들에게는 절실한 일이었다. 잠시도 쉴 틈을 가지기가 어려웠다. 이야기를 들어주는 것도 힘이 들었다. 일목요연하게 설명하는 것이 아닌 거의 하소연에 가까웠다.

홍건적의 침략으로 서경과 개경이 함락당하고 중부 이북이 전쟁터가 되었다. 남쪽은 남쪽대로 왜구의 잦은 침략으로 바닷가 인접 지역이 약탈당했다. 호적과 노비 문서가 불에 탔다. 증빙할 수 있는 것들이 사라져버렸다. 사라진 서류를 핑계로 이미 양민으로 승격한 사람마저 다시 노비로 끌어들이려 했다. 이춘부는 이런 그들이 안타까웠다. 도와주고 싶었다. 그리고 가능하면 약한 이들의 편에 서고 싶었다.

이춘부가 지친 어깨를 펴는데 어디선가 화살이 날아와 도감 안 기둥에 박혔다. 모두 동시에 기둥에 박힌 화살에 눈이 향했다. 이춘부가 주위를 둘러본 후 달려갔다. 주위는 조용했다. 특별한 사람의 흔적도 보이지 않았다. 줄을 서 있는 사람들은 여전히 웅성거리며 기다리고 있었다. 화살이 날아와 기둥에 꽂히는 것을 본 사람들은 도감 안에 있는 사람들이었다. 화살에는 종이가 매달려 있었다. 이춘부가 화살에서 종이를 떼어내 읽었다. 신돈을 비롯한 주위의 사람들이 놀란 얼굴로 다가왔다.

"세상에는 위계와 질서가 있음이 자연스러운 일이거늘 이를 무너뜨리는 것은 나라를 망국 되게 하는 것이다. 나라의 근간을 무너뜨리는 일들을 자행하는 자들은 반드시 처단할 것이다."

"선전포고로군."

이춘부의 얼굴이 긴장되었다.

이춘부는 문관이었지만 전장에서 직접 전투에 참여한 무장이기도 했다. 그런 이춘부가 긴장하는 것은 화살에 매달려온 글 내용 때문이 아니라 이는 반대세력이 공공연히 세력화하고 있다는 것을 의미했기 때문이었다. 지금 추진하고 있는 일들은 어쩌면 사상누각과 같은 것이기도 했다. 왕의 마음이 변하는 순간 모든 것은 물거품이 될 수 있었다. 지금 왕은 정사를 모두 신돈에게 맡겨놓고 있었다. 신돈의 추진력이나 일관성에는 한계가 있었다. 그 한계의 핵심은 왕의 마음이었다. 여러 번 목격해 온 것처럼 왕의 마음은 예측할 수 없다. 또한 반대세력에서 신돈을 모해하고 왕이 직접 국사를 챙기지 않는 것에 대해 끝없이 물고 늘어졌다.

"어떤 어려움이 있더라도 민본사회는 구현되어야 합니다. 약자도 살 수 있는 사회를 만들어야 나라가 진정으로 일어설 것입니다."

신돈의 목소리도 긴장되어 있었다.

신돈뿐만이 아니라 개혁에 매달려온 사람 모두가 죽기를 각오하고 나라를 일으켜 세우겠다는 의식으로 뭉쳐 있었다. 몇 번이나 개혁을 시도했지만, 매번 전쟁과 왜구의 침입 또는 변란이 생겨서 중도에 미루었다 다시 시작하기를 반복했다. 이번에는 확실하게 개혁의 기반을 잡아야 했다. 그런 만큼 땅을 가진 자와 많은 노비를 소유한 자들의 반격도 컸다. 원으로부터의 독립을 위한 작업도 물밑에서 진행되고 있었다.

"이제부터는 원칙에 준해서 일을 처리해야겠습니다. 뜻을 모르는 바는 아니지만, 빌미를 제공할 수 있습니다."

이춘부가 신돈에게 넌지시 말했다.

"그렇군요. 작은 일로 대의를 망칠 수야 없지요."

신돈이 굳었던 얼굴을 폈다.

신돈뿐만 아니라 이 일을 주관하는 사람들은 은연중에 노비 문제를 제기한 측의 입장을 편들어주었다. 노비들은 너도나도 환호했지만, 노비를 소유한 사람들은 이를 갈았다. 백성들의 대부분이 환호했지만 빼앗기는 사람들은 증오했다. 빼앗기는 자들은 권력을 쥐고 있는 실세들이었다. 다만 왕과 신돈의 기에 눌려 숨죽이고 있었다.

이춘부가 일을 마치고 나오는데 이색이 다가왔다.

"오늘은 발걸음이 급하십니다."

"그랬나요."

"쪽지 사건 때문에 걱정되시겠습니다."

"이제 시작이지요. 반격이 본격적으로 시작된 것이지요."

"그러게 말입니다. 그건 그렇고, 훌륭하게 키워 저희 집에 보내주셔서 감사할 따름입니다. 칭찬이 아주 자자해요. 참한 며느리 들였다고."

이색이 먼저 며느리 칭찬으로 말머리를 돌렸다. 이춘부의 딸을 이색이 며느리로 맞아들인 것을 이야기하고 있었다.

"저야 며느리로 받아주어서 감사할 따름이지요. 아직도 철이 없으니 교육 좀 시켜주세요."

"교육이라니요. 아주 예쁘기만 합니다."

두 사람은 얼굴에 웃음이 가득, 분위기가 고조되었다.

정담을 나누며 두 사람이 가는 길에 갑자기 사람이 달려들었다.

"잘 만났다. 너희들이 나라를 망쳐놓는 놈들이로구나."

어디서 나타났는지도 모르게 나타나 이춘부의 멱살을 잡았다. 얼떨결에 당한 두 사람은 어찌해야 할지를 몰랐다. 이원령이었다. 술에 취해 있었다. 힘으로야 이춘부를 당할 수 없었지만 이원령은 막무가내였다.

"중놈에게 붙어 나라를 망쳐놓는 너희들이 과연 이 나라의 신하더냐! 유학을 배운 너희 놈들이 천한 중놈에게서 무엇을 얻겠다는 것이냐?"

이춘부는 슬그머니 이원령을 밀어붙였다. 힘없이 땅바닥에 쓰러졌다. 싸울 상황이 아니었다. 취기가 오른 사람과 싸워봐야 이득 될 것이 없었다.

"가시지요."

이춘부가 가던 길을 나서며,

"갈 길은 먼데, 산은 높습니다. 어둠은 밀려오고 산은 넘어야 하고."

탄식했다.

"죽음을 각오하고 시작한 일이 아닙니까? 끝까지 해야지요."

24
꽃지와 성아의 방문

당당하게 죽음을 맞으면 백년이 정의롭지만
비굴하게 죽으면 백년이 부끄러워진다

무술 도장은 생각보다 호응이 좋았다. 많은 사람이 찾아와 축하도 해 주었다. 성사빈은 열정이 있었다. 이옥이 외부 일을 주로 맡아 하고 성사빈은 내부 일을 했다. 전국에서 사람들이 찾아왔다.

"오라버니!"

이옥이 바깥일을 보고 도장으로 들어서고 있었다. 이옥의 뒤에서 부르는 목소리가 들렸다.

"우와! 꽃지네."

반가운 목소리로 돌아보니 옆에 한 사람이 같이 있었다. 성아였다. 순간 이옥은 가슴이 덜컥 내려앉는 기분이었다. 경험해 보지 못한 느낌이었다.

"안녕하세요. 어떻게…"

이옥이 먼저 인사하자 성아도 고개를 숙여 묵례로 답했다.

이옥은 내가 왜 이러지 하면서도 말을 더듬거렸다.

"오라버니도 부끄럼을 타네."

이옥은 순간 얼굴이 빨개졌다. 성아는 말없이 웃었다.

세상이 갑자기 온기를 가지는 느낌, 참으로 황홀한 마음이었다. 갑자기 주위가 활기를 띠었다. 어떤 주체할 수 없는 힘이 이옥을 감쌌다. 꽃지의 부끄럼 탄다는 말을 듣고도 잠시 아득한 기분이었다. 늘 다니던 길을 평소와 같이 스쳐 지나가다 꽃이 가득 핀 것을 보고 놀라듯 한 사람의 출현이 마음 안에 꽃밭을 만들어 놓고 있었다.

"들어가자. …들어가시지요."

꽃지와 성아에게 차례로 권했다.

"꽃지야! 활 한번 쏴볼래?"

"글쎄, 괜찮을까요?"

"그럼 괜찮고말고."

이옥이 활과 시위를 꽃지에게 건네주었다.

꽃지가 활시위를 당겨 표적을 겨누었다. 꽃지는 호흡 조절이 자연스럽게 되었다. 그만큼 활이 몸에 익어있었다. 첫 발을 쐈다. 힘차게 날아간 화살은 정확하게 가운데 꽂혔다.

"우와. 여전하군."

"대단하다. 우리 꽃지."

이옥과 성아가 꽃지의 활 실력에 환호를 질렀다.

말을 타고 몸을 풀던 성사빈이 이 광경을 보고는 말에서 내려 박수를 치며 다가왔다. 활을 쏘던 세 사람의 시선이 성사빈에게로 향했다. 이옥이 두 사람을 소개했다.

"방문해 주셔서 고맙습니다. 이 형이 두 분 말씀을 하셔서 기억하고 있습니다. 생명의 은인이라는 말씀도 하셨고요. 한데 대단하십니다."

성사빈이 이옥에게 형이라고 불렀다. 군직에 있을 때와는 다른 부드러운 관계를 유지하고 싶어 이옥이 성사빈에게 호칭을 바꿀 것을 이야기했다. 호칭을 바꾸니 듣기나 대하기도 더 편하게 받아들여졌다.

꽃지는 말이 없이 고개만 숙여 자신의 활 솜씨가 대단하다는 성사빈의 찬사에 대한 감사 표시를 했다. 꽃지를 바라보는 성사빈의 웃음이 박처럼 밝았다. 무언가 흡족한 눈빛이었다. 꽃지는 화살 열 개를 쐈는데 두 개가 가운데 표적에서 어긋났을 뿐 모두 맞혔다.

"꽃지는 아버지를 빼닮은 것 같다. 활을 쏘는 자세도 그렇고, 눈매도 그렇고."

"아버지가 그러셨어요. 우리 민족은 누구나 활에 타고난 자질이 있다고요. 고구려의 시조 주몽은 '활 잘 쏘는 이'를 가리키는데, 기마민족인 고구려는 활을 잘 다루는 민족이었대요. 우리는 고구려를 그대로 이어받아 이름도 고려고요. 우리 민족을 동이족東夷族이라 하는데, 이는 '동쪽의 큰활을 잘 쏘는 민족'임을 나타내는 거고요. 이夷자를 파자하면 대궁大弓이 되거든요. 큰 활을 말하는 것이지요."

모두 꽃지의 말에 귀를 기울였다. 뜻밖의 상황이었다.

"오늘은 꽃지의 날이네."

꽃지의 설명이 또박또박하게 귀에 들어왔다. 이옥의 칭찬에 꽃지는 아직도 어린 티 나는 모습으로 밝게 웃었다. 그런 꽃지를 바라보는 성사빈의 눈이 부드럽고 화사했다.

"이제 들어가시지요."

이옥이 성아에게 더욱 마음이 가 있는 것이 느껴졌다. 이옥 자신도 내가 왜 이러지 하면서 자신의 행동이 자연스럽지 않은 것이 느껴졌다. 일행은 안채로 들어갔다. 여기저기서 운동하는 모습과 말을 타고 달리는 사람들의 모습이 보였다. 무술 도장 전체가 힘찼다. 이옥의 가슴 안뜰에는 나비 한 마리가 날아와 앉았다. 자신도 모르게 이미 한 사람을 가슴 안에 담은 것이었다.

"이곳은 남자들만 들끓는 늑대들의 소굴인데, 아름다운 두 여인이 방문해 주셔서 그런지 분위기가 갑자기 살아납니다. 잠시만 기다리십시오."

성사빈이 안채로 들어서자마자 차를 준비하러 가며 말문을 열었다. 성사빈의 마음이 실로 그랬다. 이옥이 보기에도 성사빈의 목소리나 행동이 이옥 자신만큼이나 들떠있는 것을 느꼈다.

"오늘 어인 바람이 꽃지를 이끌었을까?"

"무술 도장을 차리는 것은 알았지만 와 보고 싶었어요. 성아 언니는 내의원에서 만났어요. 의지할 데 없는 제게 얼마나 큰 힘이 되었는지 몰라요. 오라버니하고 인연도 있는 언니라 같이 가자고 했지요."

"아니에요. 제가 더 와보고 싶었는걸요."

성아의 하얀 치아 가지런하게 웃는 모습이 고왔다.

"늦은 인사지만 진심으로 감사를 드립니다. 제게는 참 어려운 상황이었는데, 덕분에 이렇게 건강하게 살고 있습니다."

"저번에 인사하셨는걸요."

이옥이 내의원에 찾아온 것을 떠올리며 성아가 말했다.

“그때는 경황이 없어서 제대로 하지 못했습니다.”

“그렇지 않았어요. 의젓하고도 당당하게 말씀하시던데요.”

“그랬나요.”

“예.”

성아가 짧게 대답했다.

“그런 것은 여러 번 해도 좋은 것 같은데요.”

“맞아요. 더 좋아 보이는데요.”

꽃지의 말을 성사빈이 받았다.

“한 번 둘러보실래요?”

“예. 좋아요.”

이옥의 제의에 성아가 흔쾌히 수락했다.

“금녀의 집이라면서, 괜찮아요?”

꽃지가 웃으며 말했다.

“그럼. 정말 귀한 분들이 찾아온 것인데, 뭐든 좋아만 한다면 해야지요.”

꽃지의 말에 이옥이 어린아이에게 말하듯 말꼬리를 올렸다.

“말씀만으로도 고마워요.”

꽃지의 얼굴이 꽃봉오리 같았다.

성아는 두 사람의 대화에 그저 웃음만 얼굴에 담았다.

걷다 보니 자연스럽게 둘씩 짝을 지어 걸었다. 이옥과 성아, 꽃지와 성사빈이 짝을 지었다. 의도적이 아니었음에도 그렇게 되었다. 건물 면적은 그리 크지는 않았지만 빈터가 커서 걷기에는 좋았다. 밖에서는 말타기를 위한 승마장과 활쏘기와 궁술을 익힐 수 있는 활터가 있었다. 산과 인접해 있어 무술 도장은 시원스럽게 보였다. 무도관이라 적힌 곳으로 들어가자 젊은 사람들이 무술훈련에 열중이었다. 격투기와 검도를 익히고 있었다.

"특별한 곳을 보게 되네요. 제가 있는 곳과는 다른 분위기네요."

"그래도 그곳이 살만하지요?"

"아니에요. 숨이 막힐 것 같은 때도 있어요. 조심스럽고 매사가 정해진 틀에서 벗어날 수가 없거든요. 이곳은 활달하고 젊은 느낌이 들어 좋아요."

"그렇다면 다행입니다. 검술 한 번 보실래요?"

"정말요! 저야 고맙지요."

"한 번 시범을 보여주지 그래."

뒤따라 오던 성사빈을 향해 이옥이 시범을 보여 달라고 부탁했다.

"형하고 라면 하지요."

"우리 오라버니하고요?"

"예. 보고 싶지요?"

성사빈이 꽃지를 바라보며 물었다.

꽃지는 고개만 끄덕거렸다. 성아는 다른 때와 같이 웃기만 했다.

"그럼 한 번 보여드리지요. 실제로 겨루는 것은 위험하니 정해 놓고 하는 것을 보여드릴게요. 검술은 이 친구가 저보다 한 수 위거든요."

이옥이 성사빈의 실력을 칭찬했다.

성사빈이 목검과 창을 가지고 왔다. 개인기를 성사빈부터 보이고 다음으로 이옥이 자신의 특기를 연기했다. 몸을 풀고 나서 겨루기에 들어갔다. 약속 대련이었기 때문에 그리 위험하지는 않았지만 보기에는 정식겨루기보다도 박진감이 있었다. 현란한 기술을 맘껏 보여줄 수 있는 것이 약속 대련이었다. 꽃지와 성아는 처음으로 경험하는 세계였다. 신기하면서도 특별한 체험이었다. 한바탕 겨루기를 하고 나서 흠뻑 땀에 젖은 얼굴로 이옥이 다가왔다.

"볼만했습니까?"

"대단한데요."

"오라버니 다시 봐야겠는데요."

성아와 꽃지가 저마다 한마디씩 했다.

"의미 있는 일을 하시네요."

"뭘요. 꽃지 아버지 덕분이지요."

"그건 또 무슨 말씀이세요?"

"생각하지 못한 일이었는데, 무술 도장을 권하시더군요. 그때 아하, 이것이로구나 했지요. 제 마음속에 있었던 어떤 기질을 꺼내주신 거지요."

"아하, 그러셨군요."

무술 도장을 한 바퀴 돌고, 돌아가는 꽃지와 성아를 바라보는 느낌이 허전했다. 세상 살며 이런 느낌도 있구나 싶었다. 환한 느낌이었던 도장이 순간 저무는 해질녘의 쓸쓸함 같은 것이 감돌았다. 두 사람이 멀어지는 것을 보이지 않을 때까지 바라보았다. 성사빈도 옆에 서서 함께 있어 주었다.

이옥은 도장을 정리하고 아버지를 찾았다. 저녁상을 막 물리고 있었다.

"저녁은 들었냐?"

"네. 도장에서 먹고 왔습니다."

"잘 되냐?"

"예. 생각한 것보다는 여러 가지로 좋습니다. 우선 사람들이 제법 늘었고요. 인식도 좋습니다."

"그래. 열심히 해 보거라. 나라에 공헌하는 일이 관직을 가져야만 하는 것이 아니다."

"요즘 분위기가 나쁘다고 하던데 괜찮으세요?"

"하루가 다르게 분위기가 험악해지고 있다. 얼마 전에는 충혜왕의 왕비인 덕녕공주가 태후의 거처인 자남산 연덕궁의 문예부를 찾아 연회를 베풀었는데, 전하께서 스님과 함께 입장을 했다. 태후가 신돈에게 자리를 내주지 않아 머쓱해진 스님이 밖으로 나가는 일이 벌어지기도 했다."

여기서 스님은 신돈이었다. 덕녕공주와 태후의 관계는 고부간으로 이러한 일이 벌어진 것은 두 사람의 생각이 적극적으로 반영되었다고 보아야 했다. 고려조정에는 짧은 기간 너무나 많은 우여곡절이 있었다. 하루도 마음 편한 날이 없었다. 태후는 충혜왕과 지금 왕의 어머니였다. 27대 충숙왕과 결혼해서 28대 충혜왕과 31대 현왕을 낳았다. 그럼에도 그녀는 편할 날이 없었다. 영화를 누리기는커녕 너무나 험한 꼴을 여러 번 보았다. 원의 간섭에 마음 편하게 남편이 국정을 펴는 것도 못 보았고, 아들 간의 싸움과 아들과 손자 간의 왕위 다툼을 보아야 했다.

며느리인 덕녕공주는 그 태후의 아들인 28대 충혜왕의 부인으로 29대 충목왕을 낳았다. 설명하기도 힘들 만큼 치열한 암투의 현장에서 살아온 그녀였다. 지금 왕의 바로 전 왕이 30대 충정왕으로 희비 윤 씨의 아들이었다. 충혜왕의 두 번째 부인이니 현왕의 계모였다. 그러니 28대 충혜왕의 부인인 덕녕공주가 낳은 29대 충목왕과 또 28대 충혜왕의 첩인 희비 윤 씨가 낳은 30대 충정왕은 이복형제였다. 그리고 태후의 두 번째 아들인 현재의 왕이 31대 왕이었다. 지금의 태후는 왕위가 남편에게서 맏아들, 맏아들이 죽고 손자에게, 손자에서 다른 부인의 아들에게로 왕위가 넘어갔다. 그리고는 다시 자신이 낳은 둘째 아들에게로 왕위가 넘겨졌다. 실로 자신과 관계된 사람으로만 왕을 다섯 명이나 맞게 된 비운의 여인이었다.

"생각해 보거라. 형수와 어머니가 자신이 임명한 첨의 신돈을 냉대하는 것을 눈앞에서 보는 마음이 어떠했겠는가를. 이는 지금의 정책에 대해 정면으로 거부하는 것이다. 그렇지 않고서야 신하들이 모여 있는 자리에서 그런 창피를 줄 수가 없는 것이다."

"다른 사람도 아니고 어머니와 형수가 그러한데 어찌할 수도 없는 것 아닙니까?"

"그러게 말이다. 내칠 수 있는 관계가 아닌 혈육관계인만큼 방도가 없는 데다 대립으로 치달을 수밖에 없는 상황이 되었다."

"그런데 어찌 아들을 그리 미워할 수가 있을까요?"

"그 속마음이야 어찌 알겠느냐만 첨의 신돈에 대한 거부와 함께 왕이 이미 죽은 노국공주에게서 벗어나지 못하고 노국공주의 영전靈

殿까지 왕궁만큼이나 크게 지으려 하니 문제가 아닐 수 없다. 거기에 다 친정을 하지 않는 것에 대해 못마땅함인지도 모르지."

"그러면 앞으로는 개혁에 반대하는 사람들에게 빌미를 줄 수 있는 일이겠군요?"

"그렇다. 그렇지 않아도 상소가 계속 올라오고 있는데, 더 큰 저항이 있을 것 같다."

"저는 아버지께서 무슨 일을 당할까 두렵습니다."

"걱정 말거라. 당당하게 죽음을 맞으면 백 년이 정의롭지만 비굴하게 죽으면 백 년이 부끄러워진다. 죽는 순간은 비록 짧은 한순간이지만 사람에 대한 평가는 죽는 순간에서 나온다. 나는 내 운명을 받아들일 자세가 되어있다. 설령 내가 비운에 간다고 해도 눈물을 흘리지 말거라. 나는 내 인생에 당당했다. 그런 만큼 당당함이 주는 시련은 기꺼이 받아들일 것이다."

"어찌 유언이라도 말씀하시는 것처럼 하십니까?"

이옥은 아버지 이춘부가 비장하게 말하는 것을 듣고는 몸에 돌기가 돋았다. 아버지가 지금 세상으로부터 강한 도전을 받는 것을 느꼈다. 어쩌면 최악의 순간을 그리고 있는지도 몰랐다. 다른 때와 느낌이 달랐다. 비장함이 보였다. 무언가 변화가 오고 있는 것은 확실했다.

"지금 왕은 정상이 아니다. 노국공주의 영전 공사에 매달리는 것도 부족해 그곳에서 살다시피 하고 있다. 원성은 점점 커지고 있는데 이를 방치한다는 것은 더 큰 위험이 왔을 때 그 책임을 아래로 돌릴 것이다. 그 화살은 모든 권한을 맡긴 사람에게 돌릴 것이다. 그렇다면 그 사람이 누구이겠냐?"

"스님이겠지요."

"그러면 스님과 함께 일을 추진한 사람들에게도 죄를 물을 것이다. 지금은 극도로 민심이 이반하고 있다. 이반의 주체는 개혁으로 피해를 보는 사람들이다. 지금 들고 일어나는 사람은 토지를 가지고 있고, 많은 노비를 가진 사람들이다."

"이 기회를 놓치지 않겠군요."

"그렇지. 그들에게는 토지와 노비를 빼앗긴다는 것은 죽음으로 가는 길이나 마찬가지다. 그들은 마지막 기회라 생각하고 모든 방법을 동원할 것이다. 너도 몸조심하거라."

"그래도 전하께서는 개혁의 중요성을 알고 있지 않습니까?"

"알다마다. 어떻게든 성공시키려 하고 있지. 여러 번 밀어붙였다가 다시 밀려서 후퇴하기를 몇 번이나 하다 이제는 강하게 밀어붙일 사람으로 스님과 나를 선택한 것이다."

"그런데요?"

"그런데도 가장 두려운 존재는 전하다. 가까운 신하 중 살아남은 사람은 드물다는 것이다."

이춘부는 이 부분을 이야기하면서 얼굴이 상기되었다.

"내가 일전에도 말했다만 내가 나라를 위해 조금이나마 힘이 되고자 하는 것은 이 나라를 안정된 반석 위에 올려놓고 힘없는 백성들에게 밥을 얻을 땅을 마련해 주는 일이다. 하지만 세상은 내 편만은 아니다. 스님이 힘을 가져야 일이 추진되지만, 그 힘을 가지게 되는 것은 바로 곤경에 처하게 되는 것임을 나도 스님도 알고 있다. 그리고 개혁을 추진하는 사람들 모두 알고 있다. 그럼에도 가야 할 길이기에 우리는 가는 것이다."

이옥은 힘들어하는 아버지에게 어떤 힘도 되지 못하는 것에 마음이 아팠다. 아버지에게 닥쳐올 시련을 아들인 이옥은 도울 방법이 없었다. 나약한 자신이 부끄러웠다. 그러면서도 그 길에서 벗어나지 않고 풍파를 맞으며 가는 아버지가 자랑스러웠다. 아버지와 이렇게 나라 사정에 대해 이야기하기는 드문 일이었다. 무엇인가 닥쳐올 어려움에 대해 준비하고 있음을 눈치챌 수 있었다. 어떤 일이 갑자기 닥쳐 감당 못 하는 것보다는 장남인 자신에게 마음의 준비를 하라는 것 같기도 했다.

"옥아. 흔들리지 말아라. 죽음을 두려워하면 삶이 비겁해지느니라."

"알았습니다. 어떠한 일이 있어도 당당하게 의를 좇겠습니다."

"그래. 너를 보니 내 마음이 한결 가벼워지는구나. 그리고 사귐에 있어 한발 앞서 가거라."

"…?"

"다른 말이 아니다. 성공해서 사람을 사귀는 것이 그리 유익하지 않다는 말이다. 네가 어려울 때 만난 사람이 네가 어려울 때 도와줄 것이다. 힘을 가졌을 때는 찾아오는 사람이 많으나 좋은 사람이 드물다. 그러니 아무런 이해 관계없는 사귐을 가져야 진정 좋은 사람을 만나게 될 것이다."

이옥은 어려운 상황이 오면 언제부턴가 꽂지 아버지, 노인이 떠오르고는 했다. 길을 잃었다고 두려워 말라는 말이 생각났다. 길을 잃은 것이 아니라 예측하지 못한 새로운 길을 가는 것이라는 말이 떠올랐다. 세상에 정해진 길이라는 것이 과연 있었던가. 인생에 정해진 길이 어디 있는가. 태어나서 죽을 때까지 걷는 것이 길인데, 같은 길을 걸어도 새로운 시간과 새로운 상황과 만나 결코 같은 길이 아니다. 상황이 열어주는 길을 받아들이는 것이 노인의 말대로 필요한지도 몰랐다.

25

이옥과 성아의 사랑

여자가 남자를 낳았기 때문에

여자는 남자를 알아도 남자는 여자를 모른다

마음이 복잡했다. 아버지를 만나고 도장으로 돌아오는 길이 쓸쓸하기도 했다. 이런 스산한 기분을 느껴볼 틈이 없이 살아왔다. 참담한 마음으로 노인에게 갈 때도 이런 쓸쓸함은 없었다. 어쩌면 처절했다고 하는 것이 옳았다. 철저하고 빈틈이 없으려 노력했다. 노인을 만났을 때 그 노인에게서 느껴지는 평화가 특별했다. 그때는 몰랐는데 노인은 당당한 모습을 흩트려 본 적이 없었다. 적어도 이옥이 만났을 때는 늘 고요한 모습이었다.

고요는 어디에서 오는 걸까. 이옥은 문과로 급제했지만, 무인으로서의 역할에 더 많은 시간을 가졌다. 지금 하는 일도 그렇다. 이옥 자신뿐만이 아니라 아버지도 문인이었음에도 무인의 역할을 충실하게 수행해오고 있었다.

이옥은 더욱더 열심이었다. 도장 일도 그렇고 사람들을 만나는 일에 많은 시간을 보냈다. 김구용과 정몽주, 정도전도 만났다. 이성계에게는 방문해준 고마움을 서신으로 보내기도 했다. 이옥은 열심히 도장 일을 하고 적극적으로 교우 관계를 만들어갔다. 군영에 있을 때보다 자유롭고 활동의 폭이 커졌다. 자녀에게 무술을 가르치기 위하여 찾아오는 사람들과도 관계가 넓어졌다. 멀리는 전라도에서부터 경상도에서도 찾아왔다. 나라에서는 아직 체계적인 무술을 가르치는 곳이 없었다. 소문이 좋게 퍼져 다 수용할 수 없을 만큼 되었다.

그런 성공을 하게 되었어도 그리움이 있었다. 성아가 도장을 방문하고 나서부터였다. 무언가 허전했다. 따뜻한 품이 그리웠다. 이런 상황에서 왜 어머니가 떠오르지 않고 성아가 떠오르는 것일까? 늘 힘이 들 때면 어머니가 먼저 떠오르곤 했다. 늘 변함없이 자식의 입장에서 세상을 이해하고 받아주려 했던 어머니였다.

오늘은 달랐다. 어머니가 아닌 성아가 그리웠다. 이옥은 도장으로 가던 발걸음을 돌려 오던 길로 다시 걸었다. 이미 날은 어두워지고 있었다. 여름날의 밤은 늦게까지 어슬렁거리며 한 번에 다가오지 않았다. 여름날이라 사람들은 거리로 나와 앉아 있었다. 더위를 피하고자 집 안에서 나와 거리에 잠자리를 마련하고 청하는 사람도 있었다. 군데군데 모깃불을 놓아 연기가 자욱하기도 했다.

이옥은 혼자 주막을 찾아들었다. 여름이라 늦은 시간에도 사람들이 있었다. 문을 모두 열어 놓아 나른한 호롱불이 휘청거리고 주막 안은 불빛이 흔들릴 때마다 어둠과 밝음이 뒤섞였다. 술에 이미 취한 사람은 졸고, 취한 사람은 중얼거렸다.

세상은 이렇게 이루어지고 있구나. 어느 한 곳에서는 처절한 아픔을 하소연하며 죽어가고 있기도 했고, 지금 이곳의 풍경처럼, 거친 세상과는 적당히 등을 돌리고 취기에 젖어있는 사람들도 있었다. 경쟁과 모함 속에서 사는 사람이 있는가 하면 입신양명을 위해 피비린내 나는 전장을 누비는 사람들도 있었다. 치열한 삶과 만나고 있는 사람이 있는 반면 어느 곳에서는 한가함을 이기지 못하고 여인을 그리워하는 족속도 있었다. 그러한 사람이 바로 나 자신은 아닌가 생각했다. 이옥은 살아오면서 혼자 주막을 찾은 적이 없었다. 주막에 들어와 의자에 걸터앉으면서 이것도 대단한 호사로구나 생각했다.

성아는 일을 마치고 자리에서 나왔다. 일을 마치면 궁 밖으로 나가도 되지만 안의 숙소에서 묵었다. 특별히 당번인 날이 아니면 출입은 자유로웠다. 성아는 꽃지와 찾아갔던 무술 도장에서 만난 이옥이 떠올랐다. 찾아갈 때만 해도 편안한 마음이었는데 지금은 편하지 않았다. 경솔한 짓을 한 것은 아닌가 싶기도 했고 실수한 것은 없나 기억을 되짚어 보기도 했다. 그러면서도 한 사람에 대한 향기가 느껴졌다. 고향 집에 들렀다가 귀경길에 쓰러져 있던 사람을 잠시 돌봐준 것이 다였다. 그리고는 그만이었는데 저번에 내의원으로 직접 찾아온 이후로 마음에 담기기 시작했다. 이옥에 대한 이야기는 꽃지를 통해 들은 것이 전부였지만 이번 만남으로 더 가깝게 느껴졌다.

성아는 잠자리에 들지 못하고 밖으로 나와 한 여름날의 훈훈한 바람을 만났다. 사랑은 불면으로 먼저 찾아온다고 하는데 지금 성아는 잠이 오지 않았다. 한 사람에 대한 마음이 성아를 잔잔하게 흔들고 있었다. 그 바람은 작았지만 뒤숭숭한 기분이었다. 무언가 정리되지 않은 그리움이었지만 한 사람을 바라보고 있는 자신을 알 수 있었다.

마음 안뜰에 강물이 하나 발원하고 있었다. 나무들은 싹을 틔우려 하고 있었다. 세상을 향해 열린 창을 조금씩 훔쳐보고 있는 어린아이처럼 아주 조심스럽게 자신의 마음을 살펴보고 있었다. 조금은 긴장되고 조금은 호기심으로 한 사람을 바라보는 마음이 생겼다. 어디에서인가 불어온 바람으로 떨렸다. 안정되지 않은 마음이 보였다. 이런 적이 없었는데, 세상의 어떤 어려움이 있어도 마음을 다잡고 살아야 한다는 마음을 가지고 살았다. 궁중 생활이 긴장되고 조심스러웠다. 내의원에서도 행동 하나하나가 조심스러웠다. 왕과 왕실 그리고 재상같이 지위가 높은 사람들을 상대하기 때문에 더욱더 행동에 신경을 써야 했다.

일을 마친 시간에도 궁 안은 소리 한번 크게 칠 수 있는 곳이 아니었다. 궁중 사람들의 행동은 다른 곳보다 예민했다. 그리고 입이 무거워야 하는 곳이었다. 특별한 일이 아니고는 조용한 곳이라 발걸음 하나에도 마음을 썼다. 고향을 떠나와서는 마음이 허전했다. 한동안은 마음을 잡지 못하고 힘들어했지만 공부하는 재미에 빠져 지냈다. 공부는 끝이 없었다. 침술, 뜸술, 약탕을 다리는 법 등 한이 없었다. 하지만 지금의 느낌은 전혀 달랐다. 빈 가슴을 누군가 채워주었으면 하는 바람이 컸는데, 이옥이 떠올랐다.

이옥은 특별히 할 일이 없어 도장 일을 성사빈에게 맡기고 장으로 향했다. 도장에 부족한 몇 가지를 마련하기 위해서였다. 장으로 향하면서 며칠 전 만난 성아가 떠올랐다. 장에 특별히 볼일이 있어서라기보다 무언가 허전한 마음이 들어 핑계 삼아 장으로 향했다. 장사꾼들이 물건을 꺼내 놓고 판을 벌여놓은 것을 살펴보았다. 물건들이 새로워 보였다. 활기차고 신명 난 세상 같았다. 성아가 떠올랐다. 별것이 다 성아와 연결되었다. 예쁜 여자 옷을 보면 저 옷을 성아가 입으면 잘 어울릴 텐데, 하는 생각을 하다가 내가 왜 이러지 하고 웃었다. 시장통을 돌아다니는 마음이 즐거웠다.

이옥은 성아에게 어떻게든 마음을 전하고 싶었다. 자신을 구해준 고마운 마음으로서가 아니라 한 남자로서 성아에게 향하는 마음을 전하고 싶었다. 그러기 위해서 가장 어울리는 물건은 어떤 것일까 망설여졌다. 처음으로 남에게 선물하는 것이라 그런지 쉽지가 않았다. 부담 없으면서도 마음을 전할 수 있는 것은 없을까. 시장을 제법 돌아보았지만 마땅한 것이 없었다. 처음에는 그냥 시장 구경을 하던 마음이었는데 이제는 아주 선물을 고르기 위해 시장을 돌고 있었다.

"선물 하나를 고르는 일도 쉽지 않구나."

혼자 중얼거리고 있는 자신을 보고 혼자 웃었다.

"아하, 저것이다."

이옥은 눈에 띈 곳으로 다가갔다.

"이거 봐도 되지요?"

"그럼요. 아주 잘 만들어진 매듭이지요."

중년의 여인이 활달했다.

"이곳이 아니면 구하기 어려운 좋은 제품입니다. 어머니에게 선물하시려나 아니면 부인에게 선물하려는 건가요?"

"예! 아, 어머니에게요."

이옥은 순간 당황했다. 얼른 답이 나오지 않았다. 그것을 물어보리라고는 생각도 못 하고 매듭에만 관심을 가졌다.

"놀라긴. 뭐 잘못한 일이라도 있소."

"잘못은요, 갑작스레 물어봐서 그렇지요."

"이 매듭은 저고리 앞단에 같이 걸면 아주 예뻐요. 어떤 옷에도 잘 어울리지요."

이옥은 계산을 하고 얼른 자리를 떴다. 누가 보면 안 될 일을 저지른 사람 같았다. 마음도 설레었다. 조그만 물건을 사고서 이렇게 마음이 설렐 수 있을까. 매듭을 사서 도장으로 돌아가는데 산 매듭을 어찌해야 할지를 몰랐다. 손에 들고 가자니 남의 눈에 띌까 봐 마음에 걸렸다. 도장에서 숙식하는 성사빈이 문소리가 나자 밖으로 나왔다.

"이건 뭐지요?"

성사빈이 아무 스스럼없이 이옥이 쥐고 있는 것을 빼앗았다.

"아무것도 아니야, 이건."

손에 쥔 것을 빼앗긴 이옥은 당황했다.

다시 성사빈에게서 물건을 빼앗았다.

"왜 그러세요. 형. 새삼스럽게."

"으응. 내가 그랬나?"

"그럼요. 지금 당황하고 계신데요?"

"아니야. 아무것도."

이옥은 애써 자연스럽게 보이려 했다.

"형. 물건은 안 사 오셨어요?"

"무슨 물건?"

"필요한 것 몇 가지 산다고 했잖아요?"

이옥은 아차 했다. 도장에 필요한 것과 도복을 사고 훈련에 필요한 무기를 대장간에 주문하러 장에 갔다가 성아에게 줄 매듭만 사 온 것을 이제야 깨달았다.

"잊어버렸다."

이옥은 잊어버린 걸 깨닫고는 머쓱했다.

"형. 혹시 이거 비밀스러운 물건 아닌가요?"

"아니야."

성사빈이 묘한 표정으로 이옥을 바라보았다.

"아하. 여자에게 줄 선물이지요?"

"아니라니까."

이옥은 속마음을 들킨 듯했지만 고개를 저었다. 이제는 거짓말까지 하는 자신을 보고 당황스러웠다. 이옥이 방으로 들어갔다. 방 겸 휴게실로 쓰기 위한 장소였다.

책상 위에 못 보던 뭉치가 있어 집었다.

"형. 그거 내 거예요."

예전 같지 않게 자신의 물건이라며 챙겼다.

"뭔데, 그리 놀라냐?"

"놀라기는 뭘 놀래요?"

"아닌데, 이건 특별한 물건이라고 말하고 싶은 것 같은데."

"없는 걸 만들어내기는. 형 물건이나 잘 챙기시지요."

성사빈이 조금 전 이옥이 행동하던 모습을 상기시켰다.

"그러지 말고 공개하자."

"형도요?"

"그럼. 그래야 속이 편할 듯싶다."

두 사람은 물건을 내놓았다. 이옥은 매듭이었고 성사빈은 목걸이였다. 거의 동시에 두 사람은 서로의 얼굴을 바라보았다.

"누구지?"

"누구지요?"

그리고는 서로 환하게 웃었다. 크게 웃고는 성사빈이 먼저 이야기를 꺼냈다.

"저는 같이 온 분이요."

"꽃지?"

성사빈이 고개를 끄덕였다.

"이건 성아님을 위한 거야."

이옥이 망설이다가 이야기했다.

"아하, 그렇구나."

"꽃지의 무엇이 사빈이를 끌었을까?"

이옥은 사실 궁금했다.

"꾸밈없는 모습에 마음이 팍 꽂히던데요."

"그건 맞다. 구김살이 없고 자신을 만들어 보이려 하지 않지."

"저는 얼마 전 귀향을 결심했을 때 많은 것을 느꼈습니다. 정세운 사건과 안우 장군의 참변을 보면서 세상을 다시 보게 되었지요."

"그건 나도 그렇네."

"맞아요. 그러실 거예요. 평소 가져온 사람에 대한 생각에 의문을 가지게 되었지요."

"어떻게?"

"사람 자체가 성스럽고 지고한 것이라 생각했었지요."

"그런데?"

"그렇지 않았습니다. 사람은 동물과 같았지요. 강한 자만이 그 와중에 살아남는 것이고요."

"그래서, 자신의 삶은 어떻게 살려고 하는데?"

"그래서 귀향해서 조용히 농사나 지으며 살려고 했던 게지요. 사람을 만나지 않고 살려고요."

"지금은?"

"아직 살아가야 할 방향을 확실하게 잡지 못했지요."

"사람이 위대한 것은 욕망의 소유자이면서도 그것을 자제하는 것을 터득했다는 것이라고 봐. 이 세상에서 가장 중요한 것이 자기 자신인 것은 확실하지. 소중한 내가 다른 사람을 만났을 때 그 사람도 소중한 존재이기 때문에 결국은 동등해야 한다는 것에서 문제는 발생하지. 욕망의 절제가 필요한 이유는 여기에 있다고 할 수 있지."

"그러면 모두가 평등해야 하는 것 아닌가요?"

"당연하지."

"그러면 양반은 무엇이고 계급은 무엇이지요?"

"욕망의 산물이겠지."

"그러면 그러한 세상을 어떻게 해야 하나요?"

"세상은 내 중심으로 돌아가는 것이 아니지. 정의를 축으로 돌아가는 듯하지만 우연과 거친 야성이 지배하기도 하지. 무엇보다 중요한 것은 상황 속에서 선택할 수밖에 없다는 것이야."

"상황 속에서 선택한다는 말은 무슨 뜻이지요?"

"지금 자신이 속한 사회에서의 적응이 필요하다는 것이지. 적응의 바탕에서 도전도 해야 하는 것이지. 자기 생각을 밀고 나가는 것만이 옳은 것은 아니라는 거네."

성사빈은 이해가 되었지만, 적응이라는 말에 비겁함이라는 느낌이 강하게 들었다.

"도망하는 것은 아니고요?"

"그렇지 않아. 모두가 평등하게 사는 것이 이상이라고 해서 지금 당장 그것을 세상에 대고 소리쳐 보게. 어찌 되겠나?"

"바로 죽음이겠지요."

성사빈의 목소리가 작아졌다.

선물에 관해 이야기하다가 영 다른 이야기로 화제가 옮겨졌다.

"사람이 들어오는 소리도 못 듣고 무슨 이야기를 그리 재미있게 하십니까?"

이성계였다.

"뜻밖의 반가운 방문이군요."

이옥은 그렇지 않아도 이성계를 한번 보고 싶었다. 서신을 보내고 답도 받았지만 이번에 한 일이 고려 전체에 영광된 일이어서 축하해 주고 싶었다.

"큰일을 했더군요."

"제게 주어진 일을 했을 뿐이지요."

이성계가 겸손하게 말을 했지만 대단한 일이었다. 이옥이 도장을 운영하는 동안에 이성계는 요동 정벌을 위해 출정해서 큰 공을 세웠다. 기병 5천과 보병 1만, 합해서 1만5천의 동북면 군대를 이끌고 압록강을 넘어 요동으로 향했다. 홍건적이 쳐들어왔을 때도 그랬지만 고려의 군사가 아닌 이성계가 지배하고 있는 북방면의 군사를 이끌고 참전한 것이어서 더욱 고려의 입장에서는 고마웠다. 오녀산성五女山城을 함락시키고 2차 원정 때에는 요동성과 여러 성을 함락시키고 옛 영토를 수복했다. 고려에 역사적 의미가 있는 큰일이었다. 고구려의 전통을 이어받겠다는 고려에 옛 고구려의 영토를 회복한 것은 여러 가지로 의미 있는 일이다.

"모두가 이성계가 누구냐고 묻곤 하던데요. 그만큼 이번 일이 큰 공적이어서 그렇지요."

"저 혼자 한 일도 아닌걸요. 한데 무슨 이야기를 그리 열변을 토하면서 하셨습니까? 저도 끼워 주시지요."

이성계는 슬며시 화제를 바꾸었다. 그는 그만큼 사람의 마음을 읽고 있었다.

"사랑 이야기지요."

"사랑이라면 여자 이야기요?"

이옥의 말에 이성계가 되물었다.

"예."

"제 이야기 한번 해도 될까요?"

"그럼요."

이성계의 제의에 이옥과 성사빈이 적극적으로 찬성했다.

"세상에 사랑만 한 기쁨이 없지요. 제 사랑 이야기 하나 하지요.

얼마 전에 무리를 지어 호랑이 사냥을 하다 목이 말라 우물을 찾아 물을 부탁했지요."

다소 엉뚱한 이야기였다. 사랑 이야기를 한다더니 호랑이 사냥을 하다가 우물에서 물 얻어 마신 이야기를 시작하니 그랬다.

"왜, 이상합니까?"

엉뚱한 이야기에 이게 뭐지 하는 표정을 짓자 이성계가 두 사람의 표정을 보고 어깨를 으쓱했다. 그리고는 이야기를 계속했다.

"우물가의 한 여인이 물을 바가지에 떠서 건네주며 바가지에 버들잎을 띄워 주더라고요. 제가 화를 냈지요. 목이 잔뜩 마른 판인데 무슨 짓이냐고요. 목이 말라 물이 급한 사람에게 버들잎을 띄워주니 은근히 화가 나더라고요."

"그래서요?"

"화를 냈지요. 생각해보세요. 갈증 난 사람에게 바가지에 나뭇잎을 띄워주니 안 그렇겠어요?"

"그러네요."

"화를 냈더니…"

"그래서요?"

이성계가 한 호흡을 쉬자 성사빈이 빈틈을 주지 않고 궁금하다는 듯이 물었다.

"그 여인이 아주 차분하게 말하는 것이었지요. '갈증으로 급히 달려오신 듯한데, 한 번에 물을 들이켜면 목이 막힐 것 같아 입으로 불어가며 천천히 드시라고…'하면서 수줍어하더라고요."

"우와, 그 말 한마디에 마음이 갔군요."

이옥이 짐작한 바를 말했다.

"그렇지요. 한 번에 갔지요. 세상에 이런 여인이 다 있나 했습니다. 고맙기도 하고 화를 낸 것에 대해 미안하기도 했지요."

이성계가 말을 맺으려 하자,

"이야기하다가 말면 어떻게 합니까?"

이옥이 더 호기심에 궁금함을 감추지 못하고 물었다.

"뭘 더 알고 싶으신 게지요?"

"중간에 그만두니 궁금하지요. 둘이 맺어진 것인지 지금 진행 중인 것인지…"

"지금 진행 중입니다. 얼마 오래되지 않은 일이거든요."

"그럼, 그 여인을 만났습니까?"

성사빈이 듣고만 있다가 물었다.

"만났지요. 누구의 여식인지를 물었더니, 말없이 물동이를 이고 가더라고요."

"그래서요?"

성사빈이 더 궁금해했다.

"몰래 따라갔지요. 이름난 집의 규수였어요."

"그럼, 어려웠겠네요?"

성사빈이 회의적인 목소리로 물었다.

"물론이지요. 내로라하는 집안이었거든요. 상산부원군 강윤성님의 딸이었습니다."

"더욱 어려워졌겠네요."

이옥이 성사빈의 말을 거들었다.

강윤성은 황해도 곡산사람이었다. 강윤성의 딸인 그 여인은 충혜왕 때부터 세도를 떨친 권문세가의 규수였다. 지역적인 세력을 가지고 있는 지방토호였다.

"쉽지 않겠지요. 하지만 제 사람이 될 겁니다."

아주 단호하게 말했다.

"그런 자신감은 어디에서 오지요?"

"사내가 한 번 마음먹으면 끝까지 가야지요. 미인은 용감한 자의 차지라고 하지 않습니까?"

이성계는 당당했다. 그리고 단호했다. 개경수복 전투에서의 혁혁한 전공과 이번 오녀산성을 함락시킨 일 등 나이에 비해 큰 공을 세운 것에서 자신감을 얻기도 했지만, 타고난 남아다운 면이 있었다. 요동성은 고려가 오래전부터 탈환의 기회를 엿보고 있었다. 원의 쇠퇴와 함께 원과의 관계를 끊으면서 정복을 노리고 있었다. 어찌 보면 고려의 숙원사업이었다. 이번 요동 공격은 동북면 상원수인 이성계와 서북면 상원수로 임명된 지용수를 축으로 부수상인 이인임이 총괄했다. 이성계는 추진력과 부하들을 부리고 포용하는 것이 남달랐다. 그에게는 강인함과 함께 부하들을 끌어안는 힘이 있었다.

이성계는 고려의 조정과 내부 사정에 그리 깊지 않았다. 비슷한 연배의 이옥과 관계를 맺고 싶어 했다. 연배는 이옥이 위였지만, 호형호제 하면서도 상호 존칭을 쓰는 관계였다. 무술 도장을 꾸려나가는 이옥을 만나니 더 관심이 커졌다. 장차 후진을 양성하는 일은 자신도 해 보고 싶었던 일이다.

"그럼 이번에는 이 형의 이야기를 한 번 들어보지요."

"나도 진행 중인 이야기인데, 이제 한 번 만났는걸요."

"마음은 정하셨고요?"

이성계가 물었다.

"이제 마음을 슬쩍 전하려고 하는 중입니다."

"저하고 비슷한 처지시군요."

"여인이란 오묘해서 마음을 잡기가 여간 힘이 들지 않네요."

"글쎄 말입니다. 적 몇 백은 제압할 자신이 있는데 여자를 제압하는 일은 힘이 듭니다."

"여자가 남자를 낳았기 때문에 여자는 남자를 알아도 남자는 여자를 모르나 봅니다."

이옥의 답변에 이성계와 성사빈이 웃었다.

"그 답 참 명쾌합니다. 여자가 남자를 낳았기 때문에 남자는 여자를 모른다고요?"

"그럼 아닙니까?"

"옳다 그르다가 아니라 답이 재미있어서 그렇습니다."

"재미로 웃자고 한 이야기고요. 언제 돌아갑니까?"

"예. 이번에 직접 보고할 것이 있어서 왔다가 이형도 보고 싶고 해서 들렀습니다. 곧 가야지요. 한 번 더 청을 드려보려고요."

"청이라니요?"

"그 여인을 제게 달라고요."

이성계는 말해놓고 호탕하게 웃었다.

이옥과 성사빈도 따라서 웃었다.

"아하, 그렇군요. 꼭 성공하시기를 바랍니다."

26
마음에 가 닿는 것마다 꽃이 되었다

사랑은 세상이 아름다운 것을 눈뜨게 한다

이옥은 나라가 어떻게 돌아가는가에 관심을 두지 않았다. 이미 관직에서 떠났기도 했지만, 일정한 거리를 두고 싶었다. 후진을 양성하는 일에 치중했음에도 발은 전보다 넓어졌다. 무인뿐만 아니라 문인들과도 자연스럽게 교유가 넓어졌다. 하기는 무인과 문인의 경계가 없어져 가고 있었다. 숱한 정변과 전쟁이 이어지면서 더욱 문무 관계는 모호했다.

성사빈은 더 도장 일에 열중했다. 농사나 짓고 살겠다고 했다가 이옥의 요청으로 시작한 일이지만 무술을 배우면서 가르치는 일에 재미가 붙었다. 무엇보다 살벌한 정권투쟁에서 한 발 벗어나서 자신이 하고 싶은 일을 한다는 것이 즐거웠다. 권력이 있는 곳에서는 언제 피바람이 불지 몰랐다. 승자와 패자가 수시로 뒤집어지는 세상이었다. 예측할 수 없는 치열한 경합이 이루어지는 것을 목격했다. 이곳은 달랐다. 땀과 열정을 필요로 하는 곳이었다. 노력한 만큼 성과가 나왔다. 땀의 양만큼 전장에서 피의 양이 줄어든다는 말처럼 훈련량이 수련의 경지를 올라가게 했다. 타고난 것에 노력한 양이 한 사람의 수련의 경지였다. 결과는 솔직했다. 노력한 만큼이 그대로 나오는 곳이었다.

이옥은 성사빈과 일하기가 편했다. 같이 군영 생활을 해서 잘 알고 있기도 했지만 성사빈이 친화력이 있어 수련생뿐만 아니라 사람들과 무리 없이 잘 지냈다. 업무도 깔끔하게 처리했다. 군영 생활 때는 전형적인 무인처럼 보였는데 그렇지만도 않았다.

이옥과 성사빈은 우연히 성아와 꽃지를 같이 마음에 담고 있었다. 이옥은 성아에게 줄 매듭을 선물로 사 놓고는 바로 전해주지 못하고 고심하고 있었다. 며칠이 지났다. 도장 일이라는 것이 매일 해야 할 일로 바빴지만, 그것은 핑계였다. 사랑한다는 말이 입에서 떨어질 것 같지가 않았다. 이성계처럼 대담하지 못한 이유는 무얼까. 소심함일까. 그것만은 아닌 듯했다. 좋아하는 사람을 좋아한다고 하는 것이 문제가 될까. 마음 안에 한두 송이 피기 시작하던 꽃들이 무리 지어 피기 시작했다. 마음은 하나하나 성아에 대한 그리움으로 점령당하고 있었다. 마음 안에 성아가 차지하는 면적이 더 커졌다. 이옥의 가슴에는 그리움이라는 점령군이 피워낸 꽃들로 만발했다. 생각하는 것마다 꽃이 피었다. 그 꽃은 성아였다. 마음에 가닿는 것마다 꽃이 되었다. 곧 성아로 대체되었다.

이옥은 한숨을 내 쉬었다. 마음을 달래려 도장의 관원들과 한바탕 몸으로 하는 격투기를 했다. 격투기에 몰두할 때뿐 수건으로 얼굴을 닦을 때도 성아가 떠올랐다. 말을 타고 달렸다. 역시 성아는 따라왔다. 이옥은 내가 미쳤구나 싶었다. 더욱 말의 속도를 높였다. 상상하고 있을 때 실제로 도장 입구에 사람이 들어오는데 여자였다. 자세히 보니 꽃지였다. 노인과 함께였다. 이옥은 반가움에 소리쳤다.

꽃지가 알아보고 손을 흔들었다. 무엇보다 노인을 볼 수 있어서 좋았다. 그동안 도장 일을 하느라 잠시 소원했다. 서신도 제대로 보내지 못하고 찾아가 보지도 못해 죄송한 마음이었다.

이옥은 다가가 인사를 드렸다. 길에 엎드려 큰절을 했다. 전에도 하지 않았던 행동이었다. 이옥은 진정 자신의 마음을 그대로 표현한 것이었다. 생명을 구해준 은인일 뿐만 아니라 인생의 스승으로서 노인을 존경했다. 노인이 아니었다면 다시 이런 의욕 있는 삶을 살 수 있었을까 싶었다.

"아니 왜 그러나?"

"세월이 갈수록 고마움을 주체할 수 없습니다. 와 주셔서 고맙습니다. 모시고 와야 했는데 죄송합니다."

"아닐세. 어서 일어나게."

이옥은 일어나 노인의 손을 잡았다. 진정으로 고마웠다. 노인의 손은 따뜻했다. 마른 손에서 느껴지는 온기가 이옥에게도 전해졌다. 노인의 눈은 여전히 맑았다.

"한 번 둘러보시겠습니까? 말씀하신 대로 도장을 차렸습니다. 사람들이 제법 많이 찾아와 다 받아줄 수 없을 정도입니다."

"반가운 소식이군. 사람은 역시 틀이 있는 것이야."

"…?"

이옥은 노인 말의 본뜻을 몰라 쳐다보았다.

"자네는 볼 때부터 달랐거든. 큰일을 해낼 사람이었지."

"그때 저는 초췌하고 지쳐있을 때였습니다."

"숨기려 해도 외모에 자신의 내면이 보이거든."

노인은 도장을 돌아보며 아주 흡족했다. 노인은 오래 살았지만 경험한 바로는 이러한 장비와 모양을 갖춘 도장이 고려에 없었다. 비공식적으로 사찰이나 개인이 원하는 사람들을 모아 가르치긴 했지만, 정식으로 도장을 차려서 체계 있게 운영하는 곳은 이곳이 처음이었다.

"세상을 바꾸겠다고 기도하는 것보다, 세상을 바꾸려 행동하는 사람이 세상에선 더 필요한데 자네가 그 일을 해 주었군. 이 세상은 생각으로 바뀌지 않는다네. 잘했네."

노인의 말은 여전히 당찼다.

"이일을 시작하면서 사람들도 많이 사귀게 되었습니다. 찾아오는 사람들도 많고요."

"사람을 사귈 때는 자신을 낮추어 좀 어수룩해 보이도록 하게나. 틈은 어디에나 필요한 걸세."

"틈이 어디에나 필요하단 말씀은 무슨 말씀입니까?"

"욕심으로 두 손에 물건을 다 쥐고 있으면 다른 것을 집을 수 없지. 하나를 놓아야만 다른 것을 집을 수 있지 않나. 한 손은 빈손으로 살라는 말이네. 새로운 것을 잡기 위해서."

"…"

"변화하는 세상에서 변하지 않으면 혼자만 변한 셈이지. 흐르는 강물보다 더 빨리 가려면 노를 저어야 하지 않겠는가. 때를 기다리게."

"예. 알았습니다. 말을 타고 한번 돌아보시겠습니까?"

이옥은 노인의 말을 진심으로 무겁게 받아들였다.

이옥은 자신이 차린 무도관을 노인에게 보여주고 싶었다. 이옥은 노인과 무도관을 살펴보았다. 말을 타고 돌면 경치도 좋았지만 여름날에 바람을 맞아 시원했다.

세 사람은 말을 타고 달렸다. 얼마 전 셋이서 강가까지 달렸던 기억이 났다. 전속력으로 들판을 달려나갈 때의 쾌감. 살아있음을 온몸으로 느낄 수 있었다. 사람은 자신의 생존이 어색할 때가 있다. 그럴 때 자신의 존재를 확인하는 격렬한 운동이나 모험을 즐기고 싶어진다. 이옥은 그때 그랬었다. 힘들고 지쳤을 때 기운을 불어넣어 준 사람이 바로 노인과 꽃지였다. 이옥은 마음이 훈훈해졌다. 한 사람을 만난다는 것이 기쁨인 것을 느끼고 있었다. 거친 말발굽 소리가 도장을 울렸다. 나무마다 초록으로 서 있었다. 서 있는 나무들을 스치며 지나가는 빠른 말이 바람을 닮았다. 거친 호흡이 목까지 찼다.

안에 있던 성사빈이 나왔다. 말발굽 소리에 무슨 일이라도 있나 해서였다. 성사빈의 눈에는 꽃지가 먼저 들어왔다. 세 사람이 말에서 내리자 성사빈의 얼굴에 웃음이 번졌다. 꽃지도 묵례로 인사를 대신했다.

"같이 일하고 있는 동생입니다."

"예. 성사빈이라고 합니다."

지난번과 달리 아주 깍듯이 노인에게 인사를 했다.

"꽂지 아버지셔."

"아, 예. 잘 부탁드립니다."

성사빈은 다시 고개를 숙여 인사를 하며 당황스러워했다. 인사도 엉뚱했다. 꽂지 아버지라는 말에 잘 부탁드린다는 말은 어울리지 않는 말이었다. 이옥이 빙긋이 웃었다. 꽂지도 무언가 어색했다. 성사빈의 그러한 행동에 싫지는 않았지만, 괜히 내 자리가 아닌 듯 부끄럽기까지 했다.

안채로 들어가자 성사빈이 서둘러 차를 준비했다. 꽂지가 일어나 같이 준비하려 성사빈에게 다가가자 괜찮다며 예전 같지 않은 친절함을 보였다. 꽂지가 입장이 난처해져 돌아와 앉았다.

"아주 좋아 보이네. 그리고 우리 꽂지의 일자리를 마련해 주어 고맙네. 우리 꽂지가 세상 구경하는 재미에 정신이 없는 듯하네."

노인이 꽂지를 기특한 눈으로 바라보았다.

"저는 정말 새로운 세상을 만나 다시 태어난 기분이에요. 오라버니에게 고맙지요."

"제가 받은 은혜에 비하면 아무것도 아니지요."

꽂지의 말에 이옥은 꽂지와 노인을 바라보며 말했다.

"저를 두 번 구해주신 셈입니다."

"두 번이나?"

"한 번은 화살을 맞고 말에서 떨어졌을 때였고, 한 번은 제가 실의에 빠졌을 때 용기를 다시 주신 것이지요."

"준 것이 없는데 받았다니, 나쁜 일은 아니구먼."

성사빈이 차를 내왔다.

"고맙네. 젊은이."

"고맙긴요? 이제 자주 오시지요."

"말이라도 고맙네. 인상이 좋구먼."

노인이 성사빈을 바라보았다.

"고맙습니다. 저는 늘 제 얼굴에 자신이 없었는데 힘을 주시는군요."

"마음도 잘생긴 듯하네."

"그렇게 봐 주시니 고맙습니다."

노인의 말에 성사빈은 고개 조아렸다.

"괜한 말이 아니고 마음이 바른 사람이야. 얼굴에 그렇게 쓰여 있는걸."

성사빈은 노인의 계속된 칭찬에 머리를 긁적였다.

노인과 꽃지가 돌아가고 난 다음 성사빈의 얼굴에는 화색이 돌았다.

"형. 저를 좋게 봤나 봐요?"

노인과 꽃지가 돌아가고 난 다음에 성사빈이 이옥에게 다가서며 말했다.

"축하한다. 뭔가 되려나 보다."

"형도 한 번 시도해 보시지요?"

"마음은 굴뚝같은데 용기가 안 나서…"

"아니, 적진으로 뛰어가던 그 용기는 다 어디 보내고 망설이시는 거지요."

"글쎄 말이다. 여자가 남자에겐 큰 산이로구나. 높아서라기보다 오묘해서 그렇지. 신비하고."

"정말 형답지 않은데요?"

"나도 그렇게 생각한다. 하지만 이런 마음은 처음인 걸 어찌하냐?"

"아까 꽃지에게 뭘 부탁하는 듯 하던데?"

"했지."

이옥은 의미심장한 표정을 지었다.

이옥은 궁궐 밖에서 조금 떨어진 곳에 서 있는 느티나무 아래서 초조한 마음으로 기다리고 있었다. 사람들이 자신을 바라보고 비웃기라도 하는 듯했다. 소달구지를 끌고 가는 사람이나 머리에 짐을 이고 가는 사람들이 지나갔다. 궁에 볼일이 있어 들렀다 가는 사람들도 있었다.

"이곳에는 웬일이지요?"

아는 얼굴이었다. 정몽주였다.

정몽주는 경상도 영천 땅에서 한미한 가문의 아들로 태어났다. 정몽주가 과거에 급제한 후 벼슬살이에 나간 20세 후반에 아버지와 친하게 지낸 이색의 문하에 들어가 공부했기 때문에 이옥과 몇 번 만나 얼굴은 알고 지내던 사이였다. 이옥이 도장을 차리고 나서 정도전과 함께 축하 차 방문해서 친숙해진 사이였다. 이색에게서 성리학을 열심히 배워 현실개혁에도 관심이 높은 인물이다. 특히 정몽주는 자기보다 연하인 정도전을 아껴 정도전을 데리고 이옥을 방문해서 친분을 나누는 사이였다.

"만날 사람이 있어서요."

"한 번 대포라도 나누어야 하는데…"

"조만간 시간을 내시지요. 저야 시간이 언제든 좋습니다. 바쁘신 분이 시간을 만들어야지요."

"바쁘긴요. 이 나라의 인재를 기르는 분이 바쁘지, 저야 아직은 말직에서 뒤치다꺼리하기에 바쁘지요."

"아니 이 나라에서 성리학 하면 누구라고 인정받는 분이 그런 말씀을 하시면 됩니까?"

사실이었다. 정몽주는 성리학에 조예가 깊었다. 개혁에도 관심이 많았고 신진세력 중에서 선두 자리를 차지하고 있었다. 성격도 비교적 원만해 두루 친했으나 친명파였기에 친원파와는 갈등 관계에 있었다. 또한 불교에는 배타적이었다. 전형적인 문신 같아 보였지만 여진족 정벌 때에는 참전하기도 한 사람이었다. 문무를 겸한 사람이었다. 그래서 이옥과는 더욱 친밀감이 있었다. 이야기가 통했고 시원한 성격이었다. 두 사람 모두 바빠서 자주 만나지는 못했지만, 마음에 두고 있던 사람이었다. 마음 편하게 이야기를 나눌 수 있는 사람이었다.

정몽주와 몇 마디 이야기를 나누고 헤어진 후에도 그 자리에서 한참을 서성거렸다. 느티나무 아래에는 이옥 혼자가 아니라 사람들이 돌로 만들어진 의자에 걸터앉아 이야기를 나누고 어떤 사람은 더위를 피하여 바람을 쐬고 있었다.

멀리서 한 사람이 보였다. 이옥은 가슴이 두근거렸다. 왜 만날 때마다 긴장이 더 되는 걸까. 오늘은 선물을 들고 있어서 그런지 더 긴장되었다. 어떻게 전해주는 것이 좋을까. 무슨 말을 하며 전해줄까. 이옥의 머릿속은 복잡했다. 그녀가 다가올수록 할 말이 뒤엉켰다. 준비했던 말이 틀린 것 같고, 새로운 말을 생각했으나 역시 어설픈 듯했다. 그녀가 걸어오는 곳으로 다가갔다.

"안녕하세요."

"네. 안녕하세요."

첫인사를 어떻게 할까, 하고 그 많은 생각을 했음에도 결국 안녕하세요가 인사가 되고 말았다. 잠시 침묵이 흘렀다.

세상에 그 많은 말들은 다 어디 가고, 준비했던 말도 잘 나오지 않았다.

"저어, 잘 지내셨지요?"

"예."

그리고 다시 침묵이 흘렀다.

이리도 할 말이 없단 말인가. 간절할수록 말이 어설픈 것이라더니 정말 그랬다. 마음 안의 일과 마음 바깥의 일이 이리도 어설프게 겉돌고 있었다.

"보고 싶었습니다."

이옥의 말에 성아는 말이 없었다. 성아의 말 없음이 더욱 긴장하게 했다.

"제가, … 꽃지한테 부탁을 했습니다. 실례가 될지도 모르지만 … 했습니다. 괜찮지요?"

"예."

성아의 목소리는 짧았다. 그녀도 긴장하고 있었다. 어쩌면 더 긴장하고 있는지도 몰랐다.

"걸을까요?"

"예."

이옥의 제의에 성아는 역시 짧게 답했다.

느티나무 옆으로 흐르는 내를 따라서 걸었다. 성아가 서 있는 곳에서는 온기가 감돌았다. 이옥의 마음이 그랬다. 성아는 이옥의 마음을 잔잔하게 흔들고 있었다. 한 사람의 존재가 세상을 아름답게 만드는구나 싶었다. 거칠었던 세상이 성아와 함께 있으면 운명을 받아들인 순명 같은 느낌을 받았다. 날마다 뜨던 아침 해가 한 사람과 만날 약속이 있다는 것만으로도 마음을 설레게 하는 특별함을 주었다. 사랑은 이 세상이 아름다운 것을 눈뜨게 하는 것이었다. 감성의 문이 열려 안 보이던 세상이 보이고, 못 보고 지나쳤던 것들이 의미를 가지고 살아나게 했다.

"생명을 구해준 은인으로 만났지만, 지금은 한 남자로서 만나고 싶습니다."

"…!"

"말씀이 원래 적으십니까?"

"아니에요."

성아의 목소리가 물소리에 묻혔다.

"처음 제가 쓰러져 있었을 때 두렵지 않았어요?"

"저는 사람이 다친 모습을 여러 번 봤기 때문에 두렵지는 않았어요. 피를 많이 흘리고 있어서 그냥 두어서는 안 되었지요. 그리고 화살이 그대로 박혀 있었거든요. 위험한 상태였지요."

"..."

"저는 갈 길이 바빴고, 가까운 꽃지네 집을 찾아서 응급조치만 한 것이지요."

"화살은 그럼 누가 뽑았지요?"

"그걸 이제야 물으세요?"

"그것까지는 몰랐거든요."

이야기가 이옥이 화살을 맞고 성아를 만났던 주제로 옮겨가자 아주 쉽게 풀렸다. 어색하던 분위기가 부드러워졌다.

"화살을 야지에서 뽑는 것은 위험했지요. 출혈이 커지거든요. 그래서 다시 말에 태우고는 꽃지네 집에 도착해서 꽃지 아버지의 도움을 받아 화살을 뽑았지요."

"그랬군요."

"위험했어요. 피를 많이 흘렸고요. 그때는 이렇게 미남인 줄도 몰랐는데…"

이옥은 성아의 칭찬에 눈이 밝아졌다.

"칭찬이지요?"

"그럼요."

"왜 화살에 맞았는지 물어도 되나요?"

"예. 그때 전투에서 맞았지요. 왜구가 침략해 들어온 것을 확인하고 매복해 있다가 공격을 해 전과가 있었습니다. 그 전과를 알리기 위해 본대로 들어가다가 매복해 있던 다른 적에게 화살을 맞았지요."

"큰일 날 뻔했군요."

"군인이란 언제 어디에서 죽음을 맞을지 모르는 사람이지요."

"지금은 아니잖아요?"

"예. 지금은 군직에서 나와 도장을 차려, 이제 시작이지요."

이옥은 흐뭇했다. 성아와 이야기를 나누고 있는 것이 꿈만 같았다. 특별한 이야기가 아니었음에도 같이 있다는 것이 새로운 세계를 열어 주었다. 마음이 한편 허전했던 것들이 가득 채워지는 기분이었다. 바람에 나풀거리던 풀들이 더욱 생기를 얻고 늘 흐르던 물이 더 활기차게 흘렀다.

어둠이 찾아오는 길을 걷는 두 사람의 그림자가 흐릿해지고 이내 지워졌다. 어둠이 그대로 그림자를 삼켜 버렸다. 훈훈한 여름날의 기운이 사그라지고 시원한 바람이 불어왔다. 이옥과 성아는 제법 밤이 깊어서야 헤어졌다. 이옥은 돌아서서 오는 길에 뒤를 돌아보고는 했다. 헤어져서 혼자 돌아오는 길이 무언가 허전했다. 한 사람이 있으므로 해서 세상은 힘을 얻어 활기를 찾았고 또한 한 사람의 부재가 활력을 잃게 했다. 이옥은 성아와 헤어져 돌아오는 길에 주머니에 성아에게 줄 매듭이 그대로 있는 것을 알았다. 아차 싶었다. 이미 헤어져서 한참을 왔다. 아쉬웠지만 전해줄 수는 없었다.

도장으로 돌아가는 길에 수상한 느낌의 두 사내가 어느 집 담을 넘으려 하고 있었다. 신돈의 거처였다. 두건은 두르지 않았으나 낌새가 이상했다. 담을 넘는 사람을 좇아서 이옥도 담을 넘었다. 이옥은 담을 넘어 섰으나 놈은 보이지 않았다. 벌써 숨은 것이 확실했다. 이옥도 숨을 죽이고 몸을 장독 뒤에 숨겼다. 놈이 눈치채지 못하게 몸을 숨기고 놈의 움직임을 포착하기 위해서였다.

어둠은 이미 깊었다. 숨을 죽이고 있었다. 어둠 속에서 다시 움직임이 보였다. 두 사람이 어둠 속에서 움직이는 모습을 발견하고 몸을 날려 손에 든 칼을 발로 찼다. 허공으로 칼이 날아가는 동시에 옆에 있던 놈을 제압했다. 순간의 일이었다. 먼저 가격을 당한 놈은 도망가고 한 놈이 잡혔다. 요란한 소리가 들리자 사람들이 몰려나왔다. 신돈의 집은 병사들이 지키고 있었다. 이옥은 병사들에게 놈을 넘기고 도장으로 갔다. 돌아오는 길에 마음이 복잡했다.

관노로의 전락과
강궁으로 명예회복을 하다

27

산은 오른 만큼 내려와야 한다

하지만 지금은 하산이 어려워졌습니다

"때가 온 듯싶소."

신돈은 차분하게 말했으나 비장함이 보였다.

"얼마 전 큰애가 월담한 자를 잡은 이야기 들으셨지요?"

"예. 한 놈은 도망쳤다지요."

"지금 누가 보낸 자객인지가 그리 중요하지 않은 듯합니다. 문제는 그자를 대충 심문해서 넘겼는데 형조에서 바로 죽여 버렸지요. 그리고는 답이 없습니다."

이춘부는 순간 무얼 의미하는지 알 수 있었다. 자객을 형조에서 바로 처단했다는 것의 의미를 알 수 있었다.

신돈은 형조를 의심하는 것이 아니라 왕을 의심하고 있었다. 신돈은 왕의 전과를 누구보다도 잘 알고 있었다. 얼마만큼 써먹고는 제거해 버리는 사람이었다. 정세운이 그랬고 안우와 이방실이 그렇게 갔다. 그리고 안우와 이방실을 죽인 김용도 죽였다. 모두가 심복이라 할 만큼 헌신적이고 국가에 공을 세운 인물들이었다. 이제는 때가 왔음을 눈치 챌 수 있었다. 안다고 해도 다른 방법이 없었다. 직을 내놓고 떠난다고 해결될 문제가 아님을 여러 군데서 감지할 수 있었다. 이춘부도 얼마 전부터 느낌으로 감지할 수 있었다. 아쉽다면 나라의 토대를 마련하지 못하고 중도하차 한다는 것이 아쉬웠다. 애초에 신돈의 개혁정책에 몸담은 것은 신돈에 대한 존경이나 뜻이 맞아서라기보다는 옳은 정책 방향이라면 사람이 누구인가는 중요하지 않았다고 생각했기 때문이었다. 신분이 중요한 것이 아니었다. 신분을 철폐하고 만민이 평화로운 세상을 만들자면서 중이라는 신분이나 노비 출신의 승려라는 것을 문제 삼을 필요가 없었다. 목적이 뚜렷하면 나머지 자잘한 것들은 넘길 수 있었다. 무엇보다 신돈은 사심이 없었다. 순수한 열정에서 비롯된 것임을 확신할 수 있었다.

왕은 정상적인 심리상태가 아니었다. 상장군 노숙이 환관의 아내와 간통한 사건이 있었다. 노숙은 왕이 총애하는 신하 중의 한 사람이었다. 상장군으로서 자신의 친위를 담당하는 사람이었다. 믿었던 노숙의 행동에 분개한 왕은 노숙을 몽둥이로 800대나 치도록 했다. 800대를 맞고도 살 사람은 없었다. 노숙은 결국 숨지고 말았다. 몽둥이로 때려서 죽일 일은 아니었다. 더욱 특별한 일은 다음에 일어났다. 노숙이 죽은 지 한 달 후에 노숙이 거짓으로 죽은 체한다면서 무덤을 파헤치라고 했다. 자신의 눈으로 봐야만 믿을 수 있다는 것이었다. 무덤을 파헤치자 노숙의 시신이 그곳에 있었다. 그것도 못 미더워

시신의 목을 베서 매달도록 했다. 화가 덜 풀린 왕은 애꿎은 노숙의 아내와 노숙의 부친인 노진을 동경으로 유배까지 보냈다. 더욱 가관인 것은 노숙의 죄를 제대로 다스리지 못했다며 헌부의 관원 민수생을 여주로 유배했다. 거의 정신병 환자였다.

언제 어디에서 무슨 일이 일어날지 예측할 수 없었다. 국권을 회복하고 민복을 논하던 왕이 아니었다. 미친 소처럼 언제 어디를 뿔로 받을지 두려운 존재가 되었다. 전라도를 시찰하러 갔던 체복사體覆使(고려 시대 지방에 보내던 임시 사행) 최용소가 개경으로 돌아와 먼저 신돈을 만난 후 왕을 알현했다. 늘 하던 관례였다. 신돈에게 먼저 보고했다며 화가 난 왕이 감찰관에게 명령해 곤장을 쳤다. 신돈에게 왕권 일부를 위임해 정사를 보도록 해온 관례가 무너지는 순간이었다. 스스로 내려준 권력을 거두어들이겠다는 신호탄이기도 했다. 누구도 자신의 권력에 도전하는 것을 보지 못하는 왕의 병이 도진 것이었다. 광풍이 불어올 것을 예고하고 있었다. 미친바람이 누구에게 어떠한 모습으로 다가올지는 아무도 몰랐다. 부드러운 미풍처럼 속삭이다가도 이내 모래바람을 동반한 거친 바람이 부는 왕의 성격이 두려웠다. 왕은 미친바람의 진원지였다. 세상은 어두운 그림자를 끌고 돌아다녔다. 그 어둠이 어디를 덮칠지는 아무도 몰랐다. 신돈과 이춘부는 마음의 준비를 하고 있었다. 하늘이 내려준 목숨을 하늘이 거두어들이는 것을 순명으로 받아들이기로 했다.

"마음의 준비는 되셨지요?"

신돈이 먼저 입을 열었다.

"이제 기초를 마련한 상태인데, 여기에서 주저앉으면 나라가 제대로 갈 수 있을지 모르겠습니다."

안위를 묻는 신돈의 질문에 이춘부는 직접 말을 받지 않고 개혁에 대해 우회적으로 답했다.

"올 때나 갈 때나 빈손이긴 마찬가지지만 마음 안에 흐뭇함을 안고 가느냐 찬바람을 안고 가느냐가 다르겠지요."

"스님께서는 흐뭇함이신지요?"

"흐뭇함까지야 아니지만, 마음이 시키는 일을 했지요. 몸이 시키는 일보다는. 처음에는 내가 생각한 세상을 만드는 기회라 생각했지만 모든 것이 과욕일 수 있음을 보게 되었습니다. 이제는 하늘이 시키는 일만큼만 하고 가겠다는 것이 내 마음입니다."

신돈은 차분하게 이야기를 풀어갔다. 풍파를 겪어온 삶만큼 회한도 많았다. 거친 인생이 안내하는 길을 걸어왔다. 후회는 없었다.

"산은 오른 만큼 내려와야 하는 것이지요. 하지만 지금은 안전한 하산이 어려워졌습니다."

이춘부는 허공을 바라보았다.

"그렇군요. 애초에 하산이 여의치 않을 것을 알았지만 현실로 되어가고 있음을 보고 있습니다."

신돈도 허공을 바라보기는 마찬가지였다.

"뒷모습이 아름다울 수 있는 건 축복인데, 아름답기 위해서는 때와 큰 용기가 필요한 것을 알았습니다. 지금은 용기가 아니라, 때를 놓쳤고 애초에 끝까지 가보자는 마음이었기 때문에 후회는 없습니다."

술 한잔하지 않고 나누는 이야기는 비장했다.

보수진영의 입장에서는 신돈 하나만을 제거하면 모든 것이 해결된다고 보았다. 유학자인 그들로서는 신돈의 신분이 땡중이라며 공격하기에 더없이 좋았다. 애초에 자질이 없는 사람이라는 것이다. 신돈은 가진 것 없고 개혁을 추진하기 위해 위임받은 권력 외에는 욕심을 내려놓았기 때문에 적격이었지만 한창 일이 무르익는 상황에 왕의 병이 재발했다.

"두려움 없이 갈 것입니다."

이춘부의 목소리는 편안했다.

"가고 싶은 길을 가다 죽는 것은 내 마음이 시킨 일이지요. 힘든 세상 조금 먼저 간다고 안타까울 것이야 있겠습니까만 힘없고 헐벗은 사람들을 한 명이라도 더 구제했으면 하는 것이 내 마음이지요."

신돈은 이미 준비를 하고 있었다.

"이제 곧 새로운 일이 벌어지겠군요."

이춘부도 이미 벌어질 일이 멀지 않았음을 느끼고 있었다.

"그렇겠지요. 욕을 하는 사람은 얼굴에 핏발이 서지만, 욕을 듣는 사람이 그 욕을 웃음으로 받아들이면 노래가 되지요."

신돈의 입가에 웃음이 번졌다. 조금은 넉넉하고 조금은 허허로운 웃음이었다.

신돈을 제거하기 위한 반대파의 음모는 집요했다. 신돈에게서 마음이 떠나기 시작한 왕의 마음을 읽은 사람들은 더욱 집요했다.

"이야기 들으셨습니까?"

정사를 논하다가 파하고 다 돌아가고 신돈과 이춘부 이색이 남은 자리에서 이색이 먼저 이야기를 꺼냈다.

"무슨 이야기입니까?"

신돈이 특별한 기미를 알아차리지 못하고 물었다.

"스님께서 역모를 꾀하고 있다는 투서가 올라갔습니다."

"역모요?"

신돈뿐이 아니라 이춘부도 놀랐다.

"그렇습니다. 투서의 주모자는 고인기라고 합니다."

이색은 왕의 측근에서 일하고 있어서 왕과 관련된 일들을 가까이서 접하고 있었다.

"고인기가요?"

신돈은 어처구니가 없었다.

"그것도 스님의 마음을 읽기라도 한 듯 이야기하고 다닌답니다. 왕이 시기심이 많아 아무리 가까운 심복이나 공이 큰 대신이라도 권세가 너무 커지면 반드시 제거해 버리는 성품을 잘 알기 때문에 왕에게 죽임을 당하기 전에 먼저 역모를 준비하고 있다고요."

신돈은 할 말이 없었다.

고인기라면 누구보다도 자신의 견해를 옹호해 주어야 할 사람이었다. 석온이라는 불명을 가진 승려였다. 신돈이 끌어들인 사람이었다. 동류의식을 가지고 일을 처리하기 위해서 자신을 이해하고 믿어줄 사람이 필요했다. 자신의 이상을 이해하고 살갑게 다가오는 고인기가 대견해 직책을 주었다. 모두가 유학자들인 세상에 불교에 몸을 담아 평등을 이해하고 개혁을 이끄는데 사심 없이 일해 줄 사람이 필요해 끌어들인 고인기가 그러다니. 신돈은 믿어지지 않았다.

"스님께서 직접 전하를 찾아가셔서 해명하셔야 할 듯합니다."

"나 혼자만이면 그나마 다행인데…"

신돈이 두 사람을 바라보았다.

안타까움이 얼굴에 담겼다.

"저희도 준비되어있습니다. 제 마음 안에 중심 하나 세웠으니 결과에 승복할 것입니다."

이춘부가 자신의 마음을 담아 말했다.

신돈은 아무 말 없이 정좌한 채로 눈을 지그시 감았다. 시간이 신돈의 정좌한 몸으로 떨어져 내렸다. 시간이 차곡차곡 쌓였다.

한참을 정좌하고 앉아 있다가 신돈이 조용히 이춘부와 이색에게 말했다.

"이제 돌아들 가시지요."

신돈은 몸을 흩트리지 않고 그대로 있었다. 다시 시간이 신돈의 정좌한 무릎 위에 쌓였다.

신돈은 날이 지날수록 더 많은 이야기를 들어야 했다. 만나는 사람마다 세상 시끄러운 이야기를 한 가지씩을 전해 주었다. 좋은 이야기는 없었다. 이존오가 죽었다는 소식도 들어왔다. 신돈을 처음으로 탄핵했던 유학자였다. 신돈은 이존오가 죽었다는 말에 귀가 번쩍했다. 얼마 전의 일이 생각났다.

이존오는 신돈을 바라보았다. 신돈은 왕과 나란히 앉아 물끄러미 바라보았다. 이존오는 약관이었다.

"어찌 첨의께서는 예의범절도 모르는 게요? 사람으로서 도리를 알아야 하는 것 아닙니까?"

나이 어린 이존오가 서슬이 퍼런 얼굴로 신돈에게 소리를 버럭 질렀다. 신돈에 대한 정면 도전이었다. 이는 왕으로서 민망한 일이었다. 몇 번이나 공론화하여 첨의 신돈의 예우를 직접 지시한 사람은 왕이었다. 그런데도 이존오는 모두가 모여 있는 자리에서 신돈을 쏘아보며 대든 것이다. 이존오는 경주 사람이었다. 왕이 신돈에게 정사를 맡기고 정사를 돌보지 않자 상소를 올렸다.

"첨의는 나라를 자기 마음대로 움직이고 임금을 무시하는 마음이 있습니다. 항상 말을 타고 궁문을 출입하며, 전하와 나란히 앉아 국정을 논하니 일찍이 이런 사람이 없었습니다."

이존오의 도전은 신호탄이었다. 이존오는 신돈을 증오했다. 어린 나이에 당당하게 왕을 향해 신돈을 물리쳐야 나라가 산다고 소리쳤던 사람이었다. 신돈이 있는 면전에서 대들었던 인물을 왕은 방치했다. 그런 이존오는 신돈이 권세와 개혁에 기치를 올리는 것을 보며 더욱 울분과 근심하다 병을 얻어 죽었다. 이존오의 나이 이제 서른한 살이었다. 신돈이 죽어야 내가 죽는다고 자신의 육체에게까지 주문을 했지만 결국 이존오는 누워있다 죽었다.

한 나라를 걱정하는 마음이 이리도 증오와 울분을 담을 만큼 다른 것이 세상이었다. 생각이 다른 것이 문제였다. 신돈은 이존오를 미워하지 않았다. 다만 생각이 다른 것을 확인할 뿐이었다. 유학자의 세상은 양반과 노비가 같은 자리에 앉을 수 없는 것이었고, 왕은 하늘이었고 신하는 땅이었다. 위계가 확실하게 확립된 사회였다. 반면 불가에 몸을 담은 신돈은 만민이 평등해야 했다. 모두가 불성을 지닌 존재로 부처와 같이 깨달을 수 있는 독립된 성자였다. 물론 개인 신돈의 이상이었다.

불교를 국교로 받아들인 고려마저도 유교적인 덕목을 통치이념으로 받아들인 것은 강자의 원리를 받아들인 것이었다. 신돈은 적어도 왕을 제외한 사람들에게는 평등을 구현하고 싶었다. 적어도 핍박이 적은 사회를 만들고 싶었다. 손바닥만 한 농토라도 나누어 주고 싶었다. 이존오가 소리치며 저주를 퍼부어도 신돈으로서는 걸어가야 할 길이 있었다. 이존오가 틀린 것이 아니었다. 이존오에게는 이존오의 길이 정도였다. 하지만 신돈이 걸어가야 할 길과 이춘부가 걸어가야 할 길은 이존오의 길과 달랐다. 신돈이 아파한 세상은 이춘부가 아파한 세상이었다. 나 하나의 죽음이나 고난의 길이 많은 사람에게 개명된 세상을 만나게 해 줄 수 있다면 가야 할 길이었다.

신돈을 모함하는 반대파들도 기회를 놓치지 않았다. 왕의 마음을 읽은 그들도 이 기회를 놓치면 다시 기회를 잡을 수 있을지 장담할 수 없었다. 신돈은 담담하게 받아들이고 있었지만, 세상은 신돈과 이춘부의 편만은 아니었다. 하나를 해결하면 다른 사람이 또 신돈을 죽이려 했다.

과거에 급제한 유자인 이인이 또 신돈을 모함했다. 과거제도는 처음에는 제술과製述科, 명경과明經科, 의과醫科, 복과卜科를 두었다. 관리임용의 중심은 제술과와 명경과였다. 내용을 보면 제술과는 시詩, 부賦, 송頌, 책策 등의 사장詞章으로, 명경과는 유교의 경전이었다. 과거시험은 유교적인 덕목을 중심으로 이루어져 있었다. 그러한 사상과 가치관으로 무장한 사람들이 시험에 응시하는 것이 당연했다. 잡과는 법률, 의학, 천문, 지리 등의 기술 과목으로 시험을 보았으나 관리의 중심이 되지 못했다. 제술과와 명경과 다 같이 문신 등용을 위한 시험이었으나 일반적으로 경학보다는 문예가 더 숭상되었기 때문에 상대적으로 제술과가 더욱 중요시되었다.

고위 관리들은 자연스레 유교적인 덕목을 중심으로 한 사람들이 차지하고 있었다. 어디에도 신돈이 기댈 곳은 없었다. 자신의 언덕이어야 할 불교계에서도 신돈은 이단이었다. 이제는 조용히 자신의 세계에 몰입했다. 더는 어찌할 수 없는 형국, 종말을 향하여 치닫고 있는 세상이 보였다.

다시 반역의 화살이 신돈에게 겨누어졌다. 이인이었다. 이인도 신돈 수하의 인물이었다. 가까운 곳에서 반란이 일어나고 있었다. 왕의 마음을 읽은 사람들이 자신의 살길을 찾기 시작한 것이다. 이인은 왕이 광종의 헌릉과 문종의 경릉에 참배하러 갈 때 신돈이 심복들을 매복시켜 왕을 해치려 하다가 경비가 삼엄해 미수에 그쳤다는 글을 왕의 외척인 김속명의 집에 던졌다. 김속명은 무장이었다. 신돈에게 죽임을 당한 김원명과 형제였다. 당연히 김속명은 이를 왕에게 보고했다. 모든 조건은 충족되었다. 신돈이 역모를 저질렀다는 내용이 계속 이어지니 명분은 확보되었다. 신돈을 죽이고 살리고는 전적으로 왕에게 달려있었다. 이인이 신돈을 배반한 것일까, 매수된 것일까. 신돈에게는 그리 중요하지 않았다.

신돈은 눈을 감았다. 아니라고 반론을 제기하는 것도 이제는 부질없음을 알았다. 모든 결정은 왕의 마음에 달렸다. 믿음이 있으면 신돈을 해치려는 모함으로 받아들일 것이고, 마음이 신돈에게 멀어져 있으면 역모로 인정하면 그만이었다.

28
신돈과 이춘부의 죽음

누군가가 죽어가고 있는 그 순간에도 꽃은 핀다

"역모를 준비한 자들을 잡아들이라!"

왕의 입에서 명령이 떨어지자 즉시 움직였다. 이미 준비된 것처럼 모든 것은 순식간에 진행되었다. 신돈의 측근인 기현과 아들 기중수, 최사원, 정구한, 진윤검, 한을송이 잡혀왔다. 이러한 일련의 조치들은 일사불란하게 진행되었다. 신돈의 역모를 흘리고 다녔던 고인기도 체포되어 심문 대에 묶였다.

같은 시간에 신돈은 극히 일상적인 시간을 보내고 있었다. 신돈이 마음을 비우고 평화로운 시간을 즐기는 시간, 궁에서는 처절한 국문이 행해지고 있었다. 신돈의 역모를 증명하기 위한 살을 찢고 피가 튀는 참극이 벌어지고 있었다.

결과는 자명했다. 모두가 자백했다. 고문을 이겨낼 사람은 없었다.

잡혀 온 역모자들과 신돈의 대질신문은 없었다. 기이하게도 이들은 즉시 처형되었다. 신돈의 역모를 흘렸던 고인기마저도 처형되었다. 특별한 것은 신돈에게는 아무런 조치가 없었다. 신돈은 다른 때와 다름없이 일상적인 일을 하고 있었다. 아직은 죽음의 그림자가 그를 흔들지 못했다.

이춘부는 이 소식을 전해 들었다. 이춘부는 제일 먼저 자식들을 불러, 집으로 모두 모이라고 전했다. 이춘부가 가족 모두 모이라고 하는 이유를 아무도 알지 못했다. 이렇게 다 모여보기도 참 오랜만이었다. 다섯 아들 옥, 빈, 예, 한, 징과 딸 가실이 그리고 사위 이종학이 둥그렇게 이춘부와 이춘부의 부인을 중심으로 둘러앉았다. 사위 이종학은 이색의 둘째 아들로 혼례를 올린 지 얼마 되지 않았다. 모두가 이춘부의 말을 기다리고 있었다. 무슨 영문인지 모르고 모여 앉아 서로를 바라보고 있었다. 침묵은 그리 길지 않았다.

"모두 모였구나."

이춘부의 목소리는 아주 차분했다. 약간은 떨리는 것이 느껴졌다. 문과에 등과해서 문인과 무인을 넘나드는 생활을 했다. 전장에서 목숨을 걸어놓고 치열한 싸움도 했고, 원으로부터의 독립과 개혁에도 몸을 담았다. 성공한 집안의 자식으로 태어나 올곧다고 생각되는 길을 걸어왔다. 고난도 있었고 영광도 있었다. 성공도 있었고 실패도 있었다. 치욕도 있었고 환희도 있었다. 참으로 굴곡이 많은 시대에 태어나 나라를 빼앗긴 치욕을 맛보았고 국권을 회복하는 과정도 보았다. 왕이 곧 하늘인 나라에서 왕이 가진 권력과 신하로서의 치욕스러운 일도 보았다. 배신도 보았다. 어찌할 수 없는 운명도 보았다. 결국은 태어나 생명을 받은 죄로 모든 것을 받아들여야 하는 것을 보았다.

"인생의 주인은 자신이지만 내가 항상 내 인생의 주인일 수는 없다."

이춘부의 말에는 처연함이 있었다.

"나는 당당하고 의연하게 살았지만 그렇지 않다고 하는 무리가 있다. 그래도 나는 내 인생에 충실했다."

이춘부의 서두는 보통 때와는 달랐다. 그리고 말이 많은 사람도 아니었다. 하지만 오늘 그의 이야기에는 비장함이 보였다.

"나라가 걱정되지만 이미 내 손을 떠났다."

이춘부는 숨을 길게 내쉬었다. 시선은 자식 하나하나를 뚫어지게 그것도 오래 바라보았다. 그리고 그 시선을 부인에게 한동안 두더니 이내 허공을 담았다.

"영도첨의領都僉議 신돈이 곧 어려움을 맞을 것으로 보인다. 그리고 같이, 아니면 다음으로 내 차례가 될 듯싶다. 너무 슬퍼 말아라."

말이 끝나기도 전에 부인의 얼굴이 일그러지더니 울음을 참지 못하고 폭발했다. 형제들은 서로의 얼굴을 바라보며 놀란 얼굴로 어찌할 바를 몰랐다.

"아버지. 아버지는 소신껏 사셨습니다. 그리고 적을 만들지 말라는 말씀을 실천해오셨습니다."

장남인 이옥이었다.

"내 다시 한번 이야기 하지만 운명에 당당 하려 한다. 노력으로 되지 않는 것이 운명이라고 하면 그것을 받아들이려는 것이 내 마음이고, 너희들도 나와 같이 담담해지기를 바라는 것이다. 인제 그만 돌아가거라."

"저희는 가만히 있을 수 없습니다."

둘째와 셋째가 나섰다. 이빈과 이예였다. 그들의 눈은 빛났다.

"옥아. 동생들을 데리고 나가거라."

이춘부의 목소리는 가라앉아 있었다.

신돈은 한가한 시간을 즐기고 있었다. 세상이 다 자신을 버려도 신돈은 자신을 버리지 않았다. 스스로 채찍질을 가하며 살아왔다. 불가에 몸을 담고 선승으로서 일가를 이루고 싶었던 젊은 날의 꿈은 사라졌다. 속에 몸을 묻은 다음에는 철저하게 속의 입장에서 중생구제에 뜻을 두었다. 나 한 몸 부서져도 만민이 자유를 가질 수 있다면 그 길을 택했다. 몇 명의 희생이 있다 하더라도 만민이 땅을 가질 수 있다면 그 길을 택했다. 노예가 찾아와서 호소하면 신돈은 언제나 노예의 편이었다. 그러한 신돈의 처사에 반기를 든 사람이 많았다. 그러나 신돈은 자신에게 당당했다. 땅을 불법으로 빼앗겼다 하소연하면 힘이 없는 백성의 손을 들어 주었다. 그것이 신돈이 적을 만드는 계기가 되기도 했다. 이를 경고하는 목소리에는 유독 귀를 막았다. 적들이 늘어갔지만, 더 많은 사람이 신돈을 환영했다. 하지만 힘을 가진 사람들은 벼슬자리에 있는 사람이었다. 그들의 대부분은 신돈을 꺼렸다. 그들에게 신돈은 자신들을 언제 파멸의 길로 몰아넣을지 모르는 존재였다. 그들은 왕의 권력을 위임받은 신돈이 두려워 저항하지 못하고 숨을 죽이고 있었다. 왕의 마음이 움직이는 것을 그들은 동물적인 감각으로 읽었다. 그들은 신돈의 실책과 역모를 주장했다.

신돈에게서 마음을 돌린 왕에게는 더할 것 없는 좋은 기회였다. 신하들의 말을 따라주면 되었다. 그만큼 신돈의 입지는 좁아지고 있었다.

신돈은 광명사를 찾았다. 평소 친분이 있던 곳이었다. 따뜻한 밥 한상 나누기 위해 나선 자리였다. 송악산 기슭에 있는 광명사는 궁궐의 북쪽에 자리 잡고 있었다. 광명사는 태조 왕건이 선대의 거처를 희사해 만든 고려 왕실로서 아주 의미 있는 절이었다. 신돈의 역모를 찾아내려 고문을 하고, 고문으로 역모 아닌 역모를 확인하고서도 신돈의 신상에는 아무런 변화가 없었다. 아직 거친 바람이 불기에 이른 시간이었다.

"스님께서는 수원으로 가주셔야겠습니다."

이성림과 왕안덕이 공명사에 들이 닥쳤다.

"무슨 일이냐?"

신돈은 느낌이 왔지만 아무렇지도 않은 양 이야기했다.

"전하의 분부십니다."

"강제더냐?"

"그렇습니다."

수하에서 일하던 사람에게 압송되는 치욕의 순간이었다. 하지만 신돈은 태연했다. 아주 편안한 얼굴로 받아들였다. 포승줄이나 강제성은 표면상으로 없었다. 하지만 분명한 귀양이었다.

같은 시간에 이춘부는 김란, 홍영통, 승지 김진을 데리고 왕을 알현하고 있었다.

"신들은 첨의와 함께 정사를 처리한 지 오래되었습니다. 지금 첨의가 유배되었는데 신들이 처벌을 면하고 있는 것은 부당합니다."

모두가 신돈과의 관계를 부인하거나 시키는 일만을 했을 뿐이라며 발을 빼고 있는 상황에서 이춘부와 일행은 아주 당당하게 나섰다.

"돌아가 정무를 보라!"

왕의 목소리는 늦은 가을바람처럼 차가웠다. 이춘부와 일행은 돌아 나왔다.

"이부와 형부에서는 죄를 엄히 다스려야 한다고 하는데 다른 부에서는 왜 아무 말이 없는 것이냐? 역모가 용서해야 할 죄란 말이더냐?"

왕은 신돈의 죄를 고하지 않는 것을 도리어 따져 물었다. 왕의 서슬 퍼런 말에 다른 부에서도 기다렸다는 듯이 죄명을 적어 올리기에 바빴다. 눈치 빠른 자들은 상소를 급히 만들어 올렸다. 신돈에게 이틀에 한 번 정사를 보고하고 하명을 기다리던 재상들과 언론을 담당했던 간관들까지 상소 올리기에 열중했다. 미천한 승려인 신돈이 반역을 꾀했으니 신돈과 그 일파를 극형에 처하기를 요구했다. 준비는 모두 끝났다.

왕은 임박과 이성림을 불렀다. 형의 집행자였다. 신돈의 명령을 받고 앞에서는 추종하며 가장 낮은 몸짓이었던 사람들이 더욱 소리를 높였다. 임박과 이성림도 마찬가지였다. 두 사람은 신돈의 측근이었다. 가까운 곳에서 정사를 협의하고 업무지시를 받던 사람들이었다. 형 집행은 임박과 이성림에게 떨어졌다. 귀양에서 사형으로 바뀌는 순간이었다.

임박이 신돈에게로 가 왕명을 읽어 내려갔다. 신돈은 말없이 왕명을 읽어 내려가는 것을 무표정하게 들었다. 마음 안에서 이미 정리된 일이었다. 죽음을 받아들임을 바람 같아야 하는 것이 불가에서의 가르침이었다. 조용히 눈을 감았다. 왕을 만나 처음에 정사를 맡게 된 때가 떠올랐다.

왕이 붓을 잡고 써 내려갔다. '사부는 나를 구하고, 나는 사부를 구하리라. 죽고 살기를 함께 하여 남의 말에 미혹함이 없으리라. 부처님과 하늘이 증명하리라.' 스스로 붓을 들어 이렇게 써 내려간 왕의 얼굴에 흐뭇함과 믿음으로 흠뻑 젖었던 것이 불과 몇 해 전의 일이었다. 사람의 약속이란 혀의 놀림이나 치기 어린 언약으로 이루어지는 것이 아니었다. 마음과 마음으로 영혼이 만나는 의식과도 같은 것이었다. 요구하지 않은 일을 맡기면서 상생을 하자며 스스로 정한 언약을 파기하고 죽음으로 모는 왕의 졸렬함을 나무라는 것은 어리석은 짓이다.

신돈은 애초에 자신의 집권이 한시적임을 어렴풋이나마 알았다. 왕이 친정하겠다고 할 때 이미 자신의 역할은 끝난 것을 알았다. 하지만 죽음까지는 아니리라 생각했었다. 그래서 자기 일이 마무리되면 조용히 다시 산으로 들어가 그동안 못한 선의 세계로 들어가려 했었다.

호흡을 가다듬었다. 정좌하고 앉아 침묵으로 자신을 인도했다. 마음 안은 이미 공이었다. 마음의 평화가 찾아왔다. 신돈의 마음의 평정과는 달리 이를 집행하는 임박과 이성림은 떨고 있었다. 불과 몇 시간 전까지만 해도 모시던 사람을 죽인다는 것이 쉬운 일은 아니었다.

"죄인은 할 말이 있으면 마지막으로 하시오."

"..."

임박의 말이 주위를 울렸지만, 신돈은 이미 고요 안에 갇혀 있었다. 선정의 세계에 들어가 있었다. 아무 말이 없자 칼이 허공을 그었다. 그뿐이었다.

잘린 머리는 개경 도성의 동대문인 숭인문에 걸렸다. 몸과 팔 그리고 다리는 찢겨 여러 도에 순회 전시되었다. 신돈이 태어나고 자란 옥천사는 파괴 되었다. 하지만 신돈은 마음의 상처 하나 없이 갔다. 그뿐이었다.

신분 질서를 무너뜨린 신돈을 증오한 유자들은 신돈의 악행을 찾으려 했다. 신돈이 많은 부녀와 사통했고 도성 안에 좋은 집을 일곱 채나 지었다고 했다. 하지만 신돈과 사통한 부녀자들도 찾지 못했고 일곱 채의 집은 어디에도 없었다. 신돈에게 많은 사람이 노비와 재물을 뇌물로 바쳐 축재했다고 했지만, 신돈이 소유한 노비와 재물은 어디에도 없었다. 신돈이 개인적으로 토지를 많이 소유하고 있다는 소문을 증명하려 찾고 찾았지만 그런 것은 어디에도 없었다. 신돈은 아무것도 가지지 않았다. 신돈의 죄를 찾으려 노력했지만, 신돈은 가지지 않았고 역모의 흔적도 없었다.

또 한 번의 거센 바람이 세상을 잠시 흔들었을 뿐이었다. 세상은 다시 돌아가고 계절은 다시 찾아왔다. 누군가가 죽어가고 있는 순간에도 꽃은 피어나고, 누군가가 태어나고 있는 그 순간에도 꽃은 지고 있었다. 강물은 흐르던 길을 바꾸지 않았고, 구름은 흐르던 길을 여전히 흘러가고 있었다. 같은 개혁의 현장에 있었던 이춘부에게도 형벌이 주어졌다. 이춘부도 함께 처형되었다. 가족은 해체되어 노비가 되었다.

이옥은 아무 할 말이 없었다. 치욕스럽게 돌아가신 아버지보다 살아남은 사람들이 더 큰 문제였다. 집과 토지는 물론 모든 직위를 잃었다. 한순간 역적의 자식이 되었다. 역적은 멸족을 의미하지만, 왕의 배려로 목숨만은 거두지 않는다고 했다. 충성의 의미를 이옥은 몇 번이나 곱씹었다. 노인의 말이 되살아났다. 하지만 세상은 내 편이 아니었다. 이옥은 무도관에서 일하다 갑자기 들이닥친 관원들에 의해 압송되었다. 가족이 어떻게 되었는지도 알 수 없었다. 포승에 묶인 채로 할 수 있는 일이라고는 없었다. 아버지도 어떤 상태인지, 가족들은 어떤 상태인지를 알 수 없었다.

산 것이 부끄러웠다. 아버지의 무덤을 만들어 드리는 것이 일이었지만 아버지의 행방은 알 수 없었다. 이옥 자신이 압송되어 투옥되었기 때문이었다. 운다고 아픔이 해소되는 것이 아니었다. 이를 깨문다고 더 나아질 수 있는 것이 없었다. 가족 모두는 찢기어져 각기 다른 곳으로 배당되었다. 어머니마저 노비로 팔려나갔다. 남편이 억울하게 죽었음에도 슬퍼할 시간도 없이 굴욕의 노비로 전락했다. 끌려가는 곳이 어딘지도 모르고 팔려가야만 했다. 눈물도 나지 않았다. 울 수가 없었다. 울음도 잠시였다. 너무나 막막하고 어둠이 깊어서 어떻게 해야 할지를 몰랐다.

이옥은 자신이 집안의 장남이었지만 조금도 힘이 되지 못하는 현실이 안타까웠다. 죽음으로 이 순간을 벗어나고 싶었지만 죽을 수 있는 자유도 없었다. 억울하게 돌아가신 아버지도 그렇지만 어머니와 동생들을 이대로 두고 죽을 수는 없었다. 왕실의 안위와 나라의 위기를 구하기 위해 살아온 한 사람의 인생에 대한 대우가 이처럼 가혹할 수가 있을까. 한 사람을 죽음으로 몰아간 것만으로도 모자라 가족 전부를 이렇게 지옥으로 몰아넣는 것은 아니었다. 하지만 현실은 어찌할 수 없는 거센 폭풍으로 다가왔다. 현실은 내가 지금 살아있다는 사실이었다. 비굴과 치욕으로 떨어져서도 목숨을 부지하고 있다는 현실이었다.

호송관에게 이옥은 당부했다.

"마지막 자식 도리라도 하게 상복은 그대로 입게 해주시오."

호송관은 말없이 고개를 끄덕였다. 호송관도 사람이었다. 어떤 사연을 안고 있는지를 알았다. 성사빈이 손을 써 상복을 넣어주어 그나마 입을 수 있었다. 그렇다고 동정을 보였다가는 자신의 목숨이 위태로웠다. 아침 새벽녘의 공기는 시원했다. 더운 초여름이었다. 7월의 새벽공기는 상쾌했지만 마음속은 처연하기까지 했다. 무슨 말도 필요 없었다. 살아있다는 것이 구차했다.

29

노비가 되어 강릉으로

비상구는 평소에 닫혀 있는 문이지만
어려울 때 열려지도록 준비되어 있는 문이라네

"어디로 가는 거지요?"

함께 끌려가는 사람이 물었다. 호송관은 답하지 않았다.

그도 이옥과 다르지 않은 상황일 거라고 느꼈다.

상복이 바람에 펄럭였다. 아버지가 돌아가셨지만 이옥은 어머니가 마음에 걸렸다. 어디로 끌려갔는지 어떠한 처지에 처해 있는지조차 알 수가 없었다. 이옥은 마음의 평정을 가지려 꽤나 노력하고 있었다. 울분으로 피가 끓어오르기도 했고, 체념으로 걸을 힘이 없기도 했다. 지금은 어떠한 방법도 없었다. 이렇게 무력할 수가 있을까. 자신이 초라하기만 했다.

어디로 가는지도 모르고 끌려가는 길은 멀게만 느껴졌다. 산은 높았다. 산을 끼고 흐르는 물은 쉼 없이 흘러가고 있었다. 숲은 푸르렀다. 맘껏 푸르른 숲은 햇볕을 받아 더위를 뿜어내고 있는 듯했다. 며칠째 걷고 있었다. 마음이 피폐한 사람이 목적지도 모르는 길을 걷기만 하는 일은 고역이었다. 지친 몸으로 주먹밥 하나를 겨우 받아 먹고는 다시 걸었다. 밤이 되면 객사에서 잠을 재웠지만 지친 몸으로도 잠깐 잠이 들었다가는 다시 깨어나 정신이 또렷해졌다. 그리고 세상이 원망스러웠다.

반역. 역적. 어디서 듣도 보도 못할 말이라고 생각했다. 내 인생에는 없을 말이라고 생각했다. 나라가 바로 서는 것만을 꿈으로 살아온 아버지가 반역이라는 이름으로 죽게 되다니. 참으로 어처구니없는 일이었다. 반역이란 이름으로 가족 모두가 갈기갈기 찢겨 이렇게 참혹한 고난을 받게 되리라고는 상상도 못 했다.

아버지가 얼마 전 가족 모두를 모아놓고 한 말이 떠올랐다. '내 가는 길을 편하게 해 주려면 너희들도 담담하게 받아주기를 바란다.' 라는 말이 허공에서 울렸다. 아버지는 당신이 죽임을 당할지 모른다는 생각을 했을지는 몰라도 가족 모두가 이렇게 노비로 팔려가는 수모까지는 생각하지 못했을 것이다. 나라를 위한 일에 평생을 바쳤고 왕을 가까이서 모셨기 때문에 미운 정 고운 정이 들어 어느 정도는 인간적인 기대를 가졌기 때문이다. 이렇게 완벽하게 몰락시킬 줄은 상상도 하지 못했을 것이다.

"얼마나 더 가야지요?"

좀 전에 물었던 사람이었다.

호송관은 물끄러미 바라보다가 다시 걸었다.

"알고나 갑시다. 적어도 며칠이나 걸어야 하는지, 아니면 가는 곳이 어디인지는 알아도 되지 않겠습니까?"

호송관이 다시 그를 쳐다보더니,

"강릉이요."

퉁명스럽게 답했다.

강릉. 이옥은 순간 한 사람을 떠올렸다. 강릉으로 김구용이 발령나서 간다고 했는데 혹시 만나게 되는 것은 아닐까. 만난다면 참혹한 꼴을 보여주어야 한단 말인가. 이런저런 생각이 이옥을 흔들었다. 아니야. 만나야 할 때가 있는 것인데 이런 모습으로 김구용을 본다는 것은 결코 바라는 바가 아니라고 가슴 속에서 소리쳤다.

"강릉이면 아직도 며칠을 더 가야겠군요?"

"사흘은 족히 더 걸릴 것 같소."

이옥은 사내와 호송관의 이야기는 흘려듣고 있었다. 김구용이 자꾸 떠올랐다. 나를 보면 어떤 얼굴을 할까. 언제 보았나 싶게 외면할지도 모르지. 벅찬 현실을 이겨나갈 수 있는 길은 정말 없는 것인가. 다시 머릿속이 복잡해졌다.

지루하고 먼 길이었다. 산은 높았다. 대관령이라고 했다. 밤이 되자 한여름임에도 서늘했다. 멀리서 늑대 우는 소리가 고요한 산을 흔들었다. 달빛이 산하를 덮고 커다란 바람이 스쳐 지나갔다. 산은 흔들리지 않는 무거움으로 숲을 거느리고 있었다.

며칠을 걸어오면서 느낀 것은 살아있다는 것이었다. 그리고 살아가야 한다는 절박함이었다. 이대로는 안 된다고 소리치고 소리쳤다. 가슴속에서 메아리로 울렸지만 속이 여전히 답답했다.

어쩌란 말이냐, 살아있음을. 살아있음이 참으로 난감한 문제였다.

돌파구 없는 밀실에 갇힌 기분이었다. 아침이 되자 산을 내려갔다. 가장 높은 곳을 올랐으니 이제는 내려가는 길밖에 없었다. 얼마나 더 내려가야 강릉 땅이 보일지 몰랐다. 그곳에 도착하기 전에 무슨 큰일이 일어나 세상을 뒤바꿔 놓았으면 하는 마음이 들었다. 하지만 헛된 바람과는 달리 노비 생활만이 기다리고 있다. 관청에 속한 노비였다. 무슨 일을 줄지는 알 수 없었다. 새로운 상황이 기다리고 있는 것은 확실했다.

산 능선을 타고 내려가다 골짜기로 접어들었다. 길은 산의 높이만큼이나 험했다. 절망이 기다리고 있는 곳으로 다가가는 길이 반갑지가 않았다. 제 자리만을 걷고 싶었다. 고려의 행정체제는 부, 목, 군, 현의 체제였다. 부는 그중에서도 지방 행정의 중심지 중 하나로 1,000호 이상의 큰 고을이었다. 강릉은 부였다. 강릉부에 도착했다.

강릉부. 낯설었다. 호송관이 강릉부에서 배정받은 노비들을 넘겼다. 새로 들어온 노비를 신고하기 위해 도열해 있었다. 이옥은 두려웠다. 혹여 김구용을 만나게 될 까봐 그랬다. 두려움도 있었다. 무슨 일이 주어질지, 어떻게 처신해야 할지도 막막하기는 마찬가지였다.

때가 왔다. 김구용이었다. 보고를 받기 위해 오고 있는 사람은 분명 김구용이었다. 김구용을 수행하는 사람 몇이 뒤따라오고 있었다. 이옥은 마음을 진정시키려 했다. 몸도 경직되어 있었다. 김구용이 다가오자 이옥은 더욱 눈을 피하려 했다.

김구용의 시선이 한 곳에 멈췄다. 이옥의 눈과 만났다. 한동안 시선이 고정되었다가 다른 곳으로 옮겨갔다. 김구용의 표정은 변함이 없었다. 이옥은 미동도 없이 서 있었다. 김구용은 지방행정의 책임을 쥔 사람이었다. 김구용은 보고만 받고 아무 말 없이 돌아갔다.

"오늘은 이상하시네."

새로 들어온 노비들을 인솔한 병졸이 한마디 했다.

"글쎄. 아무런 지시도 없이 가기는 처음인걸."

"오늘은 얼굴이 굳어 보여. 평소의 밝은 얼굴이 아니네."

"그거야 자네 마음에 먹구름이 드리워서 그런 것 아니고?"

"그런가?"

보고가 끝나고 대기 상태는 더 길어졌다. 여름 해는 사람을 지치게 했다. 아무 일도 시키지 않고 대기하는 마음은 여름 해만큼이나 사람을 지치게 했다. 김구용이 나를 보기는 한 것일까. 아무런 표정도 담지 않은 김구용의 얼굴이 떠올랐다.

새로이 시작해야 하는 관노. 관노官奴란 관청에 속한 노비다. 관노의 역할은 관청의 특성에 따라 달랐지만, 특별히 정해졌다기보다는 생활 전반에 관한 모든 것이었다. 먹을거리를 조달하는 일부터 행정 업무를 돕는 고급스러운 일까지 다양했다. 병졸의 수가 모자라면 병사로 쓰기도 했다. 청소와 빨래 같은 허드렛일까지 관청에서 사람의 손이 가는 일은 모두 해당한다고 해도 지나치지 않았다.

저녁이 되자 이옥을 찾는 사람이 있었다. 그 사람을 따라갔다. 이옥을 안내한 사람이 문을 열고 안으로 들어가자 김구용이 있었다. 김구용이 반갑게 일어서며 맞았다. 두 사람은 끌어안고는 한동안 있었다. 무언가 전류처럼 흐르는 기운이 느껴졌다. 안타까움과 어찌할 수 없는 현실에 처해있는 이옥을 김구용은 안아주었다.

"어찌 된 일이요?"

"…"

"도대체 어찌 된 영문입니까?"

"할 말이 없습니다."

이옥은 설명할 마음이 아니었다. 닥친 상황을 어찌 쉬 설명할 수 있을까.

"그러지 말고 말 좀 해보세요."

김구용은 예전과 다름없이 존칭이었다. 이옥에 대해 안쓰러워하는 마음이 보였다. 이옥은 그런 김구용의 모습에서 자신의 아픈 처지가 대비되었다. 어째 이런 자리에서 만나야 했는가. 꼭 구차한 모습을 보여 줘야만 하는 처지가 됐는가 안타까웠다. 이옥은 이내 입을 열었다.

"역모로 아버지는 돌아가시고 가족은 이렇게 뿔뿔이 흩어졌습니다. 어머니마저도 어떻게 되었는지 모르는 처지가 되었습니다."

이옥은 감정을 조절하려 노력하고 있었다.

"개경의 이야기는 들었지만 자세한 것은 몰랐습니다. 상복은 그래서 입은 것이군요."

"상복은 입게 해 달라고 부탁했지요. 내 몰골과 상황이 말이 아니지만, 상복만큼은 고집하고 싶었습니다."

"그럼요. 그렇게 하셔야지요. 다시 일어설 수 있는 날이 분명 있을 겁니다. 이 형은 제게 온 것이 마음에 부담이 될지 모르지만 제게는 다행이라 생각합니다. 다시 일어서게 되기까지 이곳에서 준비하는 시간이 되기를 돕겠습니다."

이옥은 김구용의 말에 경계의 담 한쪽이 무너져 내리는 것을 느꼈다. 자신을 어떻게 받아들일까 하는 생각이 마음 한편에 있었다. 고마웠다. 휘몰아치는 감정이 목울대를 건너 눈물샘을 자극했다. 눈물은 흘리지 말자고 다짐하고 다짐했었다. 내 죽기 전까지 다시 일어서지 못한다면 눈물은 결코 보이지 않으리라 다짐했었다. 자신도 모르게 눈물이 흘러내렸다. 주체할 수 없었다. 막아놓았던 강둑이 터지듯이 한 사내의 오열은 터지고 말았다. 끝도 모를 아득한 곳에서부터 밀려오는 먹구름처럼 그렇게 한 사내를 흔들었다. 이옥은 창피한 줄도 모르고 꺼이꺼이 울었다. 김구용은 아무도 들어오지 못하게 조치해놓고 실컷 울게 해 주었다.

한 사내의 가슴 속에 묻어 두었던 아픔이 거칠게 분출하고 나서 울음이 잦아들 무렵 김구용의 손이 이옥의 등에 얹혔다. 온기가 전해졌다. 이옥은 한없이 고마웠다. 벌판에서 피할 길 없는 운명을 받아들여야 하는 한 사내의 등에 얹힌 손길 하나가 세상을 녹여주고 있었다. 그리고 용기를 주었다. 어떠한 시련이 다가올지라도 견디어보자 그리고 다시 일어서자고 다짐했다.

이옥에게는 병졸이 하는 일이 주어졌다. 병기를 정리하고 수리하는 업무였다. 사람과의 접촉이 비교적 적고 병기 관리고 안에서 일을 할 수 있어 행동이 자유로웠다. 상복은 여전히 착용할 수 있도록 배려해 주었다.

치욕도 일상이 되어가는 것이 세상이었다. 벌써 한 달이 되어갔다. 이옥은 일부러 일을 만들어가며 했다. 잘 정리된 병기들을 들어내 다시 정리하기도 하고, 깨끗한 것도 다시 꺼내어 닦았다. 활과 화살에는 애착이 많아 화살촉을 다듬기도 하고 활의 장력을 조절하는 전문적인 일까지도 찾아내서 했다. 무엇인가에 집중해야만 견딜 수 있었다. 몸이 피곤해야 잠도 잘 수 있었다. 견디어 내는 일이 버거웠지만 쉬는 시간을 가지지 않고 몸을 놀렸다. 덕분에 병기 관리고는 깨끗해졌고 강릉부에서 이옥에 대한 평판이 좋았다.

살아온 날들을 통틀어서 가장 열심히 사는 자신을 바라보고 있었다. 살아남기 위해서 그리고 다시 일어서기 위해서 할 수 있는 일이라는 것이 지금 당장은 일에 묻혀 사는 것이었다. 생각할 시간을 가지지 않으려는 노력이 컸지만, 슬며시 찾아오는 회한과 찢어질 듯한 고통은 피할 수 없었다. 어쩌면 겨우겨우 버티어 가고 있었다. 호기 어린 듯이 보였지만 일부러 일로 파고드는 마음에는 견디기 힘든 고독도 있었다. 하지만 그러한 호사를 하기에는 상처가 컸다. 어머니와 형제들을 생각하면 피가 거꾸로 돌았다. 그러다가 마음이 비교적 편한 날에는 성아가 떠올랐다. 막 피어오르는 꽃봉오리처럼, 아픈 생에 홍조를 띠게 했다. 그리움의 창은 이 아픈 현실 속에서도 열렸다. 보고 싶었다.

세월이 갔다. 아파도 세월은 갔다. 이미 일에 익숙해졌다.

병기를 정리하고 나서 먼지를 뒤집어쓰고 잠깐 바람을 쐬러 나왔다. 병기 관리고 안보다는 밖이 시원했다. 이마의 땀을 씻는데 병기 관리고 쪽으로 오는 세 사람이 있었다. 단번에 누구인지 알아보았다. 성아였다. 그리고 꽃지와 안내하기 위해 따라온 사람이었다. 이옥은 어쩔 줄 모르고 당황했다. 다가가지도 못하고 숨지도 못했다. 자신의 초라한 모습을 보여주고 싶지 않았다. 안내자가 가리키는 손짓이 이옥임을 알 수 있었다. 순간 성아와 꽃지의 표정이 달라졌다. 꽃지가 먼저 달려왔다.

"오라버니!"

이옥의 가슴에 안겼다. 평소에 하지 않던 행동이었다. 이옥이 꽃지를 끌어안고 말도 못 하고 허공만 바라보았다. 안내자는 돌아가고 성아는 두 사람 옆에서 아무 말도 못하고 서 있었다. 꽃지가 울었다. 성아도 옆에 서서 눈물을 흘렸다. 이옥은 고맙다는 말도 나오지 않았다. 눈물은 흘리지 않아야 한다고 자신에게 다짐했다.

성아가 두 사람을 바라보다 손을 올려 감싸 안았다. 세 사람이 한 무더기가 되었다. 꽃지도 울고 성아도 울었다. 이옥은 말없이 눈을 감았다. 더운 바람이 세 사람을 훑고 지나갔다. 구름은 어디에서 비로 내릴지 몰랐다. 운명이 그랬다.

성사빈이 입구에서 면회 신청 마무리를 하느라 조금 늦게 도착했다. 끌어안고 있는 세 사람을 바라보고 아무 말이 없었다.

"형!"

성사빈의 목소리가 세 사람을 흔들었다.

"사빈이로구나. 고맙다."

"좌절하면 안 돼요."

이옥은 고개를 끄덕였다. 자신도 모르게 사빈이라는 이름을 친근하게 불렀다.

하고 싶은 말이 그리도 많더니 정작 만나니 할 말이 없었다. 위로의 말도 힘을 내라는 말도 힘을 잃었다. 그저 끌어안고 가슴으로 느꼈다. 그것이 전부였다. 많은 말들이 뜨거운 포옹 속에 다 녹아있었다. 그리고 전해졌다. 고마웠다. 성아도 꽃지도 그리고 성사빈도 고마웠다. 죽고 싶지만 죽을 자유가 주어지지 않은 거친 운명의 한복판에서 힘들어하는 자신을 위하여 먼 길을 찾아와 준 세 사람에게 고마웠다.

"고맙습니다. 그리고 꽃지, 사빈이 모두 고마워."

이옥이 먼저 성아에게 감사를 표하고 이어 꽃지와 사빈의 손을 잡았다. 고마움을 표할 수 있는 것이 말 이외에는 어떤 것도 없었다. 이제 이옥은 빈손이었다. 노비는 무엇을 할 수 있는 자유도, 소유에 대한 자유도 없었다. 뜨거운 가슴만으로 세상을 산다는 것은 무모한 것을 깨달았다. 자유를 가지지 못한 열정은 더욱 무모한 것을 알았다. 분출할 수 없는 열정은 한 사람을 미치게 할 것 같았다. 일에 열중했지만 답답한 마음은 여전했다. 그래도 어찌할 수 없는 운명의 사슬에 묶여 몸부림치고 있는 상황에서 세 사람이 찾아와 주었다. 고마웠다. 진정 고마웠다. 그 먼 길을 찾아와 준 고마움을 말 이외에는 어떤 것도 해 줄 게 없었다.

"전생에 꽃지와는 모자 사이였었나 봐."

"왜, 그렇게 생각했어요?"

이옥이 꽃지를 바라보며 말하자 꽃지가 반문했다.

"죽을 고비에서 나를 살려주고, 어려울 때마다 도움을 받기만 하니 그렇지."

"아니에요. 전생에 제가 진 빚이 많아 이제 갚고 있는 건가 봐요."

"아니야. 전생에 죄는 내가 많이 지었으니 이런 어려움을 당하지."

이옥은 웃으려 했지만 웃음이 자연스럽게 나오지 않았다. 아직도 이옥의 마음 안에는 햇살이 비치지 않았다. 저 밑에서부터 발원한 원망도 사그라지지 않았다. 명치끝이 묵지근했다.

"아버지도 오신다고 했어요."

"이 먼 길을…"

"아마 내일쯤이면 도착하실 거예요. 저희보다 먼저 떠나신다고 했는데 아직 도착하지 않으신 걸 보면 좀 늦으시나 봐요."

"할 말이 없다. 이런 상황을 맞으니 어떻게 목숨을 부지하고 살아야 하나 싶다. 막막하다는 말을 이제야 알게 되었다. 힘이 든다."

이옥은 꽃지에게 말했다.

"그러시면 안 돼요. 힘을 내셔야 해요."

옆에 있는 성아의 눈빛이 빛났다.

"예. 그래야지요."

성아가 꽃지의 말을 거들었다.

고마웠다. 자꾸 고맙다는 말만 입안에서 맴돌았다. 하지만 같은 말을 반복하기 싫어서 고개만 끄덕였다.

"어떻게 알고 왔어?"

"형이 집으로 급한 일이라며 달려가고 나서 오지 않기에 집으로 갔더니 이미 집은 비어있었어요. 사람들이 상황을 설명해 주더군요. 상도 제대로 치루기 전에 모두 잡혀갔다고요. 그리고는 수소문했는데, 알기가 어려웠어요. 이 녀이나 흐른 지금도 살벌하거든요."

"벌써 두 해가 지났다. 그래, 어찌 되었든 고맙다."

이옥이 성사빈의 말을 끊고 손을 잡았다.

"형. 약해지면 안 돼요. 힘을 내셔야지."

"그래 알았다. 힘을 내야지. 지금 할 일이 있어서 자유롭지 못하니, 이따 일 끝나고 만나자."

이옥은 하던 일을 해야 했다. 이옥은 뽀얗게 먼지를 뒤집어쓴 모습으로 병기 관리고로 다시 들어갔다.

일을 마치고 세 사람이 있는 곳으로 갔다. 일을 마친 시간에도 밖은 훤했다. 조금은 빠른 걸음으로 가는데 노인이 보였다. 내일이나 도착할 거라고 했던 노인이 도착했다. 이옥은 노인에게로 달려갔다. 상복을 입은 채로였다. 노인도 알아보고는 이옥에게로 걸음을 옮겼다. 반가웠다. 그리고 무언지 모를 고마움이 일었다. 오늘은 고맙다는 마음으로 하루를 보내고 있었다.

노인이 이옥의 손을 잡고 한동안 말이 없었다.

"몸은 괜찮나?"

노인의 말에 이옥은 고개만 끄덕였다. 노인이 한마디를 하고는 다시 말이 막혔다. 시간이 지나갔다.

"스승님."

이옥의 입에서 스승이라는 말이 자신도 모르게 나왔다. 마음속에서 품어온 말이었다.

"막막합니다."

"그렇겠지. 그렇고말고."

다시 침묵이 흘렀다. 무슨 말이 필요하지 않았다.

"생은 종종 난감하더니만 자네에게도 벅찬 운명이 찾아왔군."

"어찌할 바를 모르겠습니다."

"당연하지. 경황이 없겠지. 그러나 길은 다르지만, 이것 또한 생의 한 부분이야. 받아들여야만 거친 역풍에서 벗어날 수 있네. 너무 큰일을 당해서 당황스럽겠지만 분명 새로운 길이 있을 거야."

조금은 수척해진 노인의 말에 강단이 있었다.

"그래야지요."

이옥의 목소리에도 힘이 들어갔다.

"그럼, 그래야지. 사람 사는 세상에 길은 있는 법이지."

"예. 알았습니다. 힘을 내겠습니다."

두 사람은 조용한 곳으로 장소를 옮겼다. 넓적하고 커다란 바위에 걸터앉았다. 저녁이 되어서 시원한 바람이 불어왔다. 이옥의 마음이 한결 가벼웠다.

"충이란 말은 중심된 마음이라고 하지 않았나. 진정한 충은 자신에게 진실함으로 대하는 것일세. 세상 어느 곳에 있어도 자신이 중심이 되어야 하기 때문이지."

간곡한 부탁의 말이기도 했다. 이렇게 어려운 상황일수록 마음을 잘 다스리라는 우회적인 노인의 말이었다.

"그리고 무엇보다 인생의 진정한 스승은 자신이어야 한다는 것일세."

"저는 아직 저 자신을 찾지도 못했습니다."

"지금 자네의 위치가 아프겠지만 가만 들여다보면 그것도 삶의 한 모습이지. 살아있는 생명은 생명 안에 중심을 가지고 있네. 돌을 하나 호수에 던지면 돌이 떨어진 자리를 중심으로 파문이 번져가듯 생명이 곧 중심인 게지. 그래서 생명은 그 자체로 영성을 가지고 있는 것이기도 하고. 어디에서 어떠한 모습으로 살아가든 진정 다르지 않네. 포기하면 안 되네."

"예. 저는 지금 이 상황이 너무 버겁습니다. 어떻게든 다시 일어서야 합니다. 저만이 아니라 가족을 위해서도 꼭 해내야 합니다."

"해야지. 다시 일어서야지."

"제게 용기를 주십시오."

이옥은 간절하게 말했다.

"활로가 없는 함정은 없네. 힘을 잃지 말게나."

"고맙습니다. 그리고 다시 일어설 것입니다. 어떠한 방법을 써서라도 말입니다."

"그렇게 하게. 비상구는 평소에 닫혀 있는 문이지만 어려울 때 열리도록 준비돼있는 문이라네."

"고맙습니다. 이 먼 곳까지 와 주시고. 제게 힘을 주셔서 진정 고맙습니다."

이옥은 고맙다는 말을 몇 번이나 했다. 어려운 상황에 단비 같은 느낌이었다. 세상이 다 나를 버리지는 않았다는 생각으로 울컥 눈물이 났다. 눈물 속에서도 이옥의 눈이 빛났다. 비장함이 담겨 있었다.

두 사람의 이야기를 나누는 동안에 강릉부 내의 분위기가 긴장되어가고 있었다. 무언지 모를 긴장감이 팽팽해지고 있는 것을 느꼈다. 잠깐 사이였지만 사람들의 움직임이 예전 같지 않았다. 종종걸음으로 오가고 뛰어다니는 사람들이 늘어갔다. 이옥이 보아오던 풍경과는 달랐다.

"움직임이 심상치 않습니다."

"그럼. 일 보게나. 나는 아이들이 있는 곳으로 가 있겠네."

노인은 꽃지와 일행이 있는 곳으로 가고 이옥은 병기 관리고로 다시 갔다.

30
노비의 신분으로 군사를 이끌다

세상의 봄은 왔는데, 마음에는 아직도 잔설이 남아있다

"잘 왔네. 그렇지 않아도 찾던 참이었는데."

병기 관리장의 목소리에는 긴박함이 담겨 있었다. 병기를 분출하기 위해 준비하느라 정신이 없었다.

"무슨 일입니까?"

"왜구가 쳐들어왔는데 규모가 대단하다더군. 벌써 몇 개 마을은 그들의 수중에 넘어갔다네."

이옥과 병기담당자들은 밤을 꼬박 새우고 병기를 내보냈다. 아침이 밝아 올 때야 겨우 한숨을 놓았다. 병사들이 출동하기 위해 여기저기 분주하게 움직이는 모습이 보였다. 파발마가 긴박하게 들어왔다가 나가고 군기를 앞세운 병사들은 대오를 갖춰 강릉부를 빠져나가고 있었다.

이옥은 명령받은 대로 무기들을 내주면 되었다. 포를 비롯해 활과 화살 그리고 검과 창이 주로 해당하였다. 포를 실어 나르는 마차도 있었다. 다행히 이옥이 들어오고 나서 병기 관리고를 구석구석 정리하고 병기를 닦고 기름을 쳐서 잘 관리되어 있었다. 무료하고 힘든 시간을 보내기 위해 열정적으로 일한 것이 도움이 되었다.

"큰일 났네. 벌써 영덕과 덕원이 점령당하고 곧 이곳 강릉까지 들어온다고 하네. 첩보에 의하면 배가 300여 척이 된다고 하니 엄청난 숫자지."

"300여 척이라면 엄청난 숫자인데…"

관사에서 회의를 마치고 돌아온 관리장의 얼굴에 긴장이 가득했다. 실로 대선단이었다. 강릉에서 덕원 그리고 영덕이라면 고려의 동쪽 바다 상당 부분을 차지하는 지역이다. 함경도에서 강원도 경상도까지 전면적인 공격을 감행했다면 나라의 존망이 걸릴 수도 있는 규모였다. 넓은 지역을 공격할 정도의 왜구 규모라면 고려를 삼키기 위한 전쟁을 의미했다. 이옥이 서해안에서 전투하던 때와는 비교가 안 되는 규모다. 농작물을 약탈하고 부녀자들을 납치해 가기 위한 노략질이 아니라 전쟁이었다. 이것은 국가적인 차원에서 대응할 일이었다. 이곳 강릉부에서 해결하기에는 역부족이었다. 허둥대는 모습이 한눈에 보였다.

분출이 마무리되자 이옥은 관리장에게 이야기하고 꽃지와 일행이 있는 곳으로 달려갔다.

"무슨 일이라도 있는가?"

노인이 이옥을 보자 전날 일터로 달려가던 이옥을 떠올리며 물었다.

"왜구가 쳐들어왔답니다."

"자주 있던 일이 아닌가?"

노인의 말이었다. 모두가 이옥에게로 시선이 집중되었다.

"이번에는 다릅니다. 선단을 이끌고 쳐들어왔는데 대규모라고 합니다. 배만 삼백여 척이라고 합니다."

"삼백여 척이면 바다가 새까맣겠네요?"

성사빈이 전투해 본 경험이 있어서 규모를 잘 알고 있었다. 이삼십 척만 해도 배가 가득해 보였으니 삼백여 척이라면 바다가 배로 가득 차 있다고 해도 지나치지 않을 정도로 큰 규모였다. 고려의 배를 다 합쳐도 그렇게 많지 않았다.

"덕원에서부터 이곳 강릉 그리고 저 밑 영덕까지 동해의 상당 부분을 공격해 오고 있다고 하는데, 정확한 내용은 알 길이 없네."

이옥은 관리장에게 전해 들은 정보가 전부였다. 큰 일임은 틀림없었다.

왜구는 규모가 클 뿐만 아니라 산지에 목책을 설치하고 농성전을 펼치거나 기병을 육성하여 기습작전을 펼치는 등의 능수능란한 전술을 구사했다. 이들은 단순히 약탈을 일삼는 도적집단이 아니었다. 지휘관의 통제하에 일사불란하게 움직이는 군대였다.

고려는 국제 해상무역을 주도하던 해상강국이었다. 개경과 가까운 벽란도는 국제무역항으로 중국 배는 물론 일본, 아라비아 배까지 드나들었다. 그럼에도 고려에는 왜구의 침입을 막을 만한 수군이 없었다. 원의 무리한 일본 정벌에 고려의 조선술과 수군이 동원되었던 까닭이다. 고려의 벽란도에는 무역선의 행렬이 끊이지 않았다. 하지만 원은 고려가 이를 이용하여 반란을 일으킬까 봐 전라도에 몽골 역전관을 상주시켜 의심의 눈초리를 거두지 않았다.

고려는 원에 꼬투리를 잡힐까 봐 일본 정벌 시 초토화된 수군을 재건할 엄두도 내지 못했다. 해상강국 고려는 원의 감시 눈초리로 기반을 잃고 말았다. 결국 모든 군사적 역할과 책임은 육군에게 있었다. 고려가 해상에 대한 영향력을 상실하게 되자 왜구의 창궐을 막을 수 있는 세력은 사실상 아무도 없었다. 나라는 어지러워 군대의 훈련은 부족했다. 지방의 군사력은 보잘 것 없었다. 어찌 보면 고려의 군사력은 국가의 병력이 아닌 사병에 의존하고 있었다. 무신정권이 거의 백 년 간 권력을 잡아 왔기 때문에 지방의 군사력은 더욱 사정이 좋지 않았다. 강릉부의 사정도 마찬가지였다. 싸울 병력이 얼마 되지도 않았고 훈련을 제대로 받지 않은 병졸들이 거의 대부분이었다.

이옥이나 성사빈은 어려운 사정을 알고 있다. 노인도 한때는 전사여서 내용을 알고 있었다. 그렇다면 특별한 대책이 없었다. 개경에 원군을 요청해 바로 파병이 된다고 해도 이곳까지 오려면 일주일 이상이 걸릴 것이다. 백두대간을 넘어와야 한다. 아니면 경상도의 병력의 도움을 받는다고 해도 길이 험해 촉박한 상황을 이겨낼 수가 없었다. 현재 어지러운 정국의 사정으로 봐서 언제 파견될는지 예측이 어려웠다. 죽고 죽이는 피가 난무하는 상황에서 얼마나 신속하게 지원이 이루어질지는 알 수 없었다. 그렇다면 여기서 해결하지 못하면 바로 강릉 일대는 쑥대밭이 될 것이 뻔한 상황이었다.

꽂지 일행과 잠시 만나고 있는 사이에 김구용이 이옥을 찾아왔다.

"여기 있었군요."

이옥을 보자 김구용이 다급하게 말했다.

이옥도 당황했다. 이곳까지 찾아온 것도 그렇고, 급히 오느라 호흡이 불규칙한 것으로 봐 급한 용무같았다. 그렇지 않고서야 창고지기나 마찬가지인 사람을 찾아 여기까지 달려올 리가 없었다. 이옥은 자신에게 큰일이라도 있는 줄 알았다. 얼마 전 아버지가 죽임을 당하고 가족이 모두 관노로 끌려가는 것을 눈으로 보고, 이옥도 관비로 강릉까지 왔기 때문에 조그만 일에도 깜짝 놀라고는 했다. 행여 어머니에게 변고가 생길까 걱정되었다.

"급한 일이 있어 의논하러 왔습니다."

김구용의 말에 이옥은 비로소 마음의 안정을 찾았다. 김구용이 주위를 둘러보고는 안면이 있는 성사빈과 묵례를 나누고는 다시 본론으로 들어갔다.

"그냥 계셔도 됩니다."

자리를 피하려는 꽃지 일행을 보고 김구용이 말했다.

"왜구가 덕원과 영덕을 점령했고, 관군을 파견했습니다. 하지만 병사를 이끌 마땅한 장수가 없어 지레 겁을 먹고는 달아나기 바쁘다고 합니다."

"…?"

"계속 패전과 노략질을 당하는 곳이 늘어나고 있습니다. 도와주셨으면 합니다."

"…!"

이옥은 무어라 말할 수 있는 처지가 아니었다.

"곧 강릉에도 들이닥칠 것이란 정보가 있습니다. 이 형이 나서서 막아주었으면 합니다."

"…!"

노비의 신분으로 어찌 도울 수 있단 말인가. 노비는 가장 낮은 자리에 있는 사람이다. 노비는 신분이란 이름을 가진 것 중에서 가장 미천한 존재였다. 노비는 돈으로 사고팔 수 있는 존재였다. 논과 바꾸기도 했고 소나 돼지와 바꿀 수도 있었다. 이옥은 뭐라 대답하지 못했다.

"병사들은 내어줄 테니 지휘해 주셨으면 합니다. 그런 경험을 가진 사람이 이곳에는 있지 않습니다. 지금 제 부탁이 온당치 못한 것을 압니다. 하지만 다른 방법이 없습니다."

이옥은 대답을 못 하고 김구용을 바라보기만 했다.

이옥의 머릿속은 복잡했다. 막막하고 아득했다. 아버지를 죽인 사람이 왕이었다. 고려는 왕의 나라였다. 백성의 나라라고 하지만 왕의 한 마디에 나라의 판도가 달라지고, 목숨이 오가는 왕의 나라였다. 왕이 국가였고, 왕에 대한 충성이 곧 나라를 위한 길이라고 은연중에 배워왔다. 하지만 아버지를 비롯한 가족 모두가 풍비박산 났다. 아버지의 형제들도 벼슬을 빼앗기고 귀양을 가고, 아버지는 죽임을 당했다. 가족들은 모두 관비로 끌려가 생사는 물론 어떤 상황에 놓여 있는지조차 알 수가 없었다. 아버지의 죽음과 이옥은 물론 가족 모두를 곤란에 빠뜨린 것이 나라였다. 그런 나라를 위해 무슨 일을 한단 말인가. 그리고 노비의 신분으로 전락한 현재 상황에서 그것이 합당한 일인가 싶었다.

나를 죽이려하는 권력의 실체인 나라를 위해 나서야 하는가. 특히 아버지의 죽음이 자꾸 떠올랐다. 그리고 어머니가 처한 상황이 떠올랐다. 관비로 어디에선가 어려움을 당하고 있을 것이 그려졌다. 동생들도 무슨 수난을 당하고 있는지 알 수가 없었다. 나를 버린 나라를 위해 목숨을 바쳐 싸워야 하는가 싶었다.

이옥은 김구용을 바라보다 노인과 성사빈을 쳐다보았다. 노인은 고개를 끄덕였다. 받아들이라는 표시였다. 성사빈도 고개를 끄덕였다. 꽃지와 성아는 이옥의 결정을 기다리고 있었다.

김구용은 이옥의 마음을 읽은 듯했다.

"마음이 복잡할 것입니다. 하지만 나라가 어려운 때에 나서주셨으면 합니다."

이옥은 마음에 불이 확 붙지 않았다. 아버지의 죽음이 있기 전에는 나라를 위해 전장에서 싸웠던 몸이었다. 나라를 위한 인재를 만들기 위해 무술 도장을 만들었던 자신이었다. 이옥은 다시 생각해 보았다. 생각할 시간은 많지 않았다. 상황이 급박했고, 결정을 내려야 했다. 생각에 잠겨있던 이옥은 마음의 방향을 정했다. 아버지를 죽인 왕에게 충성하는 것이 아니라 고난에 처한 고려를 위해 싸울 것을 결정했다.

"좋습니다."

이옥이 말문을 열었다. 김구용이 이옥의 손을 잡았다.

"고맙습니다. 큰 힘이 될 것을 믿습니다."

"…그렇다면 부탁이 있습니다."

이옥은 잠시 뜸을 들이다 말했다.

"말씀하세요."

"이분들도 참가할 수 있도록 해주시기 바랍니다."

이옥이 노인과 성사빈 그리고 꽃지와 성아를 둘러보았다.

"그거야 이 형이 결정하시면 됩니다. 필요하신 것이 있으면 말씀하십시오. 모든 도움을 드릴 준비가 되어있습니다."

김구용은 적극적이었다.

김구용은 이옥이 훈련도장을 차려 사람들을 훈련하고 지휘하는 것을 본 적이 있었다. 훈련도장을 차리기 전에는 무장으로서 명성을 날린 사람이었고 왕으로부터 강궁이란 칭호까지 하사받은 사람이다. 더구나 그 밑에서 이옥을 보좌하던 성사빈까지도 지금 이 자리에 있다. 어쩌면 이런 인연은 다시없을 좋은 기회였다.

"그럼 모든 조치를 해 놓겠습니다. 지휘할 수 있는 권한을 위임받을 수 있도록 하는 것은 물론, 이곳의 사정을 잘 아는 사람들을 수배해 놓겠습니다."

"알았습니다. 그럼 지금부터 저희도 준비하겠습니다."

"고맙습니다. 정말 고맙습니다."

김구용이 이옥을 끌어안았다. 끌어안는 힘이 세어서 압박감을 느낄 정도였다.

이옥은 노비의 신분으로 지휘관이 되고, 위로 차 방문한 사람들은 참모와 전사가 되는 순간이었다. 나라에서 버린 자신을 김구용이 지휘관이 되어주기 원하는 상황을 어떻게 받아들여야 할지 마음 한편 난감했지만 모든 것을 잊고 전장으로 나갈 것을 결심했다. 노인과 성사빈이 있어 마음이 든든했다.

먼저 지도를 받아들고 지역을 잘 알고 있는 사람을 통해 지형을 익혔다. 이옥은 언제나 그렇듯이 현지인의 의견을 먼저 듣고 계획을 짰다. 현지인의 의견을 들을 때는 김구용과 참모들은 물론 노인과 성사빈을 참석시켰다. 꽃지와 성아도 배석했다. 노인과 성사빈, 꽃지는 전투에 함께 참여하기로 하고, 성아는 환자를 돌보는 곳으로 편입되었다.

적의 병력은 첩보를 받은 대로 규모가 커 덕원과 영덕, 두 곳은 이미 왜구의 손에 넘어갔고 지금은 강릉부가 있는 곳으로 이동하여 집결을 완료한 상태였다. 일촉즉발의 순간이었다. 여기가 무너지면 강원도와 경상도 대부분이 그들의 손으로 넘어갈 판이었다.

최후의 결전지는 이곳, 강릉부였다. 하지만 강릉부에는 전함이 없었다. 육군 위주의 편성으로 그나마도 훈련이나 병사들을 이끌 장수마저 없어 이옥에게 지휘를 위임한 상황이니 무엇 하나 제대로 되기가 어려웠다. 장병들을 소집해 사기를 불어 넣어주는 일이 급했다. 덕원과 영덕에도 군사들이 파병되어 싸웠지만, 전투를 이끌어 지휘할만한 장수가 없어 기가 죽은 병사들은 도망가기 바빴다. 지휘관이 제대로 없어서이기도 했지만, 훈련을 제대로 받지 못한 병사들은 싸우는 것을 두려워했다.

이옥은 김구용에게 전투가 시작하는 순간까지 화살을 가능한 한 많이 만들어 달라고 부탁했다. 육탄전으로는 수적 열세라 승산이 없었기 때문이었다. 이옥은 지세와 형세를 파악하기 위해 말을 타고 바다 쪽으로 달려갔다. 언덕에 오르자 바다 위에 빼곡하게 배들이 전열을 가다듬고 있었다. 넓은 바다는 기가 찰 만큼 배로 가득했다.

그들의 바다였고, 조만간 그들의 육지가 될 판이었다. 이미 왜구의 일부는 육지에 상륙해 교두보를 확보해 놓고 있었다. 그들이 바다에서 육지로 내려설 때가 가장 취약한 때인데 이미 공격 시기를 잃어버렸다. 배에 남아있는 나머지 왜구들도 명령만 떨어지면 바로 공격해 올 것이다. 엄청난 수였다. 수적으로나 기세로나 열세였다. 정면으로 붙어서는 승산이 없었다. 유인해서 지형을 이용해 공격하거나 왜구들보다 지역을 잘 알고 있는 유리한 입장을 이용해서 치고 빠지는 전법을 써야할 것을 깨달았다. 힘과 힘으로는 이길 수 없어 보였다. 저들이 배에서 내려 공격해 오기까지는 하루는 족히 걸릴 것으로 예상되었다. 그동안 우리도 대열을 갖추고 준비를 갖추기로 했다.

정규 편성된 군사가 얼마 되지 않았다. 고려의 군제는 국가가 동원해서 일괄적으로 관리하는 군 체계가 아니라 사병들이 주축이었다. 전쟁 반발 시 국가가 사병들을 징집해 운영하는 느슨한 관리조직이었다. 일사천리로 움직이는 부대가 아니었다. 강릉부라고 해야 관노와 소수의 군사가 편재되어 있다. 더구나 나라가 어수선해 군사훈련을 하지 않은지가 오래되었다. 이옥은 오합지졸 같은 부대를 이끌고 정면 대결은 피하기로 했다. 전진과 후퇴를 반복하며 적의 약점을 공격하는 방법으로 전투에 임할 것을 결정했다.

이옥은 지휘체계부터 급조해서 짰다. 조직 없이 전투에 나서면 오합지졸이나 마찬가지다. 이옥이 전체를 맡고, 세 개 부대로 편제를 만들었다. 장수의 아래에 세 개 부대를 통솔하게 만들고 다시 아래에 세 개의 소부대를 두어 지휘를 받도록 했다. 부대별로 책임 장수를 두었다. 한 장수가 세 개 부대만을 통솔하면 되었다. 그리고 부대별로 지휘권을 준 장수를 배치했다. 상의하달과 하의상달을 빠르고 쉽게 하기 위한 조직이었다. 직속 상관의 지휘를 받기만 하면 되었다. 조직의 지휘계통을 만들기 위해서였다. 그리고 전장에서는 보고 없이 부대장이 직접 지휘통솔권을 갖고 사후 보고토록 하는 체계로 만들었다. 그리고 노인과 꽃지와 성아는 직속 특수 대 형식으로 편제에서 독립시켜 별동부대로 활약할 수 있도록 했다. 특별한 상황에 대처하기 위한 특수부대였다. 그리고 김구용은 후방에서 물자공급과 민의 보호를 책임지기로 했다. 행동 대장 격인 주력부대는 성사빈에게 맡겼다.

"잘할 수 있겠나?"

"자신 있습니다."

이옥의 말에 성사빈의 목소리에는 자신감이 넘쳤다.

성사빈과는 크고 작은 전투에서 같이 싸워본 경험이 있어 믿음이 갔다. 이옥과 노인은 활을 이용해 적군의 중심부대를 타격할 방법을 연구했다. 꽃지도 합류했다. 활을 잘 쏘는 병사들을 골라 저격부대에 합류시켰다. 궁사들을 주력으로 하는 부대였다. 성사빈이 지휘하는 주력부대와 이옥은 지휘와 함께 저격부대를 직속으로 운영했다. 그리고 치고 빠지는 침투부대로 나누어 기본적인 작업을 완료했다. 약세인 전력으로 전세를 뒤집을 방법 중, 적장을 사살하는 것이 중요했다. 가능만 하다면 전장을 승리로 이끌 방법으로 최고였다. 저격부대를 적극 활용할 계획이었다.

이옥은 수적 열세였지만 이곳의 지형을 이용해 숨어 공격하는 일은 얼마든지 가능하다고 생각했다. 주력부대를 강릉부까지 진입하는 중간 중간에 매복시켰다. 직접적인 충돌보다는 습격 작전을 준비했다. 무엇보다 활을 이용한 공격에 주력했다.

이옥은 마을의 길이 좁아지는 곳이나 경계 지점에 나무를 쌓아 올리거나 바위를 높은 곳에 올려놓도록 했다. 현지인들의 도움과 조언을 적극 활용했다. 그들이 공격해 오기 전에 준비할 일이 많았다. 왜구가 강릉부를 공격하려면 해안에서 소나무 숲을 지나와야 했다. 울창해서 잠복하기에 적격이었다. 그곳에 활과 화살을 곳곳에 숨겨 놓았다. 숨겨놓은 곳에는 저격수들만이 알 수 있는 표시를 해 놓아 언제든지 꺼내어 사용할 수 있도록 했다. 그리고 몸을 숨길 수 있는 바위틈에 활과 화살을 다량 숨겨 놓았다. 사람이 오륙 명 정도 숨을 수 있는 곳이었다.

먼저 이옥이 침투부대를 이끌고 해안으로 나갔다. 벌써 대부분 상륙해서 공격 준비를 하고 있었다. 침투부대는 활을 잘 사용할 줄 아는 병사들로 구성했다. 침투부대는 후퇴하면 저격부대를 보호하기 위한 엄호를 하도록 했다. 이제 승부를 위한 준비는 다 되었다. 결전만 남았다. 이옥은 침투부대를 이끌고 공격에 나섰다.

"공격!"

기마부대가 앞장서고 뒤이어 보병이 적에게 달려 들어가자 왜구들도 동시에 공격해 왔다. 싸우는 듯 후퇴시켰다. 그리고 뒤에 있던 부대에서 화살 공격을 하다가 역시 후퇴를 명령했다. 더욱 벌떼처럼 달려들었다. 소나무 숲으로 들어가 숨겨 놓았던 화살을 꺼내어 달려드는 적들을 향해 쏘았다. 그들은 벌판이었고 아군은 나무 위와 뒤에 숨어 쏘았다. 비교가 되지 않았다. 적의 숫자에 비해 턱없이 부족한 화살, 하나라도 실촉 하지 않으려 적의 몸통을 정확히 겨냥했다. 그들은 다가오는 대로 정조준해 쏘는 화살에 고꾸라졌다. 화살이 떨어지면 후퇴하면서 숨겨 놓은 화살을 꺼내어 다시 적들에게 쏘았다. 그들도 화살을 사용해 공격해 왔지만, 그들은 써버린 화살을 보충할 수가 없었다. 화살이 떨어진 적은 칼을 들고 대들었지만 먼 거리에서 쏘는 화살에 속수무책이었다. 솔숲으로 들어서는 왜구들은 잠복해 있던 잠복조에서 공격해 목을 베고 창으로 찔렀다. 공격하던 부대가 뒤로 후퇴하고 나면 뒤에 잠복해 있던 부대가 공격에 나섰다.

그들의 시체는 쌓여갔다. 숲이 끝나갈 무렵 이옥과 저격부대는 바위틈으로 몸을 숨겼다. 침투부대는 저격부대를 엄호하기 위해 가까운 거리에 집중배치 되었다. 화살을 숨겨놓은 곳으로 저격부대가 몸을 숨겼다. 이옥과 노인이 자리를 잡자 꽃지도 이옥 옆으로 자리를 잡았다. 그리고 화살에 능한 병사들이 몸을 숨겼다. 적들은 계속 죽어가면서도 거침없이 강릉부를 향해 공격해 들어왔다. 그들이 저격부대를 지나쳐서 강릉부 입구의 주력부대가 있는 곳으로 공격해 가는 것을 방치했다. 발견되면 바로 죽임을 당할 수 있는 곳이었다. 숨어있는 바위 아래로 함성을 지르며 달려가는 왜구들이 보였다.

왜구들의 본진은 후퇴해 있던 성사빈이 맞았다. 선발대는 대부분 죽고 살아남은 자들은 강릉부를 향하여 돌진했다. 왜구들의 본진이 도착할 즈음 신호를 보내 마을 중간마다 쌓아 놓은 나무에 불화살을 날리도록 명령했다. 나무들이 타올랐다. 그리고 바윗덩이를 묶어 놓았던 칡넝쿨이 타자 바위가 굴러 떨어졌다. 바위가 굴러 떨어지자 왜적들이 깔려 죽고 길이 중간 중간 차단되었다. 그 순간을 이용해 주력부대에서 화살을 날렸다. 고립되어 당황한 적들에게 화살을 퍼부었다. 일방적인 전투였다. 숨어있던 병사들의 화살이 적을 향해 날아갔다. 숨어서 정확하게 겨누고 쏘는 상황이라 적들은 쓰러졌다.

적의 주력부대가 들어오기 시작했다. 무리의 한 가운데에 적장인 듯한 자가 보였다. 주위에 호위 병사가 있는 것으로 보아 중심 인물임이 틀림없었다. 전방에 배치되었던 이옥과 일행은 숨을 죽이고 적장이 사정거리에 들어올 때까지 기다리고 있었다.

적은 계속 공격해왔다. 주력부대가 솔숲을 나오자 바위틈에 숨어있던 이옥과 일행이 몸을 드러내 적진과 적장으로 보이는 자를 향해 화살을 겨누었다. 이옥이 적장의 얼굴을 겨냥한 화살이 날았다. 우두머리인 듯한 자가 목 부분에 이옥의 화살을 맞고 쓰러졌다. 그 옆에 있던 장수로 보이는 자들도 서너 명이 무너졌다. 예측하지 못한 가까운 곳에서 화살이 날아오자 그들은 피할 시간이 없었다. 적장인 듯한 자가 쓰러지자 그의 주위에 있던 병사들이 그를 에워쌌다. 하지만 이미 늦었다. 그들은 전투에 임하기보다 적장을 보호하고 그를 에워쌌다. 적의 주력부대는 혼란에 빠졌다.

적장이 쓰러지자 적들은 전의를 잃은 듯했다. 적의 일부가 이옥이 숨어있는 저격부대를 찾아내 달려들었지만, 반대편에 노인과 함께 있던 저격부대의 화살이 그들을 쓰러뜨렸다. 이옥의 화살이 날아갈 때마다 하나씩 쓰러졌다. 노인과 꽃지의 화살도 정확하게 적의 몸통이나 얼굴을 맞혔다. 저격부대를 엄호하기 위해 숨어있던 침투부대가 합세해 달려드는 적들을 쓰러뜨렸다.

적장 밑의 장수가 눈을 부라리며 공격을 명령했다. 후퇴하려던 왜구들의 일부가 달려들었다. 이옥은 후퇴를 명령했다. 가장 중요한 임무는 완수했기 때문이다. 침투부대가 숨어서 쏘는 화살을 적들은 당해내지 못했다. 그래도 끝까지 달려들었다. 모두 바위틈을 빠져나와 후퇴했다. 노인의 몸놀림은 젊은이 같지는 않았다. 이옥이 노인을 이끌고 후퇴하는 중에 노인이 쓰러졌다. 순간 노인의 가슴팍을 뚫고 창이 날아와 박혔다. 이옥이 노인을 부축하려 했지만, 적들은 너무 가까이 오고 있었다. 도망가던 이옥과 저격부대 요원들이 달려들어 적들과 붙었다. 적들은 이미 전의를 잃어있었다. 침투조도 달려들어 육탄전이 붙었다. 그들은 쉽게 무너졌다. 적장이 쓰러져 이미 전의를 상실한 적들은 도망갈 준비를 한 자들 같았다. 그들은 공격을 포기하고 물러서기 시작하더니 도망가기 바빴다.

중간에 불을 질러 바위로 길이 끊긴 곳에 고립된 적들은 성사빈이 이끄는 주력부대의 화살에 대부분 죽고, 창과 칼에 쓰러졌다. 주력부대의 공격도 날카로웠다. 주력부대가 그들이 도망가는 후미를 공격했다. 대승이었다.

이옥은 노인을 끌어안았지만 이미 늦었다. 꽃지가 달려왔다. 노인은 벌써 몸이 늘어졌다.

"나는 자네가 자랑스럽네. 또한 나도 자랑스럽네. 전장에서 죽을 수 있게 되어서…"

"돌아가시면 안 돼요!"

이옥이 소리쳤지만 소용없었다. 꽃지가 달려와 노인의 손을 잡고 울었다.

"인생은 영광이기도 하지만 수치이기도 하네. 자네는 오늘 영광을 가졌네. 하지만 수치를 버리려 하지 말게나."

노인이 이옥에게 말했다.

이옥은 순간 지난 일들이 스쳐 갔다. 영광도 있었고, 수치도 있었다. 인생이 영광일 수 있을까, 사람의 존재 그 자체가 영광이기도 하고 수치이기도 하다는 말에 막막한 기분이었다. 여러 번 도움을 받았음에도 오늘 또다시 스승의 도움을 받았다. 받기만 하고 주지 못했는데 노인의 죽음을 맞이하게 되어 더욱더 안타까웠다. 노인은 이옥에게 진정한 스승이었다. 노인이 제자로 받아주지 않았지만, 이옥에게는 스승이었다.

"꽃지야."

"예, 아버지."

노인은 꽃지를 바라보았다.

"고맙다. 그리고 너에게는 모든 것이 미안하다."

노인은 자신의 몸을 견디기 벅차 보였다.

어린 딸에게 마지막으로 주는 말이었다. '모든 것이 미안하다'는 말이 메아리처럼 가슴을 흔들고 사라졌다. 사랑하는 사람에게는 미안하다는 말과 고맙다는 말이 동의어인 것을 깨닫게 해주는 말이었다. 고마움과 미안함이 함께 하는 사이가 진정한 사랑이었다.

"아버지."

"그래. 살면서 넘어지는 것을 두려워 말거라."

노인의 고개가 옆으로 힘을 잃고 쓰러졌다.

후방에서 치료를 담당했던 성아가 달려왔다. 주력부대를 이끌었던 성사빈도 말을 타고 달려왔다. 노인은 이미 숨이 끊겼다. 성아는 꽃지를 안아주었다.

멀리서 승리의 함성이 들려왔다. 일개 노비가 강원도와 경상도에 이르는 왜구들을 격퇴했다. 함경도까지 쳐들어왔던 적들도 적장의 사망으로 물러갔다. 하지만 이옥은 허전했다. 아버지의 죽음이 아팠다. 스승의 죽음이 아팠다. 다시 돌이킬 수 없는 시간은 생의 뒤로 빠져나갔다.

전쟁은 끝났다. 물러간 적들은 다시 오지 않았다.

이옥은 김구용이 올린 승리의 장계에 의해 왕이 직접 하사한 말과 안장이 내려졌다. 왕이 하사한 말과 안장을 받기 위해 무릎을 꿇고 엎드렸다. 왕이 직접 친필로 적은 전쟁 승리를 치하하는 장계를 받아 들었다. 그리고 말과 안장이 전달되었다. 만감이 교차했다. 목까지 차올라 있는 단어가 있었다. 아버지였다. '아버지'라고 소리치고 싶었다. 그러나 참았다. 참을수록 가슴이 미어져 왔다. 눈물이 흘렀다. 하늘을 바라보았다. 텅 빈 하늘이었다. 지금 이옥의 마음 같았다. 무어라 말할 수 없는 감회가 휘감았다. 처참하게 돌아가신 아버지가 떠올랐다.

이옥은 속으로 혼자 읊조렸다.

"아버지!"

눈물이 흐르는 그대로 한참을 무릎 꿇고 앉아있었다. 주위에 있던 사람들도 숙연했다. 이옥의 사정은 이미 강릉부 뿐만 아니라 나라 전체에 퍼져 알려져 있었다. 최고의 자리에서 멸족 집안으로 전락한 내용은 고려 천지를 이미 흔들고 지나갔다.

몰락에서 다시 제자리로 찾아가는 경계가 바로 왕의 장계였다. 아버지를 죽이고 가족을 멸문시킨 왕에게서 다시 복권의 장계를 받아들고 있었다. 고마움이나 감사보다 복잡하고 미묘한 감정이 뒤섞였다. 멸족된 집안에서 나라를 구한 장수로 다시 탄생하는 자리지만 웃을 수 없는 이옥이었다. 최고의 예우였다. 아버지의 죄가 면해졌고, 가족이 다시 관비에서 풀려나 복권되었다. 하지만 마음 한구석은 여전히 허전했다. 텅 빈 마음은 채워지지 않았다.

충은 무엇인가. 백성이 먼저인가, 왕이 먼저인가. 왕이 백성의 마음을 보살피지 않는다면 충은 어느 쪽으로 기울어야 하나. 왕이 나를 죽이려 한다면 나는 다시 어떻게 처신해야 하나. 아버지처럼 죽음을 받아들여야 하나.

이옥과 함께 성사빈을 비롯해 성아와 꽃지도 공을 인정받았다. 하지만 이옥은 마음이 허전했다. 다시 예전의 옷을 입을 수 있었고 집으로 다시 돌아왔지만 허전했다. 노인의 말이 생각났다.

"인생은 영광이기도 하지만 수치이기도 하네. 자네는 오늘 영광을 가졌네. 하지만 수치를 버리려 하지 말게나."

사실 이옥을 흔들고 있는 것은 다른 말이었다.

"중심을 자네 안에 세우게. 그리하면 흔들리지 않네. 세상으로부터 자신의 가치를 인정받던 것이 순간 역전되어 나에 의해서 세상의 의미를 내가 결정하게 되지. 진정한 중심은 언제나 내 안에 두어야 하는 것임을 잊지 말게."

노인이 그 말을 하던 때의 정황마저 생생하게 떠올랐다. 이는 도발적인 사상이었다. 왕이 중심이 아니라 내가 중심이 되어야 하는 것이었다. 자신 안에 중심을 세우라는 말은 자존과 독립을 이야기하는 평범한 말 같지만 결국은 왕에게 잘못이 있다면 왕이 중심이 아니기 때문에 도전할 수 있다는 말이기도 했다.

고려의 신분제도는 한 사람이 반역하면 마을 전체 또는 도道 전체가 신분이 바뀌기도 했다. 모든 것은 왕으로부터 시작되고 끝나야 하는 세상이었다. 백성은 왕을 위한 도구였다. 하늘이어야 하는 백성은 힘도 없었고 삶을 자기 뜻대로 누리는 것도 허용되지 않았다. 신분이란 것이 왕의 말 한마디로 바뀌고 죽음과 삶이 왕의 말 한마디로 바뀌는 세상이었다. 무엇이 잘못된 것인가. 이 시대에 나는 진정한 중심을 어디에 세워야 하는가. 세상과 한판 승부를 겨루는 생이어야 하는가. 아니면 세상이 원하는 중심을 받아들이고 살아야 하는가. 노인의 말이 자꾸만 머릿속에서 맴돌았다. 아, 살아있음이 난감하다. 이옥은 마음을 들키지 않으려, 마음을 얼굴에 담지 않으려 노력했다. 마음을 다잡고 일행은 노인의 산소로 향했다.

"꽃지야!"

"네."

뜬금없이 이옥이 꽃지를 불렀다.

"어떻게 살아도 내 인생인 거 맞지?"

"예? … 그럼요."

꽃지가 얼떨결에 대답했다.

"중심을 내 안에 세울 때 가능하겠지?"

이옥과 성사빈 그리고 성아와 꽃지, 네 사람의 발길이 어느 때보다도 힘찼다.

역사적 사실 요약

1372년 6월 이옥의 강릉대첩

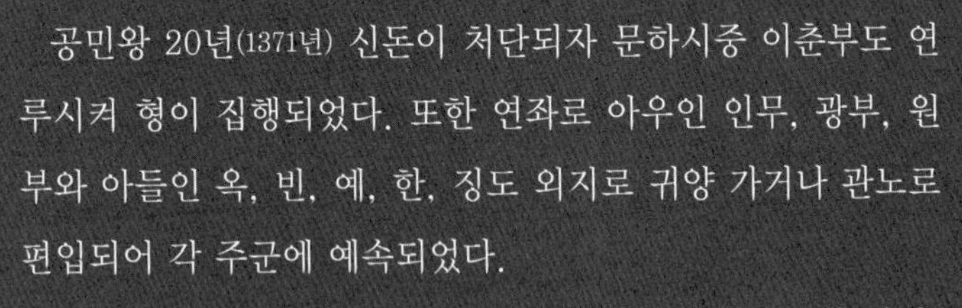

공민왕 20년(1371년) 신돈이 처단되자 문하시중 이춘부도 연루시켜 형이 집행되었다. 또한 연좌로 아우인 인무, 광부, 원부와 아들인 옥, 빈, 예, 한, 징도 외지로 귀양 가거나 관노로 편입되어 각 주군에 예속되었다.

이옥은 강릉에 예속되었다. 다음 해 왜적이 강릉부와 영덕, 덕원 등 동계東界를 침략했다. 아군은 바람 소리만 듣고도 패하여 도망쳤다. 평소에 이옥의 용맹을 알고 있던 안렴사와 부사가 그에게 병정을 주어 왜적을 치게 했다.

강릉부의 앞들에 큰 나무가 많았는데 이옥이 밤사이에 사람을 시켜 화살 수백 개를 나무에 꽂아놓았다. 이튿날 상복을 벗고 말을 달려 해구로 나가 몇 개의 화살을 적에 쏘고는 거짓 패한 체하면서 나무 사이로 달려 들어가니 왜적이 구름과 같이 몰려왔다.

혼자서 당해내는데 꽂혔던 화살을 뽑아 쏘며 종횡으로 달리며 치느라 아침부터 저녁까지 고전하기를 마지않았다. 시위를 헛되게 당기지 않아 쏘기만 하면 반드시 맞히니 죽은 자가 즐비하였다.

이렇게 이옥이 전력을 다하여 왜적을 격퇴하여 동해안 일대는 그 덕으로 전재戰災를 면했다. 왕이 듣고 이옥에게 말과 안장을 하사함과 동시에 그 일가의 역을 면제해주고 벼슬을 내렸다. 그 후 우왕禑王이 이춘부의 역적 누명도 벗겨주었다.

관련자료

고려사절요高麗史節要 권지29卷之二十九 공민왕4恭愍王四

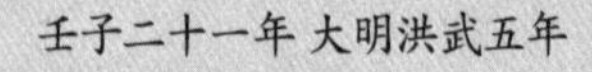

壬子二十一年 大明洪武五年

倭寇江陵府 及 盈德原二縣 時,

李春富子沃, 沒爲東界官奴, 及倭寇至, 我軍望風奔潰, 府使按廉, 聞沃勇銳, 授兵使擊之, 沃, 力戰却之, 王賜鞍馬 免其役

임자21년 대명공무5년

왜적이 강릉부와 영덕, 덕원의 두 고을에 쳐들어왔다.

이때 이춘부의 아들 옥이 몰수되어 동계의 관노가 되었는데 왜적이 쳐들어오니 우리 군사는 풍문만 듣고도 패하여 달아났다. 부사와 안렴사가 옥이 용맹스럽다는 말을 듣고 군사를 주어 이를 치게 하니 옥이 힘을 다하여 싸워 적을 물리쳤다. 왕이 안장 갖춘 말을 내려주고 그 역을 면하여 주었다.

고려사高麗史 권제卷第125 이춘부전 중에서 끝부분

春富弟元富爲鷹揚軍上將軍光富爲承宣兄弟三人皆據權要宗族多居

顯列春富誅元富光富亦以旽黨流于外 春富子沃斌裔澣澂並沒爲奴分隷州郡

沃爲江陵倭寇東界 我軍望風奔潰 沃素以勇聞 按廉授兵使 擊賊沃力戰却之

江陵一境賴以免 事聞賜鞍馬免其役 後辛禑給春富告身

이춘부의 아우 원부는 응양군상장군으로 광부는 승선으로 되어 삼 형제가 모두 요직에 있었으며 일가친척들이 높은 자리에 많이 있었다. 이춘부가 처단된 후 이원부, 이광부도 신돈의 도당으로 인정되어 외지로 귀양 갔으며 춘부의 아들 옥과 빈, 예, 한, 징도 모두 관노로 편입되어 각 주군에 예속되었다.

그중 옥은 강릉에 예속되었었는데 왜적이 동계를 침략하여 아군이 바람 소리만 듣고도 도망쳤다. 평소에 이옥의 용맹을 알고 있던 안렴사가 그에게 병정을 주어 왜적을 치게 하였다. 이옥이 역전하여서 왜적을 격퇴하여 강릉 일대는 그 덕으로 전재를 면하였다. 왕이 듣고 이옥에게 말과 안장을 주고 그의 역을 면제해 주었다. 그 후 신우禑王가 이춘부의 고신告身을 주었다.

용재총화慵齋叢話

성현成俔(1439-1504)
조선 성종 때 학자로 호는 용재慵齋 또는 허백당虛白堂

다음은 〈용제총화〉 내에 있는 정절공靖節公 이옥李沃에 관한 기사

이옥은 시중 춘부의 아들이다. 시중이 주살 당하자 이옥은 강릉부의 병졸로 편입되었다. 이 무렵에 왜구가 동해에 몰려와서 주군을 약탈하니 백성들이 모두 다투어 피하였다. 부의 앞뜰에 큰 나무가 많았는데 이옥이 밤사이에 사람을 시켜 화살 수백 개를 나무에 꽂아 놓았다.

이튿날 상복을 벗고 말을 달려 해구로 나가 몇 개의 화살을 적에게 쏘고는 거짓 패한 체하면서 나무 사이로 달려 들어가니 왜적이 구름과 같이 몰려왔다.

혼자서 당해내는데 꽂혔던 화살을 뽑아 쏘며 종횡으로 달리며 치느라 아침부터 저녁까지 고전하기를 마지않았으나 시위를 헛되게 당기지 아니하여 쏘기만 하면 반드시 맞으니 죽은 자가 즐비하였다. 이로부터 왜적이 군의 지경을 범하지 못하여 한 도가 그의 힘으로 편안하니 조정이 가상히 여겨 벼슬을 내렸다.

발행일 2019년 3월 22일

지은이 신광철
펴낸이 박승합
펴낸곳 노드미디어

총 괄 박효서
편 집 김은미
디자인 김은미

주 소 서울시 용산구 한강대로 341 대한빌딩 206호
전 화 02-754-1867
팩 스 02-753-1867
이메일 nodemedia@daum.net
홈페이지 www.enodemedia.co.kr

등록번호 제302-2008-000043호

ISBN 978-89-8458-326-9 03810
정가 15,000원